**GOLDMANN – IHRE NR. 1**

*Buch*

Mit durchschnittener Kehle wird die reiche Unternehmersgattin Inka von Barneck in ihrer Kölner Luxuswohnung aufgefunden. Genau das, was Kommissar Romanus Cüpper braucht, nachdem ihn soeben seine Freundin verlassen und so ziemlich die gesamte Wohnungseinrichtung – außer Cüppers geliebter Küche – mitgenommen hat. Die Spurensicherung stößt auf keinerlei eindeutige Anhaltspunkte, und so nimmt die langwierige Ermittlungsarbeit ihren Lauf. Die Tote, so finden Cüpper und sein Assistent Rabenhorst heraus, war ausgesprochen unbeliebt, da sie ihre Mitmenschen rücksichtslos zu manipulieren und auszunutzen pflegte. Entsprechend hoch ist die Zahl der Verdächtigen: der entfremdete Ehemann, die nicht eben liebende Tochter, die Geschäftspartnerin Astrid Hasling, die Inka von Barneck auch nichts Gutes wollte. Die Liste ist lang und kompliziert. Cüpper steht vor einem gordischen Knoten aus möglichen Motiven und Alibis, bis ihm ein Gespräch kurz vor der Testamentseröffnung den entscheidenden Hinweis liefert…

*Von Frank Schätzing außerdem bei Goldmann lieferbar:*

Tod und Teufel. Roman (45531)
Lautlos. Roman (45922)

Mehr Informationen zum Autor und seinen Büchern unter
www.frank-schaetzing.com

# Frank Schätzing

# Mordshunger

Roman

**GOLDMANN**

**FSC**

**Mix**
Produktgruppe aus vorbildlich
bewirtschafteten Wäldern und
anderen kontrollierten Herkünften

Zert.-Nr. SGS-COC-1940
www.fsc.org
© 1996 Forest Stewardship Council

Verlagsgruppe Random House FSC-DEU-0100
Das für dieses Buch verwendete FSC-zertifitierte Papier
*München Super* liefert Mochenwangen.


7. Auflage
Taschenbuchausgabe Oktober 2006
Wilhelm Goldmann Verlag, München,
in der Verlagsgruppe Random House GmbH
Copyright © der Originalausgabe by
Hermann-Josef Emons Verlag, Köln
Vom Autor aktualisierte Ausgabe des gleichnamigen Romans
Umschlaggestaltung: Design Team München
Umschlagfoto: Getty Images
AM · Herstellung: MW
Satz: Uhl + Massopust, Aalen
Druck und Bindung: GGP Media GmbH, Pößneck
Printed in Germany
ISBN 978-3-442-45924-7


www.goldmann-verlag.de

Liz,
für alles,
in Liebe

Ich bin in Köln geboren. Ich weiß alles über die Stadt. Auch, dass die Domtürme unterschiedlich hoch sind. Aber ich kann mir nicht merken, welcher höher ist. Seltsam. In meinen Augen sind sie völlig gleich.

*Romanus Cüpper*

Löwen und Tiger greifen selten von vorne an. Sie entwickeln eine unglaubliche Geduld, ihre Beute aus dem Hinterhalt zu belauern. Wenn sie zuschlagen, ist es immer der passendste aller Momente. Das Opfer hat kaum eine Chance, ich bin versucht zu sagen, nicht die geringste!

*Charles Darwin*

# Vorwort zur Neuausgabe

Mordshunger ist mein erster Roman. Tod und Teufel entstand drei Jahre später, wurde allerdings vorher veröffentlicht, was seinerzeit für einige Verwirrung sorgte. Viele Leser sind der Ansicht, ich hätte Mordshunger erst nach Tod und Teufel geschrieben. Tatsächlich verbrachte Mordshunger seine Jugendjahre in einer Schreibtischschublade, weil ich kurzfristig mehr Geschmack am Mittelalter gefunden hatte. So erhielt Jacop der Fuchs den Vortritt vor Kommissar Cüpper, womit der Zweitgeborene allgemein als der Erstgeborene gilt.

Nun erscheint Mordshunger bei Goldmann, was mich außerordentlich freut, andererseits Potenzial für neuerliche Verwirrung birgt. Nicht auszuschließen, dass der eine oder andere nun glaubt, den Nachfolger des Schwarm in Händen zu halten. Ich möchte darum explizit auf den 22. März 1991 hinweisen. An jenem Tag verfügte ich die letzten Zeilen von Mordshunger in einen bleischweren, vorsintflutlichen Laptop. Damals war ich der Meinung, ein dickes Buch geschrieben zu haben. Die Zeiten ändern sich, und mit ihnen hat sich nicht nur die Kölner Gastronomie verändert, der Mordshunger Tribut zollt, sondern so ziemlich alles.

Beispielsweise gibt es von den Restaurants, die Kommissar Cüpper in der Erstausgabe frequentierte, nur noch knapp die Hälfte. Von denen wiederum haben einige den Besitzer gewechselt, nicht unbedingt zu ihrem Vorteil. Der Spaß an Mordshunger verdankte sich maßgeblich der Verfressenheit des Kommissars, weshalb man das Buch auch als Führer durch die Kölner Gastronomie und als Kochbuch benutzen konnte – eigens für Mordshunger kreierten mehrere Kölner Küchenchefs damals Rezepte. Bloß, was nützen Ihnen Originalschauplätze, die heute keine mehr sind? Heißhungrig ein vollmundig beschriebenes Restaurant aufzusuchen, um sich vor einer Boutique oder einem Fachgeschäft für Stützstrümpfe wiederzufinden, dürfte Ihnen den Spaß eher verleiden.

Also ging ich daran, Mordshunger für die vorliegende Ausgabe zu aktualisieren – und war beim Lesen einigermaßen verdattert. Beispielsweise fragte ich mich, warum die Protagonisten außerhalb ihrer Büros und Wohnungen niemals telefonieren. Die Antwort lautet, dass es Anfang der Neunziger so gut wie keine Handys gab. Ich weiß ja nicht, wie es Ihnen geht. Mir scheint, ich sei mit so einem Ding in der Hand geboren. Mordshunger zu lesen war ungefähr so, als schaue man die Tagesthemen von 1991 – durchaus amüsant, nur dass einem plötzlich klar wird, worauf man sich am allerwenigsten verlassen kann: auf das persönliche Zeitempfinden.

Ebenfalls stellte ich fest, dass sich mein Schreibstil über die Jahre stark verändert hat, was offenbar wird, wenn man die Chronologie meiner Veröffentlichungen in Seitenzahlen ausdrückt. Mordshunger, 448 Seiten. Tod und Teufel, 512 Seiten. Die dunkle Seite, rund 600 Seiten.

Lautlos, 704 Seiten. Der Schwarm, fast 1000 Seiten. Ich stellte fest, dass die Sätze in Mordshunger zu den kürzesten gehören, die ich je geschrieben habe, dass ich die meisten davon immer noch mochte – und manche nicht mehr ganz so sehr.

Also habe ich Mordshunger überarbeitet. Ganz behutsam. Es ist immer noch der Originaltext, stilistisch wie inhaltlich. Wäre das Buch eine Person, könnte man sagen, sie war beim Kosmetiker zwecks behutsamer Auffrischung ihres Typs. Es gibt immer noch keine Handys im Buch, niemand sagt etwas anderes, als er in der Erstausgabe sagte, in und aus den Adern der Protagonisten fließt das Blut der frühen Neunziger. Nur einige wenige Formulierungen und die gastronomischen Tatorte sind neu. Cüpper geht jetzt in andere Restaurants, und im Anhang finden Sie einen Querschnitt durch die Kölner Gastroszene von 2006, außerdem ganz neue Rezepte. Wie lange das alles aktuell bleibt, weiß ich auch nicht – vorläufig kann ich Ihnen jedoch höchsten Genuss versprechen, sollten Sie auf den Spuren des Kommissars zu wandeln belieben.

Bleibt, Ihnen Guten Appetit zu wünschen – mit Mordshunger »remixed«.

# Nacht

# Ende

Sie hatte ihm eine Gurke geschenkt mit dem Ratschlag, sie sich sonst wohin zu stecken, und war ausgezogen.

»Ein guter Kriminalist«, pflegte er zu sagen, »wird verlassen. Er muss verlassen werden. Würde er der Idee verfallen, hinter Wahnsinnigen und Mördern herzulaufen, wenn man ihn nicht verlassen hätte? Fähige Polizisten neigen zum Verlust der Freundin, die Genies sind allesamt geschieden. Schön, ich hab nur eine Freundin. Aber ich bin ein guter Polizist! Folglich wird sie mich verlassen, irgendwann, das ist die Tragik meiner Profession. Ich frage mich eigentlich nur, ob ich sie vorher schnell heiraten sollte, um hinterher ein ganz besonders genialer Polizist zu sein. Verzwickt, das Ganze! Geht mir im Kopf rum, immer wieder. Im Allgemeinen gehe ich dann was essen und sage mir, langsam Cüpper. Sechsunddreißigmal kauen, jeden Bissen. Hat alles noch Zeit.«

Es hatte keine Zeit.

Sie hatte ihm eine Gurke geschenkt, weil sie wusste, dass er keine Gurken mochte, dass es nur drei Dinge gab, die er von Herzen verabscheute: Gurken, Kümmel, Kokos.

Er war um die Gurke herumspaziert, als könne sie den Lauf der Dinge biegen, während im Nebenzimmer Blusen, Röcke, Jeans, Dessous flupp flupp in den Koffer flogen. Dann kamen die Packer, und man trug die Couch und den Glastisch und die zwei CD-Regale und die komplette Stereoanlage und noch bedenklich viel mehr an ihm vorbei nach draußen und fütterte einen schier unersättlichen Möbelwagen. Währenddessen lag die Gurke lang und dunkelgrün vor ihm und begann ihn auf merkwürdige Weise zu faszinieren, bis einer der Männer sie kurzerhand auf die Fensterbank legte, um das Schränkchen wegzutragen, das ihm, wie er sich mit einem Mal entsann, auch nicht gehörte. Nichts gehörte ihm.

Bis auf die Küche.

Er unterbrach seinen Spaziergang entlang der Promenade und blinzelte durch den stärker werdenden Regen hinaus auf den Rhein. Das Wasser lief ihm in den Nacken.

Gut zwei Stunden waren vergangen, seit er losgezogen war, immer den Fluss entlang, vom Dom hoch Richtung Rodenkirchen, kehrt und wieder zur Bastei, den Wind als Gegner und als Freund, nass wie ein Lurch. Lastkähne zogen durchs kräuselige Schwarz. Wie urzeitliche Krokodile, dachte er, was ihn prompt daran erinnerte, dass sie auch die Dias von der Amazonasfahrt mitgenommen hatte, alle fünf Kästen, und den Projektor und die Leinwand obendrein.

Aber er brauchte keine Bilder, um der Wirklichkeit zu vertrauen. Er hatte immer noch die Gurke. Mitgenommen auf diese nächtliche Streife. Nur, dass er diesmal einer Flüchtigen auf der Spur war, die er nicht würde verhaften können. Musste sie laufen lassen.

Hm.

Warum die Gurke eigentlich nicht essen?

Aber ja, mach aus der Niederlage einen Sieg! Streiche die Gurke von der Liste deiner Animositäten, widme sie der Ausbrecherin, die sich nicht geschämt hat, dein Herz noch obendrauf zu packen auf den Berg gestohlener Erinnerungen. Sollst sie dir sonst wohin stecken, was? Allerdings, mein Schatz! Ab heute sei die Gurke rehabilitiert, oft und gern verschlungen, liebevoll verdaut, eine hochgeschätzte Kostbarkeit im Fundus all der Rezepturen, die drei Meter Ikea-Regal gefüllt hatten, bis dem großen Raub auch das Regal zum Opfer gefallen war.

Marodeurin!

Er beschnupperte die Gurke, zögerte und biss hinein.

Ein Genuss!

Wie hatte er nur jemals glauben können – mhhmmmm!

Diese hier, das war kein Treibhausklon. Sicher vom Gemüsemann auf der Neusser Straße, dessen Rasierwasser der Duft frischen, feuchten Basilikums war, konspirativ herübergereicht wie eine Flasche guten Weines. Hätte sie ihm eine solch phänomenale Gurke geschenkt, wenn sie ihn nicht immer noch liebte?

Knack, spritzender Saft im Mund. Mit jedem Stück fühlte er die Lebensgeister in sich zurückfließen, atmete tief durch, biss ab, verfiel in einen Fressrausch, ließ den Regen Beifall prasseln, bis ein ungeheurer Blitz die Schwärze jäh zerriss und krachend niederging, direkt über dem Dom.

Für die Dauer eines Augenblicks war Köln in weiße Gischt getaucht.

Weltuntergang.

Dann wieder gleichmäßig niederströmender Frieden.

Romanus Cüpper grinste den Rest seiner Gurke an, schüttelte das Wasser aus den Haaren und ging heim.

Es war der 23. Juni.

Mitternacht.

# Bazaar

Der Regen wurde dichter.

Schritte schürften über Treppenmarmor, unregelmäßig, aber beharrlich dem fünften Stock zustrebend. Der Urheber passierte idyllische Szenen hinter verschlossenen Türen. Blaubeleuchtete Familien vor Fernsehapparaten. Kinder, brav zu Bett gegangen, Licht aus, Küsschen, Decke übern Kopf, Nintendo. Alte Paare, einander in den Wahnsinn schnarchend. Unparteiisch nur das Treppenhaus, ein Niemandsland. – Und nun ein Jemand, der sich anschlich in der Anonymität der Nacht.

Der Jemand blieb stehen und keuchte. Vor ihm eine Wohnungstür, einen Spaltbreit geöffnet.

Regungslos verharrte die Gestalt, streckte dann zögernd eine Hand aus, bis die Fingerspitzen das lackierte Holz berührten, um den Kontakt gleich wieder zu verlieren. Mit kaum wahrnehmbarem Rauschen schwang die Türe weiter auf und gab den Blick frei in einen anderen Zustand der Dunkelheit, wie er nur bewohnten Räumen zu eigen ist, ein Schwarz voller Andeutungen, Körperlichkeiten und wechselnder Standorte, eine vertraute, fremde Welt.

Wieder erstarrte die Gestalt. Sie schien zu überlegen. Ihr Keuchen wurde heftiger.

Dann setzte sie sich langsam in Bewegung, stieß die

Tür ganz auf, drang ein und verlor sich in der Lichtlosig-
keit des dahinterliegenden Raumes, als hätte es sie nie gegeben.

# Cüpper

Fast zu Hause.

Tausend Gedanken führten in Cüppers Schädel ein chaotisches Dasein, während sich der Magen unbeeindruckt an die Arbeit machte, Säure produzierte, Enzyme freisetzte, Moleküle spaltete, Nährstoffe weiterleitete und den Gurkenrest im Darmsystem diskret beseitigte.

Wie immer der perfekte Mord.

Cüppers Kopf versuchte unterdessen, die Frau verschwinden zu lassen, mit der er die letzten sechs Jahre verbracht hatte, was sich als wesentlich schwieriger erwies.

Ich sollte mich betrinken, dachte er schließlich, weil ihm partout nichts Besseres einfiel. Zählen darf nur der Alkoholgehalt. Kein Genuss! Jeder, der fernsieht oder Bücher liest, weiß, dass verlassene Männer betrunken durch die Straßen irren, was in den seltensten Fällen auf einen Brunello di Montalcino oder einen Mouton Rothschild zurückzuführen ist.

Aber er wollte sich nicht betrinken.

Halt die Spielregeln ein, schalt er sich. Die Sache wird dir doch wohl einen ordentlichen Suff wert sein.

Also gut, betrinken. Die Tankstelle in der Riehler Straße, nah genug, um den Gedanken ernsthaft in Erwägung zu ziehen, bot für wenig Geld einen so sündhaft schlech-

ten Weißen, dass jeder Trennungsschmerz im anschlie-
ßenden Sodbrennen rückstandslos zersetzt würde.

Trennungsschmerz? Pah!

Nein, er hatte Wut, und die verdiente etwas anderes.
Beispielsweise könnte man sich in ein Taxi setzen, die
Kyffhäuserstraße ansteuern und einen Besuch im *La Société* abstatten, das über den Vorzug eines respektablen
Weinkellers gebot. Es mochte gelingen, dem Patron die
eine oder andere Flasche Bordeaux abzuschwatzen. Wozu hatte man Freunde?

Dann fiel ihm ein, dass er noch einen 89er Pio Cesare
im Keller hatte. Aber der würde bis morgen warten müssen. Pio Cesare schmeckte Cüpper am besten zu Ge-
schnäbeltem. Also früh in die Stadt, auf der Apostelstra-
ße eine Ente kaufen, eine schöne französische Flugente
mit Hals und Arsch und Innereien. Dann die ganze Ente
ganz alleine fressen, ohne die Frau, um derentwegen er
sich fast mit Blanc de Blanc vergiftet hätte.

Doch nicht Cüpper.

Bei dem Gedanken an die Ente lief ihm mehr Wasser im
Mund zusammen als durch die Haare.

Eine Ente, ja!

Und vorher ein Salat. Mit Gurke.

# Bazaar

Schramm konnte nicht schlafen.

Am Nachmittag hatte ihn der Fabrikant aus München angerufen und Konkurs vermeldet. Die siebzehn Seidenhemden könne er nun leider nicht mehr liefern. Die zehn Mäntel auch nicht, von den bestellten vierzehn Sakkos immerhin sechs, zwei davon mit kleinen Fehlern, wer sei schon perfekt?

Schramm hatte sich unter Einhaltung der gängigen Höflichkeitsfloskeln nach seinem Geld erkundigt, als gäbe es auch nur den Hauch einer Chance, es wiederzusehen.

Das Geld? Ja, das sei weg.

Wo es denn sei?

Na, weg. Der Fabrikant war sehr gelassen. Schließlich war er pleite.

Schramm war in seinem Laden hin- und hergelaufen und hatte sich verflucht. Das war mittlerweile an der Tagesordnung. Er verfluchte sich, wenn er die Preise auf ein Level runtersetzen musste, das Leute in sein Geschäft lockte, die er dort nicht sehen wollte. Er wechselte viermal täglich die Krawatte und verwickelte seine Kunden in Gespräche über den Vormarsch der spanischen Avantgarde, bis er sich selber nicht mehr hören mochte. Er tat verständnisvoll, wenn sich die Leute mit plötzlichem

Blick auf die Uhr zum Bäcker empfahlen und versicherten, in zehn Minuten wieder da zu sein und zu kaufen, was sie nicht mal hatten anprobieren wollen. Allmählich wurde sein Gesicht so grau wie sein Haar, das er einmal wöchentlich nachschneiden ließ. Er stellte fest, dass man in Maßanzügen nicht die Schultern hängen lassen sollte, weil das blöde aussieht. Durch die Scheiben seines großen, straßenwärts gewandten Schaufensters studierte er mit eingefrorenem Lächeln die Vorbeieilenden und suchte nach Herren, die es auszustatten gäbe, egal, mit was, Hauptsache, sie zahlten.

Und er verfluchte sich selbst.

Herrenausstatter! Warum war er nicht Friseur geworden? Haare wuchsen immer.

Wütend rieb er sich die Augen, legte sein Kopfkissen von rechts nach links, machte einen Kniff rein, drückte ihn wieder raus, strampelte die Decke weg, drehte sich auf den Rücken, auf die Seite, auf den Bauch, stand auf und aß ein Käsebrot, wozu er Wodka trank. Danach rebellierte sein Magen, und er musste raus auf die Terrasse. Es war kurz nach Mitternacht.

Heftiger Regen schlug ihm ins Gesicht und klatschte auf das Glasdach des Bazaar gleich unter ihm.

Wie passend, dachte er. Wie nett!

Im Stakkato begann er, seine Wohnung zu durchmessen, auf und ab. Immer wieder rechnete er nach, was ihn die Katastrophe kosten würde. Immer wieder waren es mindestens zwei Nullen zu viel. Ermattet ließ er sich gegen die Wohnungstür fallen. Es war alles so anstrengend.

Die Welt war ungerecht. Er stand bis zu den Knöcheln im Verderben, und die Barneck über ihm ersoff im Geld. Inka von Barneck, reich und schön! – Schramm knirschte mit den Zähnen. Er hätte gute Lust gehabt, jetzt zu ihr hochzugehen! Es ihr auf einem Bett aus Kontoauszügen zu besorgen, von denen jeder seine Zukunft dreimal abgesichert hätte, einen Ring an ihre Hand zu stecken und von ihr zu leben, bis ihm vor Überfluss die Knöpfe von der Weste sprangen.

Aber sie war verheiratet. Und er hatte nie ein Wort mit ihr gewechselt. Denn Schramm war leider nicht der Mutigste.

Und das machte ihn noch fertiger als die Finanzen.

Die Gestalt verharrte und sah sich in der dunklen Wohnung um. Ihre Hände tasteten hin und her wie Ameisenfühler und sanken dann herab.

Einiges war nicht so, wie sie es erwartet hatte.

Unentschlossen wandte sie den Kopf zurück zu der weit geöffneten Wohnungstür, erahnte im Dunkel den Lichtschalter, streckte einen Arm aus und hielt wieder inne.

Leises, zischendes Keuchen kam über ihre Lippen.

Nein, kein Licht. Das Feuerzeug!

Trübe, kleine Flamme.

Aber sie würde reichen.

# Cüpper

Dann eben nicht.

Durch den Regen taumeln, sich betrinken und erkälten, allzu theatralisch, dämlich. Lieber schlafen gehen in der besten aller Wohnungen, hundertzwanzig Quadratmeter Altbau, Theodor-Heuss-Ring, Blick auf den Ententeich.

Seine Wohnung.

Im Grunde war er frei. Auch wenn neuerdings jemand fehlte, von den Möbeln ganz zu schweigen. Hätte sie ihn auch verlassen, wenn er in einer Bücherei gearbeitet hätte? Oder als Metzger? Oder als Museumsdiener oder hinter einer Bar? War es überhaupt der Job gewesen?

Ein guter Polizist ist einsam. Guter Bulle. Braver Bulle.

Er schüttelte das Wasser aus den Haaren und ging durch das fast leere Wohnzimmer in die Küche. Na und? Das hier war sein Reich. Sollte sie ruhig alles haben, was sie wollte. Nur nicht den Kühlschrank, nicht den Herd, den Grill, die Tiefkühltruhe, nicht die Marmorarbeitsfläche und die teuren Messer und die Töpfe, die ganze Pracht und Herrlichkeit. Ansonsten alles!

Ach nein. Den Esstisch hätte er schon gern behalten. Aber es war ihrer. Sie hatte ihn damals mitgebracht. Das Pfand dafür war Liebe gewesen, und die Liebe war erloschen, ausbezahlt, zurückgegeben.

Cüpper ließ sich gegen den Herd sinken. Sein Blick schweifte über die stattliche Kompanie der Gewürzgläser in ihren Halterungen an der Wand.

Wie gerne hatte er für sie gekocht.

Und wie hatte sie genießen können! Ganze Abende hatten sie damit verbracht, sich gegenseitig Köstlichkeiten in den Mund zu schieben, hatten sich am bloßen Anblick der Zutaten berauscht, den Staub von alten Flaschenhälsen geblasen, einander Etiketten vorgelesen, und mit jedem Teller, jedem Glas war in ihren Augen ein Abbild dessen erschienen, was das Paradies sein musste, wie er es sich schon damals in der Schule vorgestellt hatte, als etwas primär Essbares, rundum Köstliches. Er hätte ihr stundenlang zusehen können, und irgendwann ertappte er sich bei dem Gedanken, selber gar nichts mehr zu brauchen, einfach der Chronist ihrer Ekstase sein und glücklich neben ihr verhungern zu dürfen. Vielleicht war das der Punkt gewesen, an dem er sich die Augen gerieben hatte und plötzlich zu der Überzeugung gelangt war, sich wieder mehr um seinen eigenen Genuss kümmern zu müssen.

Das hatte er dann auch getan.

Und übertrieben.

Aber zog man deshalb gleich aus?

Cüpper zuckte die Achseln. Müßig, das Ganze.

Todmüde ging er los, eine Zahnbürste zu suchen. Falls noch eine da war.

# Bazaar

Schramm hörte den Schrei, bevor er ihn begriff. Dann ein Heulen: »Gott! Oh Gott! Oh Gott!!!«

Sein Herzschlag setzte aus. Alles Blut wich aus seinem Hirn. Unfähig nachzudenken, festgefroren an der Tür, elektrisiert bis in die Fingerspitzen, stand er da und biss sich auf die Zunge.

Da, noch etwas! Schwach. Ein Poltern, oder eher… nein, jetzt war alles still. Nichts mehr.

Schramm schloss die Augen und kämpfte gegen die Übelkeit an.

Gleichmäßig prasselte der Regen an die Fenster.

Er lauschte in die plötzliche Stille hinein, während es in seinen Beinen zu kribbeln begann. Die Schreie waren von oben gekommen, aus dem fünften Stock, ebenso wie das Poltern – vorausgesetzt, seine aufgeschreckten Sinne hatten ihm keinen Streich gespielt. Alles war plötzlich unwichtig geworden, der Fabrikant, das Geld, nur die Angst war wirklich.

Im nächsten Augenblick hasteten Schritte durch den Hausflur, laut und polternd, runter aus dem Fünften, geradewegs auf seine Wohnung zu und…

Schramm wirbelte herum. Seine Finger verfehlten die Kette an der Tür, suchten danach in panischer Hast, griffen ins Leere.

… vorbei, weiter die Treppe hinunter, als sei der Teufel hinter ihnen her, wurden leiser, verklangen. Unten ging die Haustür.

Schramm legte das Gesicht gegen die kühle Oberfläche der Tür und atmete tief durch.

Etwas war passiert. Er fühlte es. Er hatte einen Sensor für alles Furchteinflößende, selbst wenn er durch Mauern davon getrennt war.

Inka von Barneck…

Sie bewohnte die komplette obere Etage. Allein, soviel er wusste. War sie so überstürzt die Treppe hinuntergelaufen? Hatte sie geschrien?

Seine Knie begannen zu zittern.

»Verdammt!«, presste er hervor. »Verdammt! Verdammt!« Das Fluchen wirkte, als schütte jemand Eiswasser über sein Hirn, so dass er wieder klarer denken konnte. Wenn ihr nun was passiert war?

Er musste nachsehen.

Einbrecher vielleicht –

Aber ja, es war einer eingebrochen! Sie hatte ihn entdeckt, geschrien, er war abgehauen. Hatte sie niedergeschlagen – dieses Poltern –, und dann raus, so schnell es ging. Der Kerl war also weg. Keine Gefahr.

Zögernd öffnete Schramm die Wohnungstür und blickte hinaus in den dunklen Hausflur.

Hatte sich da was bewegt?

Nein, nichts. Nur Hirngespinste.

Ohne einen Fuß über die Schwelle zu setzen, tastete er nach dem Lichtschalter draußen neben der Klingel. Die

Leuchtstoffröhren sprangen summend an, der Hausflur lag in weißes Licht getaucht, Stufen, Geländer, alles an seinem Platz. Auf Zehenspitzen ging er bis zum Treppenabsatz, aber die Zehen weigerten sich plötzlich vehement, ihn weiterzutragen. Vorsichtig beugte er den Oberkörper über das Geländer, um nach oben schauen zu können. Nichts war da, was er nicht schon kannte.

»Frau von Barneck?«, flüsterte er.

Keine Antwort. Klar, er war zu leise. Aber lauter traute er sich nicht.

»Frau von Barneck?«

Er würde raufgehen müssen. Wie er den Gedanken hasste. Irgendwas da oben war aus dem Ruder gelaufen. Etwas hatte Einzug gehalten von den Dingen, die sonst nur in den Nachrichten kamen, die immer nur den anderen passierten, bitte nur den anderen!

Da oben wohnte die Angst. Seine Angst.

Rauf mit dir, schalt er sich. Du willst sie doch haben! Nur Helden gewinnen.

Mit ein paar schnellen Schritten war er oben, fast oben, denn auf dem letzten Meter wäre er beinahe gestolpert. Die Wohnungstür stand weit offen.

Er hielt inne.

»Frau von Barneck?«

Aus der Dunkelheit wehte ihm ein kühler Lufthauch entgegen, die einzige Antwort.

Wildentschlossen nahm er die letzten Stufen und umklammerte mit beiden Händen den Türrahmen. Jetzt, als er fast in der Wohnung war, zeichneten sich schwach Konturen darin ab, erhellt vom Schein der Flurbeleuchtung. Er trat ein, sah sich im Halbdunkel um und suchte nach einem Lichtschalter. Sein Blick streifte über den Boden, fiel auf die Hand...

Die Hand.

Im selben Augenblick erlosch die Flurbeleuchtung.

»Oh Mist«, wimmerte Schramm.

Der Übergang war zu krass gewesen, jetzt sah er überhaupt nichts mehr. Jemand lag auf dem Fußboden, gleich neben der Wohnungstür, soviel wusste er. Aber wo war dieser gottverdammte Schalter?

Panik.

Er ballte die Fäuste und zwang sie in einen Winkel seiner Magengrube zurück, setzte einen Fuß vor den anderen wie ein Seiltänzer und tastete sich zum Türrahmen, wo er den Schalter vermutete. Irgendwie hatte er das Gefühl, zu weit links zu sein. Sein Fuß stieß gegen etwas Weiches, und er fuhr zurück.

Es war eine Frauenhand gewesen. Glaubte er zumindest.

Schramm begann, eine zittrige Melodie zu summen. Er ging in die Hocke und bekam ein Büschel Haare zu fassen. Langes Haar, wie es die Barneck trug.

Keine Regung. Er fuhr mit den Fingern durch die Strähnen, erreichte seltsam kaltes Fleisch, den Nacken. Glitt ab. Gewebe teilte sich, und seine Hand tauchte ein in etwas Feuchtes, Klebriges.

Tief. Zu tief.

Jetzt war es Schramm, der schrie.

# Nachtschicht

»Und dazu ein Dutzend fein gehackte Schalotten.«

»Ich denke, Zwiebeln?«

»Mann, Rabenhorst! Sie lernen's nie. Zwiebeln vorher für die Füllung. Die Schalotten streut man drüber, wenn die Entenbrust im Bräter liegt.«

»Dann kommt der Rotwein?«

»Ja, und Blut. Früher hatten sie für so was eine Spezialpresse, wo das ganze Gerippe reinkam, um den letzten Tropfen rauszuquetschen. Man denkt, so eine Ente hat viel Blut, von wegen.«

»Kein Wunder. Läuft ja aus, wenn man den Kopf abhaut.«

»Nichts läuft aus, das ist nämlich der Trick. Die Ente muss all ihr Blut behalten. Also erstickt man sie.«

»Was, die Ente wird erstickt?«

»Richtig«, nickte Cüpper.

Rabenhorst starrte seinen Chef aus runden Augen an. Mit einem Schnabel, fand Cüpper, hätte er ausgesehen wie die Ente im Bewusstsein ihres letzten Lebewohls. Schweigen entstand, dann senkten beide den Blick. Rabenhorst artikulierte sich in einer Kaskade von Räuspern und fand endlich seine Sprache wieder.

»Kein schöner Tod.«

»Nein«, bestätigte Cüpper.

Vor ihnen lag der Körper einer Frau. Die Polizisten hatten sie herumgedreht, so dass die Augen einen Punkt im Irgendwo fixierten. Schwarzes Haar umfloss ein ebenso schönes wie kalkweißes Gesicht. Darunter hatte sich bis vor kurzem noch ein makelloser, schlanker Hals erstreckt. Cüpper dachte an Marie Antoinette. Der Mörder hatte ihr die Kehle durchgeschnitten, dass es einer versuchten Guillotinierung gleichkam.

Sie war leer bis auf den letzten Tropfen. Drumherum sah es aus wie in einem Schlachthaus.

»Ist die arme Seele inzwischen eigentlich vernehmungsfähig?«, fragte Cüpper.

»Wer, Schramm?«

»Wer sonst?«

»Ich geh mal schauen.«

Cüpper gähnte. Es war 1.12 Uhr. Er hatte kaum im Bett gelegen, als das Telefon schellte. Die frohe Botschaft lautete, dass ein hysterisch schreiender Mann im fünften Stock des Bazaar de Cologne über eine Leiche gestolpert war. Seltsam, dachte Cüpper. In Büchern und Filmen sind es immer die Frauen, denen angesichts irgendwelcher Ungeheuer, Übeltäter oder Leichen spitze Kreischer entfahren. Beim Weglaufen stolpern sie, kreischen wieder und müssen tollkühn gerettet werden, was der Held natürlich ungeachtet aller Bedrohung auf sich nimmt. Hievt man sie auf Pferde, speziell im Western, fallen sie wieder runter, selbstverständlich kreischend. Prügeln sich Polizist und Bösewicht im Krimi, stehen sie daneben und schaffen es, so lange zu kreischen, bis der blutüberströmte Gute den blutüberströmten Bösen endlich alle gemacht hat.

Cüpper schüttelte den Kopf. Bis heute hatte er viele beherzte Frauen kennen gelernt. Männer hingegen knatschten wie die Kinder.

»Schramm, Herr Cüpper.«

»Ah, Schramm.«

Schramm war nicht mal vierzig, sah aber mindestens so tot aus wie die Frau da auf dem Boden. Seine Augen waren rotgerändert.

»Es ist furchtbar«, flüsterte er.

»Sicher ist es furchtbar«, sagte Cüpper. »Wollen Sie eine Zigarette?«

»Nein«, jammerte Schramm.

»Alle nervösen Leute wollen eine Zigarette.«

»Ich rauche nicht.«

»Lobesam. Wie gut kannten Sie Inka von Barneck?«

Schramms Gesichtsausdruck verriet Cüpper auf Anhieb, dass er sie wohl gerne besser gekannt hätte. Man habe sich verschiedene Male im Treppenhaus gesehen. Auch im Fahrstuhl.

»Und Sie haben nie mit ihr gesprochen?«

»Ich habe … ich wollte …« Schramms Unterkiefer bebte.

»Haben Sie sie umgebracht?«

Der Unterkiefer kam zur Ruhe.

»Wie bitte?«

»Nein, haben Sie nicht«, konstatierte Cüpper. »Entschuldigen Sie, aber es gibt Reaktionen, die man nur durch wohlgezielte kleine Schocks erhält.«

»Mir reicht's für heute mit den Schocks!«, schrie Schramm, um gleich darauf in sich zusammenzufallen. Cüpper musste wieder gähnen und gab Rabenhorst ein Zeichen, den Mann nach draußen zu bringen. Todmüde begann er, das Apartment zu inspizieren, in dem die Leute von der Spurensicherung schon emsig nach Godzillas Fußabdrücken suchten.

Inka von Barnecks Wohnung lag im obersten Stockwerk des Bazaar. Sie konnte von zwei Seiten begangen werden, vom Hausflur und über die Terrasse, was allerdings eine Kletterpartie erfordert hätte. Gleich darunter wohnte Schramm, und der war's nicht gewesen. Nicht, dass er ein Alibi gehabt hätte oder keinen Grund. Er war es einfach nicht gewesen, dafür reichte es, ihm ins Gesicht zu sehen.

Cüpper warf einen Blick nach draußen. Die Terrasse war mit Holz geplankt. Seit einer halben Stunde regnete es nicht mehr, aber der Boden schimmerte noch feucht. Hin und wieder brach der Mond durch die Wolkendecke und spiegelte sich in kleinen Pfützen, wo die Planken ausgetreten waren oder schief zusammensteckten.

Wäre der Mörder über die Dächer gekommen, hätte die Terrassentür offen stehen müssen. Dass sie jetzt verriegelt war, besagte gar nichts. Er hätte sie zuziehen können, nachdem er einmal drin war. Trotzdem unwahrscheinlich. Nirgendwo fanden sich Spuren von Nässe oder Schmutz, und es hatte fast den ganzen Tag gegossen. Um sauber hier hereinzukommen, hätte der Mörder schweben müssen. Unübliche Methode.

Cüppers Gedanken strebten Richtung Tatort, also ging er zurück in die Diele. Annähernd quadratisch, gut vier mal fünf Meter, gleich zur Rechten eine Garderobe, wenn man reinkam. Sparsam und geschmackvoll eingerichtet wie überhaupt die ganze Wohnung.

Sie hatten die Leiche neben der Tür gefunden, gekrümmt, als hätte Inka von Barneck mit letzter Kraft versucht, nach draußen auf den Flur zu kriechen. Das war natürlich Unsinn, so wie sie zugerichtet war. Inka von Barnecks letzte unbewusste Handlung hatte offenbar darin bestanden, die Hände auszustrecken und dann in die Garderobe zu sinken. Ihre linke Hand hatte sich in einen Blazer gekrallt und ihn heruntergerissen. Sie war aufs Gesicht gefallen, vermutlich schon tot, bevor sie aufschlug. So, wie der Sturz erfolgt war, hatte der Mörder sie von hinten an den Haaren gepackt, ihren Kopf zurückgebogen, das Messer hochgerissen – und Schnitt.

Dann allerdings hatte er etwas getan, was nicht so recht zu einem talentierten Schurken passen wollte.

Er war gegangen, ohne die Waffe mitzunehmen. Sie lag neben dem Opfer, und das war Cüpper gar nicht recht. Derlei Ungereimtheiten bedeuteten im Allgemeinen, es entweder mit einem ausgemachten Dummkopf oder einem ganz besonders raffinierten Hund zu tun zu haben, und raffinierte Hunde machten nichts als Ärger.

Und noch etwas war seltsam an der Diele. Etwa vier Meter von der Leiche, fast im Durchgang zum Wohnzimmer, war ein antikes Dreibein umgefallen. Das Tischchen mit seinen hübschen Intarsien schien Cüpper eine ebenso teure wie wackelige Angelegenheit zu sein, trotzdem musste man schon heftig damit in Berührung kommen, um es umzukippen. Scherben lagen überall verstreut, wahrscheinlich Gläser, die auf dem Tisch gestanden hatten und beim Sturz zu Bruch gegangen waren. Leise fluchend kroch einer von der Spurensicherung durch den Schlamassel und versuchte, sich nicht die Finger zu zerschneiden. In seinem Plastikanzug mit der Haube und den weißen Handschuhen erinnerte er Cüpper an ein riesiges Insekt.

Er ging neben dem Insekt in die Hocke.

»Irgendwas Spezielles?«

»Blut an den Scherben«, sagte das Insekt und balancierte Glas in ein transparentes Plastiktütchen, um es sogleich mit einer Aufschrift zu versehen. »Manchmal komme ich mir vor wie irgend so'n Archäologe. Warum können wir nicht Freudenschreie ausstoßen, alles zusammenkleben und es dem Römisch-Germanischen Museum als vorsintflutliche Vase verkaufen? Wir bekämen viel Geld und müssten nicht mehr diese Scheiße machen.«

»Wir würden andere Scheiße machen. Was ist mit dem Blut?«

»An drei Scherben, ziemlich wenig. Bisschen was auf dem Teppichboden. Meines Erachtens ist da jemand mit der Hand rein, als der ganze Mist ins Wanken kam.«

»Sonst irgendwelche Blutspuren zwischen dem Tisch und der Leiche?«

»Nichts. Oder doch! Krüger hat was gefunden.«

Cüpper kam auf die Beine, während das Insekt mit spitzen Fingern weiter in dem Scherbenhaufen wühlte. Die Muskeln seiner Kiefer traten hart hervor. Armer Kerl. Es gab keine Routine in dem Job, allenfalls konnte man versuchen, so weit wie möglich abzustumpfen. Letzten Endes blieb ein aufgeschlitzter Hals ein aufgeschlitzter Hals. Die meisten Mägen pflegten sich umzudrehen angesichts der phantasievoll zugerichteten Toten, deren Bekanntschaft man von Berufs wegen machte. Cüpper war zu seiner immerwährenden Verwunderung Herr eines Magens, der in drastischen Fällen Hunger signalisierte.

Krüger hatte sich in eine Stelle am Türrahmen verliebt, so dass er sich gar nicht erst zu Cüpper umdrehte.

»Blut«, sagte er.

»Viel?«

»Nein.« Krüger war bekannt für erschöpfende Auskünfte.

»Irgendwas Besonderes, außer, dass Blut am Türrahmen nichts verloren hat?«

»Verschmiert. Zwei Schmierer.«

»Könnte also von einer Hand stammen.«

»Ja.«

»Mensch, Krüger. Quasseln Sie mich nicht voll. Sie sind ja völlig außer Atem.«

»Ha.«

Krüger hatte gelacht. Die Nacht versprach in jeder Hinsicht außergewöhnlich zu werden.

Rabenhorst kam angelaufen und zog Schramm hinter sich her, der mittlerweile einen Anflug von Farbe aufwies und Beflissenheit im Blick trug.

»Ich würde jetzt gerne meine Aussage machen, wenn Sie gestatten.«

»Fein«, freute sich Cüpper. »Wollen Sie einen Schnaps?«

»Ah, nein… das heißt…«

»Sie müssen nicht.«

»Oh, ich… wissen Sie, ich dachte nur, das sei hier dienstlich, und ich brauche schließlich einen klaren Kopf, und Sie müssen meine Aussage zu Protokoll nehmen und…«

»Mein lieber Herr Schramm.« Cüpper legte ihm sanft die Hände auf die Schultern. »Sie müssen gar nichts. Aber wenn Sie sich entsprechend fühlen, gehen wir zu Ihnen runter. In Ihrer Wohnung sind Sie besser aufgehoben. Sie nehmen einen Cognac oder was Sie trinken wollen auf den Schreck, und dann erzählen Sie in aller Ruhe, was passiert ist. Mir geben Sie ein Wasser. Aber bitte einen ordentlichen Jahrgang.«

Schramms Mundwinkel zuckten leicht nach oben. Er entspannte sich.


Unten brauchte Schramm nicht einen Cognac, sondern drei. Dann war der Bann gebrochen, was ihn zu ausgedehnten Schilderungen seiner geschäftlichen Situation und persönlichen Verzweiflung trieb, gipfelnd in jener schlaflosen und verhängnisvollen Nacht.

»Sie schrie ›Gott!‹. Noch mal ›Oh Gott!‹. Und noch mal, glaube ich.« Schramm erschauderte. »Ja, dreimal nacheinander. Dann war alles still.«

»Und weiter?« Cüpper nippte an seinem Wasser. Zu salzig, zu viel Kohlensäure.

»Dann?« Schramm legte die Stirn in Falten. »Da war noch was anderes. Aber erst später. Ein Rumpeln, als ob da was verrückt wird oder...«

»Umfällt?«, setzte Rabenhorst nach.

»Rabenhorst, Sie sind geschwätzig«, mäkelte Cüpper. «Kommen Sie, Schramm, was war das für ein Rumpeln?«

»Irgendeines halt. Ich weiß nicht recht. Es war zu leise.«

»Aber das Schreien nicht?«

Schramm erbleichte wieder und beugte sich verschwörerisch vor.

»Wie hier in meiner Wohnung, sag ich Ihnen. Wie direkt in meiner gottverdammten Wohnung! Als hätte sie neben mir gestanden.«

»Wer? Frau von Barneck?«

Schramm hob verwirrt die Brauen. »Ja. Natürlich. Wer denn sonst?«

»Hm. Okay, es hat gerumpelt. Wie viel Zeit war da vergangen seit dem Schrei?«

»Vier, fünf Sekunden. Mir kam alles vor wie eine Ewigkeit, aber bei näherer Betrachtung... «

»Was dann?«

»Naja. Es vergingen wieder einige Sekunden. – Und plötzlich stürmt da einer die Treppe runter, als sei der Teufel hinter ihm her, rennt raus auf die Straße und –«

»Woher wollen Sie das wissen?«

»Hab's gehört. Die Haustür ging.«

»Ah, die Tür. Dann sind Sie raufgegangen, mutig und entschlossen, und es war offen.«

»Ja, und drinnen alles dunkel und –«

»Besten Dank. Ab da sind wir im Bilde. Ich schlage also vor, Sie gehen schlafen.«

»Schlafen?«

Cüpper stand auf. »Ich muss Sie bitten, sich zu unserer Verfügung zu halten, und das können Sie genauso gut im Bett. Was mich betrifft, ich kann nach Horrorfilmen immer ausgezeichnet schlafen.«

»Aber das war kein Film.«

Cüpper lächelte. »Doch, Herr Schramm. Es war ein Film. Nur ein bisschen Kino. Rabenhorst, bei Fuß!«

Mittlerweile war der Pathologe vom Dienst eingetroffen, legte sein Jackett ab, untersuchte die Leiche, beschied die Todeszeit auf irgendeinen Zeitpunkt zwischen neun und zwölf, schnäuzte sich geräuschvoll, zog die Jacke wieder an und fuhr nach Hause. Rabenhorst hängte sich ans Telefon, um über die Tote rauszukriegen, was um diese Zeit halt rauszukriegen war. Viel würde es nicht sein. Cüpper runzelte die Stirn und ging ins Wohnzimmer, wo er eine Schale ausnehmend schöner Äpfel gesehen hatte. Was sollte aus den Äpfeln werden? Im Grunde war es nicht erlaubt, aber er nahm trotzdem einen.

Der Apfel schmeckte köstlich. Nur seine Erinnerungen schmeckten nach Gurke.

Sie war ausgezogen. Einfach so.

»Rabenhorst!«, brüllte er und warf den angebissenen Apfel zurück in die Schale. Seine wohlverdiente Müdigkeit war restlos verflogen. Rabenhorst eilte herbei.

»Inka von Barneck ...«, begann er.

»Weiß ich.«

»Eins neunundsechzig, schwarze Haare ...«

»Weiß ich auch. Erzählen Sie was Neues. Wofür schickt man Sie ans Telefon?«

»... dreiundvierzig Jahre alt, keine besonderen Kennzeichen. Das heißt, bis vor kurzem nicht. So, jetzt kommt's! Ehefrau des Millionärs und Maklers Fritz von Barneck.«

»Millionär und Makler?«

»In der Reihenfolge.«

Cüpper pfiff durch die Zähne. »Mensch! Ich habe dauernd überlegt, woher ich diesen Namen kenne. Von Barneck, aber natürlich! Macht der nicht gerade Furore mit irgendwelchen Sanierungsplänen für den Eigelstein?«

»Ja, stand in der Zeitung.«

»Allerhand. Was tut sie hier? Die von Barnecks werden kaum im Bazaar de Cologne leben.«

»Sie hat die Wohnung vor knapp zwei Jahren gekauft, auf ihren Namen. Keine Ahnung, ob sie immer hier gewohnt hat oder nur sporadisch kam. Das Haus der von Barnecks ist ein ziemlich großer Kasten in Marienburg.«

»Wo sonst«, bemerkte Krüger, der seine Ausgrabungen ins Wohnzimmer verlegt hatte, bewehrt mit seinem Köfferchen.

»Seien Sie nicht so fürchterlich beeindruckt«, sagte Cüpper. »Marienburg ist nichts weiter als ein exklusiver Schuldenberg. Wer richtig Geld hat, wohnt in Bonn.«

»Dann ist von Barneck die Ausnahme«, konstatierte

Rabenhorst. »Er ist so reich, dass man's bis nach Nippes riechen kann.«

»Sonst noch was?«

»Erst mal nicht.«

»Schön. Wollen Sie einen Apfel?«

»Chef! Sie sollen nicht immer anderer Leute Sachen aufessen.«

»Die Leute sind tot. Die Äpfel sind gut. Machen Sie kein Geschrei, sie wurde nicht von einem Granny Smith ermordet. Haben Sie bei von Barneck angerufen?«

»Nein. Übrigens sind die Äpfel runzlig.«

»Da sieht man, dass Sie keine Ahnung haben. Die besten Äpfel sind die kleinen und verschrumpelten. Also fahren wir in Gottes Namen nach Marienburg.«

»Hat das nicht bis morgen Zeit?«

»Nein. Das hat nicht bis morgen Zeit.«

Rabenhorst zuckte ergeben die Schultern. Schon fast im Hausflur hielt er inne, schaute unschlüssig drein und machte auf dem Absatz wieder kehrt. Als er zurückkam, kaute er mit vollen Backen.

Eines musste man Cüpper lassen. Er kannte sich aus.

# Die Villa

Sie fuhren über den Ring zum Chlodwigplatz und bogen in die Bonner Straße ein. Hier fühlte man sich halbwegs noch als Städter. Über den Gürtel, dann in die Marienburger Straße, und die Welt sah völlig anders aus. Dunkel und verschwiegen säumten Herrenhäuser den Weg, scheu zurückgesetzt, als wollten sie Distanz halten zu Hinz und Kunz, die da vorüberfuhren. Hinz und Kunz wie Rabenhorst und Cüpper.

Sie bogen in die Goethestraße ein. Ihr Ziel verbarg sich hinter einer Wand aus mannshohen Hecken. Einen Moment lang glaubte Cüpper schon, vorbeigefahren zu sein, aber dann sah er die Dachgiebel gegen den fahlen Himmel aufragen und ahnte, dass Fritz von Barneck seinem Beruf in eigener Sache mehr als gerecht geworden war. Zwischen den Hecken zeichnete sich das gleichmäßige Rechteck einer großen Toreinfahrt ab.

Nirgendwo das kleinste Lichtlein. Marienburg war wohlanständig bis zur Geisterhaftigkeit.

Sie suchten fünf Minuten lang nach einer Klingel, bis Cüpper zu der Überzeugung kam, in dieser Welt geschehe jede Form der Kommunikation durch reitende Boten. Rabenhorst griff schließlich unter Flüchen in ein Dornendickicht und drückte auf einen Knopf.

Nichts passierte.

»Sind Sie sicher, dass das die Klingel war und nicht die Selbstschussanlage?«, frotzelte Cüpper.

»Sind Sie tot?«

»Nein.«

»Dann war's die Klingel.« Rabenhorst stellte sich auf die Zehen, um besser über die Hecke sehen zu können.

Plötzlich knackte es vor ihnen.

»Was wünschen Sie?«, fragte eine Stimme aus der bis dahin gut getarnten Sprechanlage.

» Kriminalpolizei!«

»Darf ich Sie bitten, sich auszuweisen?«

Ausweisen? Hier draußen? Cüppers Blick wanderte nach oben. Ausdruckslos starrte das Auge einer Kamera auf ihn herunter. Er zog seine Marke und hielt sie in die Linse.

»Ich fürchte nur, Sie werden in der Dunkelheit nicht viel erkennen können«, rief er.

»Das ist kein Problem«, schnarrte es zurück. »Wir verfügen über Infrarot.«

Mit einem leisen Klick setzte sich ein Teil des Tores in Bewegung und schob sich fast geräuschlos in die Hecke. Dahinter wurde eine breite Auffahrt sichtbar, die nach wenigen Metern eine Kurve beschrieb und bei den Garagen endete, während ein Fußweg weiter geradeaus führte.

Und dort, im opalisierenden Dunst aufsteigender Feuchtigkeit, lag die Villa.

Sie war riesig.

Mächtige, gebogene Erker flankierten ein weites Portal, dessen Flügel sich geöffnet hatten und nun gelbes

Licht ins Dunkel stäubten. Dem ersten Stock war eine wuchtige Terrasse vorgelagert, darüber wuchs das düstere Gebirge schroffer Giebel in den Himmel. Cüpper fühlte sich an Edgar Allan Poe erinnert.

Wie ein Pinselstrich erschien eine Gestalt im hellen Rechteck der Tür. Als sie näher kamen, trat Cüpper ein kleiner, alter Mann mit der Physiognomie einer tausendjährigen Eiche entgegen. Der weite Morgenmantel und sein pathetischer Gesichtsausdruck verliehen ihm die Aura Alberichs, des Zwergenkönigs. Er zog die linke Braue hoch und sah höflich interessiert von einem zum anderen.

»Guten Morgen, meine Herren. Ihr Erscheinen sprengt den Rahmen des Alltäglichen.«

»Herr… von Barneck?«, fragte Cüpper und wollte es kaum glauben.

In der Ferne rollte schwacher Donner.

»Nein, Herr Kommissar. Ich bin, wenn Sie so wollen, Herr von Barnecks Butler, wenngleich man sich dieser wünschenswerten Tradition in Deutschland nicht sehr oft erfreut. Hätten Sie die Güte, mir zu sagen, worum es geht?«

»Tut mir leid. Das kann ich Herrn von Barneck nur persönlich sagen.«

»Ganz ohne Zweifel. Er wird gleich unten sein. Treten Sie einstweilen näher.«

Cüpper erhaschte einen Blick in eine Bibliothek und etwas, das nach Esszimmer aussah, nur verdammt groß. Im Schacht des Atriums, an dessen Wänden sich die Balustraden des ersten und zweiten Stockwerks erstreckten, ruhte ein ungeheurer Kronleuchter. Der Alte führte sie direkt darunter. Wenn das Ding jetzt fällt, dachte Cüpper, würde man sich über nichts und niemanden mehr Gedanken machen müssen. Alles Böse dieser Welt würde in Kaskaden von Kristall zerstieben. Aber dann könnte er auch nie mehr auf dem Markt nach italienischen Tomaten schnüffeln, nie mehr der Verführung alten Ports erliegen, nie mehr im *Rosebud* Caipirinha schlürfen und mit wippender Begeisterung den Jazzern lauschen, und vor allem nie mehr einen zweiten Strohhalm zwischen die Limetten stecken für die hübschen Wesen, die Kölns Nacht bevölkerten.

Argwöhnisch äugte er nach oben.

Aus dem Dunkel der angrenzenden Räumlichkeiten kam eine Frau von gewaltigen Ausmaßen geeilt. Der Alte sah sie kommen und verdrehte hilfesuchend die Augen.

»Elli, geh wieder in die Küche. Das sind zwei Herren von der Kriminalpolizei. Sie wollen Herrn von Barneck sprechen, mit deinem Erscheinen dürfte ihnen kaum gedient sein.«

»Red nicht so geschwollen.«

»Elli, bitte.«

»Schmitz«, strahlte sie und schüttelte Cüpper und Rabenhorst die Hände, ehe man sich's versah. »Der da heißt auch Schmitz. Hast du den Leuten wieder erzählt, du wärst der Butler?«, keifte sie den Alten an. »Hausdiener ist er, wissen Sie, und Chauffeur in einem. Das mit dem Butler hat er aus diesen englischen Romanen, ich sage immer, lies nicht dieses Zeug, wo permanent Leute erschossen werden, das ist nicht gut für dich, wo er doch auch eine Brille tragen müsste, da verdirbt er sich die Augen und beklagt sich.«

»Was tun Sie um diese Zeit noch in der Küche?«, fragte Rabenhorst erstaunt.

Frau Schmitz stemmte die Hände in die Hüften. »Das wüsste ich auch mal gerne. Ich bin ja keine junge Frau mehr. Aber Herr von Barneck hatte heute einen größeren Empfang, Sie wissen schon, jede Menge Töpfe, Pfannen und Geschirr und Gläser. Ich könnt's ja morgen machen, wäre kein Problem, aber ist der Mensch nicht selbst sein schlimmster Feind? Ich kann einfach keinen Abwasch stehen lassen. Soll Herr von Barneck morgen in die Küche kommen, und alles steht da rum? Ich meine, er kommt selten in die Küche, ich könnte also eigentlich zu Bett gehen. Aber im Krieg, da sind wir alle anspruchslos geworden, da fragt einen keiner, ob man schlafen gehen will, das hat man einszweidrei im Blut, schnell alles wegzumachen, und alte Menschen brauchen eh nicht so viel Schlaf. Was mich betrifft...«

»Sie ist meine Frau«, fiel der Alte ihr ins Wort. »Sie kocht.«

»Und trägt auf!«, rief Frau Schmitz. »Und macht sauber!«

»Senta, ci scusi tanto.« Die Stimme kam von oben.

Cüppers Blick wanderte hinauf zum Balkon des ersten Stockwerks. Zwei Männer in Pyjamas lehnten an der Balustrade, einer gähnte ausgiebig.

»C'è qualche problema?«, fragte der andere nach unten.

»Nessun problema«, gab der Hausdiener geschliffen zurück. »Allora ci dispiace tanto di averla disturbata. I due signori sono della polizia.«

»Polizia!«, rief der zweite Mann. »Santo cielo, è successo qualche cosa?«

»Speriamo di no. Io penso che i signori ci racconteranno il fatto.«

»Dabei kann der eine von den beiden deutsch«, flüsterte die Köchin Cüpper missbilligend zu. Ihr Kinn war voller Haare, was sich auf den Zähnen fortzusetzen schien.

»Was Sie nicht sagen«, raunte Cüpper zurück. »Und wer sind die Gentlemen?«

»Geschäftsfreunde aus Italien. Herr von Barneck hatte heute Abend die schon angesprochene Gesellschaft.« Ihr Gesicht bekam etwas Triumphierendes. »Sie müssen wissen, dass wir sieben Gästezimmer haben!«

»Elli«, flehte Schmitz. »Es interessiert den Kommissar nicht, ob wir sieben Gästezimmer haben. Geh doch in die Küche oder geh ins Bett, aber geh. Ich glaube wirklich nicht, dass du den Herren eine Hilfe bist, und gleich wird auch…«

»Guten Morgen.«

Alle Köpfe ruckten gleichzeitig hoch. Auf der zweiten Balustrade zeichnete sich der Umriss eines hochgewachsenen Mannes ab. Wenige Sekunden stand er unbeweglich da und betrachtete die kleinen, lärmenden Menschen in der Halle. Dann kam er die Treppe herunter, die das Erdgeschoss mit den beiden Stockwerken verband. Dichtes weißes Haar fiel ihm in Stirn und Nacken und gab ihm etwas Löwenhaftes. Die grauen Augen musterten Cüpper und Rabenhorst mit einer Mischung aus Verärgerung und Neugierde.

»Ich bin Fritz von Barneck«, sagte er schließlich.

Cüpper schickte den Blick zurück. Einen Moment lang froren beide aneinander fest.

Er beschloss, es kurz zu machen.

»War er jetzt eigentlich erschüttert, oder war es ihm egal?«, sinnierte Cüpper, als sie wieder im Auto saßen.

Rabenhorst kratzte sich ausgiebig den Nasenrücken. Die Unterredung war kurz gewesen. Ihre Nachricht hatte bei von Barneck primär Schweigen ausgelöst. Was er gesagt hatte, war mehr als knapp gewesen. Nein, er hätte seine Frau seit ein paar Tagen nicht gesehen. Nein, er wüsste niemanden, der den Mord begangen haben könnte. Während sie noch fragten, machte er auf dem Absatz kehrt und ließ sie stehen. Schmitz war unterdessen hin- und hergewandert und hatte pflichtbewusst die Stirn gerunzelt. Ganz anders seine Frau, der es zuerst die Sprache verschlagen und dann Unmengen von Wasser in die Augen getrieben hatte. Die beiden Italiener hatten einen kurzen Blick gewechselt und sich dezent zurückgezogen.

»Was ist Ihre Meinung?«

Cüpper starrte hinaus auf das dunkle Band der Straße.

»Sagen wir mal so, von Barneck hat ein Alibi. Er war den ganzen Abend mit seinen Gästen zusammen. Vorausgesetzt, seine Frau wurde in dieser Zeit ermordet, woran es nach meinem Dafürhalten keinen Zweifel gibt, ist er aus dem Schneider.«

»Schade. Wär einfach gewesen.«

»Rabenhorst, Sie sind faul. Wenn jeder Blödmann Kriminalfälle lösen könnte, müssten Sie unter der Deutzer Brücke schlafen.«

»Trotzdem.«

»Trotzdem nicht. Ich verwette meinen Gasherd, dass die beiden sich nicht viel zu sagen hatten. Aber er war nun mal den ganzen Abend in der Villa.«

»Gibt ja auch reichlich Zeugen«, bekräftigte Rabenhorst im Tonfall eines Mannes, der den Schleier des Zweifels zerreißt. »Zurück zum Tatort?«

Cüpper nickte stumm.

# Spuren

Mittlerweile regnete es wieder. Es würde auch morgen regnen. Dieser ganze verdammte Sommer war ein einziges Elend.

Am Bazaar stieg Cüpper aus und schickte Rabenhorst nach Hause. Oben waren die Leute von der Spurensicherung noch fleißig, schossen Fotos und malträtierten die Wohnzimmerteppiche mit Klebebändern, um Haare oder Fusseln zu erbeuten. Cüpper streifte zwischen ihnen hindurch, ohne etwas Konkretes im Auge zu haben.

Es war wie beim Flirten. Legte man es krampfhaft darauf an, ging man allein nach Hause. Setzte man nichts voraus, passierten einem die tollsten Sachen. Cüpper wusste, dass viele Polizisten nichts am Tatort fanden, weil sie davon auszugehen schienen, der Täter habe sich an ein offizielles Procedere gehalten. Er musste an eine Geschichte von Poe denken, in der fieberhaft ein Brief gesucht wurde – ein Brief, der die ganze Zeit über in einem Kartenhalter vor den Nasen aller Beteiligten steckte, so offensichtlich, dass jedermann ihn übersah.

Cüpper zog die umgekehrte Arbeitsweise vor und ließ sich von den Spuren finden. Er bewegte sich in einer unbekannten Welt, nämlich der des Mörders. Er konnte die Hinweise nicht kennen, die Details nicht erahnen, die ihn weiterbringen würden.

Aber er konnte durch eine Wohnung gehen und sich überraschen lassen.

Als Erstes aß er die verbliebenen zwei Äpfel auf. Krügers Leute hätten ihn in den Arsch getreten, aber sie waren gerade sämtlich im Schlafzimmer verschwunden. Praktisch. Vorerst hatte man hier seine Ruhe.

Ohne Eile ging er wieder in die Diele und starrte den riesigen Fleck an, und der Fleck starrte zurück. Ein monumentales Auge aus geronnenem Blut, ein Geheimnis, das die Suggestion des Schreckens aus der Andeutung bezog. Was immer sich hier abgespielt hatte, wurde in dem schwarzen See lebendig, wenn man nur verstand hineinzublicken.

Cüpper ging näher heran. Nach und nach ergänzte er die Szenerie um die Tote, die Art, wie sie verkrümmt halb in der Garderobe, halb in der Tür gelegen hatte, den heruntergerissenen Blazer so fest umkrallt, dass man ihr die Finger hatte brechen müssen. Gleich daneben die verschmierte Klinge. Er sog den metallischen Geruch des Blutes in sich auf und konzentrierte sich auf die Waffe. Sah Inka von Barneck an seiner statt dastehen, das Gesicht zur Garderobe gewandt, hinter sich den schwarzen Schatten. Gab sich der Vorstellung hin, er sei Inka von Barneck. Wurde an den Haaren gezogen, zurückgerissen, während das Messer wie eine Schranke heruntersauste und seitlich wegzog. Riss die Arme hoch im Sturz.

Und fing sich, die Augen fest geschlossen.

Der Blutdunst wurde intensiver. Anklagend, faulig. Cüppers innerer Blick, nun aus der Perspektive des Mörders, betrachtete die Frau, die tot vor ihm lag, aufgeschlitzt von seiner Hand. Ruhig legte er das Messer neben sie.

Und entspannte sich.

Mit einem Mal wusste er, was ihn an der Waffe irritiert hatte.

Der Geruch war verflogen, hatte nur in seinem Kopf existiert. Was blieb, war ein großer Fleck, nichts weiter. Cüpper gönnte sich ein Lächeln der Zufriedenheit und ging ins Schlafzimmer.

Das Bett war sauber bezogen, glatt gestrichene Laken, Kopfkissen ordentlich aufgeschüttelt, keine Decke. Im Kölner Kessel herrschte seit Wochen drückende Schwüle. Ungeachtet der ständigen Regengüsse und Gewitter konnte man nachts kein Auge zutun, weil einen die Luft umgab wie warmer Kleister. Inka von Barneck hatte wohl nichts über sich ertragen können, jedenfalls nichts Textiles.

Aufmerksam untersuchte er das Kopfkissen.

»Keine Haare«, sagte Krügers Stimme unter dem Bett.

»Was?«

Krügers Kopf erschien, die reine Ausdruckslosigkeit.

»Hat allein geschlafen.«

»Und da sind keine Haare drauf gewesen? Nicht mal ihre?«

Krüger sah ihn an, als erwäge er, auf eine derart blöde Frage gar nicht erst zu antworten.

»'türlich«, sagte er schließlich und tauchte wieder ab.

Cüpper gab es auf. Hier war er überflüssig.

Im Wohnzimmer packte ihn der Ehrgeiz. Er zog ein paar transparente Handschuhe über, ließ sich auf alle viere nieder und nahm jeden Quadratzentimeter Fußboden unter die Lupe. Die Pfadfinder der Kripo hatten tüchtige Arbeit geleistet, aber dennoch – er war besser als der schnöselige Krüger mit dem Ungesicht. Tatsächlich wurde er nach einer Weile fündig. Etwas glitzerte im hohen Flor des Teppichbodens vor der Couch. Als er behutsam danach griff, hielt er eine einzelne Paillette zwischen den Fingern.

Inka von Barneck hatte kein Paillettenkleid getragen. Cüpper stand auf und öffnete der Reihe nach alle Schränke und Schubladen. Klamotten ohne Ende, aber nichts mit Pailletten.

Der Boden war sauber. Offensichtlich hatte man ihn erst vor kurzer Zeit gereinigt, mindestens gesaugt. Was darauf schließen ließ, dass die Paillette noch nicht lange hier gelegen hatte.

Immerhin! Eine Paillette!

Cüpper platzte fast vor Schadenfreude, ging zurück ins Schlafzimmer und machte Krüger eine lange Nase. Er hätte ebenso gut mit einer Wand sprechen können. Krüger nahm das Fundstück unbewegt zur Kenntnis, gab ihm eine Nummer und verlor das Interesse.

Blödmann.

Als Cüpper eben beschlossen hatte, sich zu trollen, fiel sein Blick auf das Telefon neben der Couch. Drum herum alles mögliche Zeug, Notizbücher, aus Zeitschriften geschnittene Plattenkritiken, ein Programm der Philharmonie, diverse Kugelschreiber und ein kleiner Abreißblock, oberstes Blatt beschrieben. Eine Telefonnummer, nichts weiter. Nur die Zahlen.

Etwas sagte ihm, er solle da mal anrufen. Das Etwas, das ganz hinten in seinem Kopf wohnte.

Er schrieb die Nummer ab, ließ sich den Schlüssel für das Dienstfahrzeug der Spurensicherung geben und rief über Funk das erste Kommissariat. Wenige Minuten später hatte er den Namen: Astrid Hasling, Overstolzenstraße. Volksgartengegend.

Fahr hin, sagte das Etwas ungeduldig.

Cüpper überlegte. Später, sagte er.

Das Etwas drängte, später sei es vielleicht zu spät. Er vertröstete es auf den Vormittag. Als Ergebnis war das Etwas sauer und verzog sich in den hintersten Winkel seines Hirns. So war es eben. Genial, intuitiv, spontan. Nur manchmal etwas eigen.

# Erster Tag

# Cüpper

Als Romanus Cüpper an diesem Morgen die Mittelstraße runterzuckelte, hatte der Himmel eine blassgraue Färbung angenommen. Irgendwo hinter der diesigen Bleischicht ging die Sonne auf. Er machte sich nicht die Mühe, sie zu suchen, nahm am Rudolfplatz ein Taxi und fuhr nach Hause zum Zwecke der Rasur.

Der Tagesanbruch hatte immer etwas von Entwarnung. Messerstecher wurden müde, Pistolen wanderten zurück in Schreibtischschubladen, Fäuste entspannten sich, die Nutten hatten Feierabend. Bei *Wurst Willi* rückten sich übernächtigte Kneipenbummler, Geschäftsleute und Zuhälter friedlich auf die Pelle, geeint vom Duft der Kringelburger und Krakauer. Die Frauen hinter der mobilen Fressstation gaben zu allem ihren Senf. Willi selber hatte sich vor einigen Jahren rargemacht, seiner angegriffenen Gesundheit halber, und weil es Erhebenderes gebe, als sein Leben an der Ecke Klapperhof-Hohenzollernring zu beschließen. Schließlich hatte er es in einem Wald nahe der Stadt beschlossen – und Kölns legendäre Wurstbude war nicht mehr dieselbe.

Cüpper schätzte ein paar Bissen Fettiges nach langen Nächten, aber irgendwie war ihm der Appetit verleidet. Jeden Meter, den das Taxi ihn dem Theodor-Heuss-Ring entgegenfuhr, wurde ihm klarer, dass er in einer leeren

Wohnung schlafen würde. Er konnte sich breitmachen, wie er wollte, nach allen Seiten würde er nur Laken fühlen.

Eigentlich doch angenehm.

Das Taxi bretterte bei Dunkelgelb über die Kreuzung. Viel Verkehr war nicht. Vor Cüpper lagen ein paar wohlverdiente Stunden Ruhe, bis es sich lohnen würde, in die Pathologie zu fahren.

Mehr Stille als Ruhe.

Gelassen versägte der Taxifahrer die nächste Ampel und ging mit quietschenden Reifen in die Kurve um den Eigelstein. Die Nord-Süd-Fahrt kannte kein Erbarmen. Rot.

»Issete Scheis!«, schimpfte der Fahrer. »Immer vor die rote Ampel, immer hier!«

Cüpper zuckte die Achseln und widersprach nicht. Stieg man in ein Taxi, war man automatisch der Komplize. Man hatte sich mit dem Fahrer über die Kölner Ampelschaltung, die Baustellen, die Bundesregierung, die Hundesteuer, die Parkplatznot, das Wetter und die Benzinpreise zu ärgern.

»Madonna!«, flehte der Fahrer. »Jetzt stehte die Auto stundenlang! Mackete Gestank! Auto musse fahre! Isse slimmer hier als in Napoli.«

Neapel. So weit runter hatten sie es nie geschafft. Immer nur bis oberhalb von Rom. Aber für dieses Jahr, da hatten sie sich vorgenommen …

Gottverdammtes Weib, ihn zu verlassen!

»Fahren Sie um den Ebertplatz herum«, sagte Cüpper, »und dann den gleichen Weg zurück.«

Der Fahrer blinzelte verblüfft.

»Theodor-Heuss-Ring gehte geradeaus.«

»Weiß ich. Will ich nicht mehr hin.«

»Okay. Fahre ich zurucke. Wo wolle Sie hin?«

»Overstolzenstraße«, sagte das Etwas in Cüppers Schädel und hatte wieder mal gewonnen.

## Astrid Hasling

Das Haus lag fast am Ende der Straße. Cüpper stieg leichtsinnigerweise zu früh aus und stapfte durch die Pfützen, bis eine sich als Loch entpuppte. Seine Schuhe liefen blitzschnell voll. Fluchend ging er wie auf Eiern die drei Stufen zur Eingangstür hinauf.

Astrid Hasling wohnte in einem leicht vergammelten, aber nichtsdestoweniger schönen Altbau. Ihr Name stand in Messing an der Tür.

Er klingelte.

Lange tat sich gar nichts. Damit hatte er gerechnet. Immerhin war es gerade mal sechs Uhr.

Er klingelte erneut und länger.

Nach einer Weile plärrte ihn die Sprechanlage an, er solle sich zum Teufel scheren.

»Kriminalpolizei«, sagte er so unterkühlt wie möglich. »Ich habe ein paar Fragen an Sie.«

Es rauschte konsterniert.

»Bitte drücken Sie auf.«

»Was … was ist denn los?« Ihre Stimme klang verwirrt und ängstlich. »Ist irgendwas passiert?«

»Lassen Sie mich rein, Frau Hasling. Wir müssen uns ein bisschen unterhalten.«

Wieder schwieg sie.

Cüpper drückte gegen den reich verzierten Griff.

Plötzlich summte es, und er fiel sozusagen mit der Tür ins Haus.

»Danke«, brummte er und kletterte o-beinig die Treppe hoch. Sein linker Schuh gab allerlei quatschende Geräusche von sich. Als er den zweiten Stock erreichte, wurde eine Wohnungstür einen Spaltbreit geöffnet, Kette vorgeschoben, dahinter dunkle Augen, verschlafen, voller Furcht.

»Sind Sie wirklich von der Polizei?«

Er zwang sich ein Lächeln auf die Lippen und hielt ihr seinen Dienstausweis unter die Nase. Die Tür wurde erneut geschlossen, die Kette abgefummelt, dann weit geöffnet.

Das erste, was ihm auffiel, war die Müdigkeit in ihrem Blick, ein Ausdruck völliger Resignation. Sie trug einen nachlässig übergeworfenen Kimono, wahrscheinlich in aller Hast vom Haken gefischt, als es klingelte. Die kurzen blonden Haare standen ab, als wäre sie gegen einen Starkstromzaun gelaufen. Könnte hübsch sein, dachte Cüpper, wenn nicht irgendetwas diese Ringe unter ihre Augen getuscht hätte, ein trauriges Make-up, das nicht runtergehen wollte. Plötzlich vergaß er seinen nassen Fuß und seine triefende Seele.

»Astrid Hasling?«

Zögerndes Nicken.

»Cüpper. Tut mir leid, dass ich Sie um diese Zeit aus dem Bett holen muss. Darf ich eintreten?«

»Ich… oh, Verzeihung, sicher. Kommen Sie rein.«

Sie führte ihn die Diele entlang in einen kleinen Salon mit Erker zur Straße. Cüpper sah sich beiläufig um. Es war ein gemütliches Zimmer, vollgestellt mit alten Sachen, wohnlich bis unaufgeräumt. Eigentlich eher schlampig. Auf dem Boden neben dem kleinen Tisch versammelten sich zwei leere Weinflaschen um eine knapp halbvolle Flasche besten Armagnacs. Der Korken lag daneben. Es roch nach Verschwendung. Cüpper war kurz davor, seiner unfreiwilligen Gastgeberin einen Vortrag über die Kunst des Destillierens zu halten.

Egal. Destillierte er halt ein paar Fakten.

Astrid Hasling ließ sich in einen Korbsessel fallen und wies stumm auf einen zweiten. Sie hatte sichtlich Mühe, den Kopf gerade auf den Schultern zu halten.

»Sind Sie spät ins Bett gekommen?«, sagte Cüpper, ohne der Einladung Folge zu leisten. Er ging hinüber zum Tisch und warf einen prüfenden Blick auf die Gläser. Ein Weinglas, ein weiteres für die harten Sachen. Der Bodensatz war noch nicht angetrocknet. Offensichtlich hatte Astrid einen bösen Kater.

»Es waren ein paar Freunde da«, murmelte sie. »Kann ich Ihnen was anbieten?«

»Danke, nein. Kennen Sie eine Person namens Inka von Barneck?«

Ihre Hände zitterten, als sie versuchte, eine Zigarettenpackung aufzureißen.

»Sie kennen Frau von Barneck.«

»Ja, kenne ich.« Das Feuerzeug streikte. Sie sah Cüpper fast flehend an. »Hätten Sie vielleicht…«

»Leider nicht. Augenblick, geben Sie mal her.« Er nahm ihr das Ding aus der Hand und hatte gleich beim ersten Mal Erfolg. Astrid Hasling hüllte sich in blauen Rauch.

»Was ist mit Inka?«, fragte sie etwas ruhiger.

»Sie duzen sich?«

»Ja. Sie ist eine alte Freundin. Das heißt, sie war es bis vor kurzem.«

»Was heißt das, bis vor kurzem?«

»Wir haben uns zerstritten.«

»Einfach so?«

»Nicht einfach so. Die Gründe dafür sind ein bisschen kompliziert. Warum stellen Sie mir all die Fragen?«

Cüpper ging im Zimmer auf und ab und blieb dann unvermittelt vor ihr stehen. »Weil sie tot ist.«

Er wusste nicht genau, was er erwartet hatte. Aber es geschah so gut wie nichts. Astrid Hasling zog an ihrer Zigarette und starrte blind an ihm vorbei.

»So?« Ihre Stimme verlor sich, noch während sie erklang.

»Das scheint Sie nicht zu überraschen.«

Sie fuhr sich mit der Hand übers Gesicht. Quer über ihrem Daumenballen klebte ein großes Pflaster. »Entschuldigen Sie, ich bin einfach etwas durcheinander. Warum ist sie tot?«

Cüpper ließ sich ihr gegenüber auf einem Hocker nieder und sah ihr prüfend in die Augen.

»Warum könnte sie denn tot sein?«

»Ich weiß nicht.«

»Doch, das wissen Sie. Sie hatte ja zumindest einen Feind.«

Astrid runzelte die Stirn. »Wen?«

»Sie.«

Schwaches Kopfschütteln. »Ich war nicht Inkas Feindin. Ich wollte sie einfach nur aus meinem Leben raushaben. Möglichst weit weg. Keine Ahnung, wer sie umgebracht hat.«

»Woher wissen Sie denn, dass sie umgebracht wurde?«

»Sie haben doch...«

»Kein Wort davon gesagt.«

»Sie haben gesagt, Sie sind von der Kriminalpolizei.« Sie straffte sich. Ihre Stimme gewann an Festigkeit. »Hören Sie, ich mag hundemüde sein, aber wenn morgens um sechs die Kripo bei mir schellt und mir erzählt, Inka sei tot, dann wird sie ja wohl kaum an Altersschwäche gestorben sein. Soviel hab ich schon begriffen!«

»Warum so schroff?«

»Weil Sie mir was unterstellen.«

»So? Was denn?«

»Dass... ach, vergessen Sie's.« Sie zog den Kimono enger um die Schultern.

»Ich unterstelle Ihnen gar nichts«, sagte Cüpper, »ich habe einfach nur ein paar Fragen.«

»Gut. Fragen Sie.«

»Wann haben Sie Inka von Barneck das letzte Mal gesehen?«

Sie seufzte. »Gestern.«

»Ach was! Ich denke, Sie hatten sich nichts mehr zu sagen?«

»Doch, leider schon.«

»Mhm. Warum haben Sie sich eigentlich zerstritten?«

»Spielt das eine Rolle?«

»Ich weiß nicht, ob es eine Rolle spielt. Vielleicht ja, vielleicht auch nicht. Aber Sie sollten es mir erzählen.«

Sie zog an ihrer Zigarette und ließ den Rauch entweichen, als sei er die Erklärung für alles.

»Inka und ich haben vor einigen Jahren eine Werbeagentur gegründet, gleich hinterm Neumarkt«, sagte sie schließlich. »Ich hatte in Düsseldorf bei ein paar großen Läden gearbeitet und die Nase voll, mich von inkompetenten Idioten rumkommandieren zu lassen. Um eine Agentur aufzumachen, fehlte mir allerdings das nötige Kleingeld. Also habe ich Inka gefr … ihr einen Vorschlag unterbreitet. Nun, Inka war von der Idee begeistert. Nicht, dass sie irgendwas von Werbung verstand, aber sie fand es einfach schick, eine Agentur zu haben. Wir einigten uns darauf, dass sie den Laden finanziert und Kunden ranbringt, während ich die Arbeit mache. Das war in Ordnung so. Sie hatte die Kontakte und das Geld und ich die Ahnung, eigentlich das ideale Gespann.«

»Hatten Sie Erfolg?«

»Von Anfang an.« Sie bedachte ihn mit einem verzerrten Lächeln. »Inka machte zur Bedingung, dass wir so repräsentativ wie möglich auftreten. Sie kannte Entscheider aus mittelständischen Unternehmen, mit denen man eine Menge Geld verdienen kann. Aber die sind halt alle etwas eitel, sie brauchen Glanz und Gloria und teure Agenturbroschüren, sie wollen, sagen wir mal, das, was Klein Erna sich unter Werbung vorstellt, die große, schillernde

Designerwelt. Inka kannte ihre Pappenheimer und steckte irrsinnig viel Geld in die Ausstattung, kaufte Kunstwerke und weiß der Kuckuck was für teuren Kram. Ich war dagegen. Ein bisschen feine Tapete ist ja prima, aber ich bekam es richtiggehend mit der Angst zu tun, als ich sah, was sie da anschleppte. Nun gut, sie hatte fünfzig Prozent und gewissermaßen das Sagen, denn die Kunden kamen alle über sie. Aber der ganze Aufwand hat sich schließlich ausgezahlt.«

»Welche Rolle spielte Inka von Barneck, außer dass sie Geld ins Unternehmen steckte? Ich meine, arbeitete sie richtig mit?«

»Inka? Arbeiten?« Jetzt lachte sie wirklich. »Ich glaube, sie hat in ihrem ganzen Leben keinen Finger krumm gemacht. Inka trieb sich auf Partys und Empfängen rum und schleppte mir die Gäste an. Wenn die das erste Mal die Agentur betraten, hatte Inka schon alles klargemacht, den ganzen verdammten Deal. Keine Ahnung, wie sie das schaffte. Das Agenturgeschäft ist hart, man kommt sich vor wie auf der Fuchsjagd.«

»Tja.« Cüpper betrachtete sie nachdenklich. »Ich möchte wetten, dass Sie mit Inkas Arbeitsweise nie so richtig glücklich waren.«

Astrid Hasling stützte das Kinn in die Hände. »Ja und nein.«

»Wann genau war dieser Streit?«, fragte er.

»Vor etwa einem Jahr. Es ging um nichts Konkretes. Wahrscheinlich war es eher mein Fehler. Da schlich sich so ein Unbehagen ein, ich meine, ich hab Tag und Nacht gearbeitet, aber die Kunden klebten an Inka wie die Fliegen am Leim. Sie hat… sie hatte eine unglaubliche Präsenz, wickelte alle um den Finger. Naja, wir haben uns halt einfach nicht mehr so verstanden. Um es kurz zu machen, ich hatte sie satt mit ihrem kosmopolitischen Getue und ihren tausend Beziehungen. Gut, wir lebten davon, und wir lebten nicht schlecht, aber dass alles nur an Inka hing und dass sie eigentlich nichts dafür tat… vielleicht war's Neid und dieses Gefühl, hinter ihr zurückzustehen, was mich irgendwann auf die Palme brachte. Inka war reich. Für sie war alles nur ein Riesenspiel, für mich ging's um die pure Existenz. Ich konnte sie einfach nicht mehr ertragen, also haben wir unsere privaten Kontakte auf Eis gelegt. Unsere geschäftlichen Interessen waren davon nicht betroffen.«

Der letzte Satz klang etwas zu steif in Cüppers Ohren, als hätte sie ihn aus der Schublade gezogen.

»Das heißt, Sie sind jetzt, wo Frau von Barneck tot ist, die alleinige Gesellschafterin?«

»Ja. Möchten Sie einen Kaffee?« Sie lenkte ab.

»Nein, vielen Dank. Wie laufen die Geschäfte augenblicklich?«

»Oh, sehr gut«, antwortete sie ohne große Begeisterung. »Ich sagte ja, rein sachlich gab es an der Partnerschaft nichts auszusetzen.«

»Und worum ging es gestern, als Sie sich getroffen haben?«

»Ums Geschäft.«

»Nichts Persönliches?«

»Wir hatten schon länger nichts Persönliches mehr zu besprechen.«

»Irgendwas außer der Reihe?«

»Nein. Routine.«

»Wann war das?«

»Gegen achtzehn Uhr. Wir trafen uns bei ihr.«

»Frau von Barneck hat Sie angerufen«, stellte Cüpper fest.

Sie zuckte kaum merklich zusammen.

Cüpper lächelte. »Ich habe Ihre Telefonnummer im Bazaar gefunden. Was mich insofern etwas wundert, als langjährige Geschäftsfreundinnen...«

»Partnerinnen.«

»...meinetwegen Partnerinnen die Nummer der anderen auswendig wissen sollten.«

»Ich hab letzte Woche eine neue bekommen«, sagte sie trotzig. »Prüfen Sie's nach.«

»Nicht nötig.«

»Ja, sie hat mich angerufen, das war so um die Mittagszeit. Kurz vor sechs bin ich dann rüber. Wir haben uns ein halbes Stündchen unterhalten, basta.«

»Und dann?«

»Bin ich gegangen.«

»Wohin?«

»Essen. Jetzt wollen Sie natürlich wissen, wo. *Mario*, Lütticher Straße. Wollen Sie auch wissen, was? Tagliatelle mit Steinpilzen.«

Cüpper starrte sie an.

»Frische?«

Sie starrte ungläubig zurück. »Mein Gott. Was die Polizei so alles wissen will! Natürlich frische. Falls es Sie interessiert, ich habe einen Soave dazu getrunken.«

»Bah, Soave! Ich hätte Barolo gewählt oder was anderes Rotes. Sie haben sich hoffentlich nicht allzu sehr am Parmesan vergangen, er dominiert das Aroma.«

»Überhaupt nicht. Aber…«

»Schon gut.« Cüpper musste sich am Riemen reißen. »Wo waren Sie anschließend?«

»Hier. Zu Hause.«

»Den ganzen Abend?«

»Ich sagte doch, ich hatte Freunde zu Besuch.«

Cüpper zückte sein Notizbuch und einen Stift. »Sie werden nichts dagegen haben, mir die Namen zu nennen.«

Astrid Hasling sah ihn hilflos an. Ihre Schultern sanken herab.

»Nun?«

»Es war niemand hier«, flüsterte sie. »Ich hab's nur erzählt, weil Sie die Flaschen gesehen haben.«

»Sie haben sich, wie man so sagt, einen gegeben?«

»Ja.«

»Darf ich fragen, warum?«

Ihr Kopf ruckte hoch. »Nein. Das geht nur mich was an. Einzig und allein! Ganz nebenbei würde es Ihnen nicht weiterhelfen.«

Sie maßen sich mit Blicken. Schließlich nickte Cüpper und steckte sein Notizbuch wieder weg.

»Frau Hasling«, sagte er freundlich, »ich will Sie nicht

71

aushorchen, wenn es sich vermeiden lässt. Fürs Erste werde ich also Ihre Antwort akzeptieren, aber ich kann Ihnen nicht versprechen, dass es dabei bleibt. Niemand kann bezeugen, dass Sie den ganzen Abend wirklich hier gewesen sind.«

»Und was wollen Sie damit sagen?«, fragte sie matt.

»Nichts.« Er legte die Fingerspitzen zusammen. »Vorläufig jedenfalls. Na schön. Als Sie bei Frau von Barneck waren, ist Ihnen da irgendwas aufgefallen?«

Sie dachte nach. Auf ihrer Stirn bildeten sich zarte Falten, die ihr Gesicht noch sorgenvoller aussehen ließen.

»Nein, nicht dass ich wüsste«, meinte sie. »In der Wohnung war alles wie immer, Inka war wie immer…«

»Nicht unbedingt in der Wohnung. Vielleicht draußen, als Sie kamen oder gingen?«

Ihre Miene hellte sich auf.

»Klar«, rief sie. »Der Italiener!«

»Ein Italiener?«

»Ja, er stand in der Haustür, als ich ging. Er fragte mich nach Inka. Hätte in den letzten Tagen mehrfach versucht, sie telefonisch zu erreichen, aber es sei niemand drangegangen. Ob ich sie kenne.«

»Woher wussten Sie, dass er Italiener war?«

»Wenn jemand ›Buona sera‹ sagt, dann ist er Italiener.«

»Und was haben Sie gesagt?«

»Ich glaube, ich war ein bisschen kurz angebunden. Ja, ich würde sie kennen. Um der Wahrheit die Ehre zu geben, ich hatte einfach schlechte Laune und keine Lust zu reden. Also hab ich ihn stehen lassen und bin weiter.« Sie zögerte. »Wissen Sie, das war komisch. Nach ein paar Metern bin ich doch zurückgegangen, aber da war er schon verschwunden, sicher ins Haus. Erst war's mir gar nicht aufgefallen, aber irgendwie kam er mir bekannt vor.«

»Das heißt, Sie hatten ihn schon mal gesehen?«

»Ich weiß nicht. Vielleicht war es nur so ein Déjà-vu, eine Ähnlichkeit. Ich hatte eher den Eindruck, dass er mich an jemanden erinnerte.«

»Wie sah er aus?«

»Klein. Meine Größe.«

»Das ist bei Italienern nichts Besonderes.«

»Ich weiß. Aber er war außerdem sehr schlank. Warten Sie mal, das Gesicht, er hatte einen Schnurrbart. Bisschen groß für meinen Geschmack. Dichtes schwarzes Haar, Sonnenbrille. Etwas war mit seiner Stimme. Komisch heiser. Irgendwie krank. Er flüsterte fast.«

»Können Sie sich an seine Kleidung erinnern?«

»Nicht so richtig. Ich glaube, dass er einen dunklen Anzug trug. Krawatte. Elegante Erscheinung insgesamt.«

»Gut aussehend?«

»Kann ich nicht sagen. Oder doch? Irgendwie schon. Nicht mein Typ, zu klein, zu dünn, aber attraktiv.«

»Gut, Frau Hasling.« Cüpper erhob sich. »Ich will Ihre Zeit nicht länger in Anspruch nehmen. Kann sein, dass ich noch ein paar Fragen habe.«

Sie grinste schwach. »Wann immer Sie wollen, Kommissar. Nur bitte nicht mehr vor den Ladenöffnungszeiten.«

Sie brachte ihn zur Tür. Dort fiel ihm ein, was er sie die

ganze Zeit schon hatte fragen wollen, ohne genau zu wissen, warum eigentlich.

»Leben Sie allein?«

Es war, als hätte er ihr ein Messer in den Leib gestoßen und darin herumgedreht. Er sah das Unglück in ihren Augen und wusste, dass seine Intuition ihn auf die richtige Fährte gebracht hatte.

»Ja.« Sie spuckte die Silbe förmlich aus.

»Danke, Frau Hasling. Ich werde schon allein rausfinden.«

Sie musterte ihn kalt.

»Das müssen wir alle«, sagte sie.

# Rabenhorst

Es schellte.

Unter dem Leintuch begann sich etwas zu bewegen. Es wogte auf und nieder, streckte sich nach hier und dort, bebte und vibrierte, dann schob sich Rabenhorsts Kopf mit der Eleganz einer Sumpfschildkröte ins Tageslicht und blinzelte verschreckt. War es schon zehn? Cüpper hatte doch gesagt, sie wollten gegen elf in die Pathologie, und er solle sich ein bisschen Schlaf gönnen.

Es schellte.

Rabenhorsts ziellos schweifender Blick sah sich mit der Digitalanzeige des Radioweckers konfrontiert, die ihm kühl und sachlich anzeigte, dass es Viertel nach sieben sei.

Es schellte.

Er hatte so schön geträumt von riesenhaften Himbeertörtchen. Dann war Dezernatsleiter Klausen auf einem Fahrrad gekommen und hatte begonnen, unablässig zu schellen, um ihn vom Essen abzuhalten.

Es schellte immer noch.

Wo kam das verdammte Schellen her?

Ah! Es war nicht Dezernatsleiter Klausen. Es war das Telefon.

Er rutschte aus dem Bett, bewegte sich schlurfend ins Wohnzimmer und nahm den Hörer ab.

»Rahmorf«, sagte er.

»Wie meldest du dich denn?«, gackerte eine Stimme, und Rabenhorst wurde blass.

»Oh Scheiße. Mama.«

»Musst du denn Scheiße sagen? Junge, das ist nicht die Art, mit seiner Mutter zu reden. Ich wollte dir nur erzählen, dass ich um neun bei Karstadt bin und Stoff kaufe. Wir könnten doch zusammen frühstücken.«

»Mama«, jammerte Rabenhorst, »weißt du, wie viel Uhr es ist?«

»Natürlich weiß ich, wie viel Uhr es ist. Andere Menschen arbeiten längst, der Herr Odenthal, der alte Mann, du kennst doch noch den Herrn Odenthal vom Höninger Weg, der steht seit vier Uhr in der Bäckerei, so was nenn ich rüstig. Sag mal, kannst du dich nicht vernünftig melden? Man versteht kein Wort. Was sagt denn dein Chef dazu?«

»Ich weiß nicht, was er dazu sagt. Lass mich schlafen, ja?«

»Also gut, du musst es wissen. Sollen wir uns denn am Karstadt treffen?«

»Ich kann nicht, Mama. Ich muss Mörder fassen.«

»Na, augenblicklich klingst du nicht, als ob du Mörder fasst. Ich würde in Zukunft mal drauf achten, dass du dich etwas artikulierter meldest. Von mir hast du das nicht.«

»Nein, Mama. Gute Nacht, Mama.«

»Gute Nacht, was sagt man dazu? Helllichter Tag ist es, Junge, ich habe eben schon die Frau Herrenstädter auf der Straße getroffen, du kennst doch noch die Frau Herrenstädter, mit dem Töchterchen hast du immer…«

»Ja«, murmelte Rabenhorst, »die kenne ich. Ich kenne jeden, den du willst. Tschüss, Mama.«

Er legte auf, kratzte sich und kroch wieder unter das Laken.

Es schellte.

Rabenhorst zerknüllte das Kopfkissen, als könne es etwas dafür, raffte sich hoch und wankte ins Wohnzimmer.

»Junge, mir ist gerade eingefallen, dass du früher immer so gern die Hawaiihemden getragen hast, die haben sie jetzt im Sonderangebot. Soll ich dir eins mitbringen? In Blau sind sie am schönsten, aber blau steht dir ja nicht, das hat dich schon als Kind so blass gemacht. Willst du ein rotes?«

»Ich will schlafen«, jammerte Rabenhorst. »Ist das denn so schwer zu verstehen?«

»Ja, wenn du unbedingt willst. Aber nachher sind sie weg, und die sind so preiswert. Schließlich will ich dir ja nur einen Gefallen tun.«

»Du tätest mir den allergrößten Gefallen, indem du einfach nicht mehr anrufst.«

»Also, man wird doch noch was sagen dürfen. Schließlich bin ich deine Mutter. Du bist immer gleich so empfindlich, du kannst überhaupt keine Kritik vertragen. Warum stehst du eigentlich nicht auf?«

»Ich bin aufgestanden, Mama.«

»Wo ist dann das Problem? Ich weiß wirklich nicht, wo das Problem ist.«

»Aber ich. Es ist in meiner Hand. Es ist ein Telefonhörer. Ich werde das Problem jetzt lösen. Tschüss, Mama.«

Er legte so schnell auf, dass sie garantiert keine Luft mehr holen, geschweige denn noch etwas sagen konnte, verdrehte die Augen und ging ins Bett. Obwohl es heiß war, zog er sich die Decke über beide Ohren, schmatzte ein paar Mal laut und schloss die Augen.

Es schellte.

Er öffnete die Augen wieder und starrte vor sich hin. Was sollte er tun? Es würde schellen bis in alle Ewigkeit.

Er ging ran.

»Junge, das ist mir gerade durch den Kopf gegangen. Ich meine, du solltest im Büro sein. Wenn dein Chef jetzt anruft, wird er sich sehr wundern, dass du so verschlafen klingst. Nachher sagt er noch, der Herr Rabenhorst kommt seinen Pflichten nicht nach, der liegt im Bett, wenn man ihn braucht. Er wird sagen, Herr Rabenhorst, Sie sollten sich was schämen. Das ist nicht gut für deine Karriere.«

»Mama...«

»Du kannst dir ruhig mal was sagen lassen von deiner Mutter. Ich bin ein bisschen älter als du. Und geh nicht wieder mit Jeans ins Büro, das wird nicht gern gesehen.«

»Mama, ich...«

»Dein Vater war immer sehr korrekt. Er ist keinen einzigen Tag in seinem Leben zu spät gekommen. Ihr jungen Leute glaubt ja heute alle, ihr wärt so modern. Progressiv nennt ihr das ja wohl. Eines Tages wirst du mir mal dankbar sein...«

»Mama! Mama, Mama! Ich werde dir dankbar sein. Ich werde dankbar sein, wenn du in den nächsten vierundzwanzig Stunden nicht mehr anrufst. Bitte, Mama!«

Er knallte den Hörer auf die Gabel und stapfte wutschnaubend zurück ins Schlafzimmer. Zähneknirschend rollte er sich zusammen, schloss die Augen und zählte bis zehn.

Nichts geschah.

Er holte tief Luft und zählte bis zwanzig.

Alles still.

Rabenhorst entspannte sich.

Es schellte.

Er fuhr hoch wie von der Tarantel gestochen, sprang aus dem Bett, raste ins Wohnzimmer, riss den Hörer ans Ohr und schrie:

»Mama, es reicht! Hörst du? Es reicht!!!«

»Ah, Rabenhorst«, sagte Cüpper, »Entschuldigung, alter Junge, ich hab gar nicht auf die Uhr gesehen. Wir sollten nicht zu lange schlafen. Seien Sie um halb zehn bei mir, ich mache Frühstück. Wir besprechen dann die weiteren Schritte. Übrigens, warum melden Sie sich mit ›Mama‹?«

»Das ist eine zu lange Geschichte«, greinte Rabenhorst, legte auf und tapste gebrochen ins Bad.

»Sie sehen irgendwie genervt aus«, konstatierte Cüpper und strich sich derart dick die Leberwurst aufs Brötchen, dass es Rabenhorst vom Hinsehen schlecht wurde.

»Was haben Sie getrieben? Waren Sie nicht müde?«

Rabenhorst schüttelte stumm den Kopf. Cüpper überlegte, was er dem armen Mann Gutes tun könne. Er könnte ihm ein Rührei machen. Cüpper hatte in Sachen Rührei den schwarzen Gürtel. Zwei Eier, zwei Esslöffel Butter, vier Esslöffel Sahne, Pfeffer, Salz, etwas frisch geriebener Muskat, langsam erhitzt und ständig geschlagen, bis die Masse stockte. Bei dem Gedanken lief ihm das Wasser im Mund zusammen.

Rabenhorst wollte kein Rührei. Cüpper versuchte es mit starkem Kaffee. Das klappte.

»Und Sie?«, gähnte Rabenhorst. »Haben Sie nicht geschlafen?«

Mit wem, fragte sich Cüpper im Stillen. Er hatte ihr den Kaffee immer ans Bett gebracht. Rabenhorst war kein passender Ersatz.

»Nein«, sagte er, »ich habe nicht geschlafen. Ich war Leute besuchen.«

»Leute? Was für Leute?«

»Astrid Hasling.«

»Ah ja. Und wer ist das?«

Cüpper klärte ihn auf.

»Es wäre nett, wenn Sie sich diese Werbeagentur mal ansehen würden«, sagte er. »Hasling und Partner, Clemensstraße hundertvier. Reden Sie mit jemandem, der einigermaßen über den Laden Bescheid weiß. Ich werde den Eindruck nicht los, dass dieser Streit zwischen Inka von Barneck und Astrid Hasling mehr war als ein bloßes Aneinander-Sattsehen. Ach, da ist noch was. Ich kann es nicht beschwören, aber sie dürfte vor nicht allzu langer Zeit von einem Mann verlassen worden sein.«

»So was kommt vor«, brummte Rabenhorst und musterte verstohlen die fast leere Wohnung.

Cüpper sah ihn an und stellte sich vor, ihm das Leberwurstbrötchen mitten ins Gesicht zu drücken.

»Ich war darüber hinaus ein bisschen fleißig, während Sie geschlafen haben«, bemerkte er spitz, »und weiß jetzt einiges über die Familienverhältnisse der von Barnecks.« Er bestrich ein zweites Brötchen mit englischer Marmelade und biss hinein. Von einer Sekunde auf die andere waren zwei Drittel des Brötchens verschwunden. »Bie pom Barmek ham ein Pochper.«

»Was???«, fragte Rabenhorst.

Cüpper schluckte. »Die von Barnecks haben eine Tochter. Genau genommen ist es Inkas Tochter. Marion Ried, sie wohnt hinten in der Südstadt. Inka von Barneck hieß früher Inka Ried und entstammt, wenn ich das richtig sehe, einer Dynastie immens reicher Kölner. Geschwister hat sie keine, und die Eltern sind tot. Autounfall in Südfrankreich vor fünf Jahren. Über Fritz von Barneck weiß ich noch nicht viel.«

»Ich bin beeindruckt«, sagte Rabenhorst und war es auch. »Wen haben Sie alles aus dem Bett geholt, um diese Informationen zu bekommen?«

»Es gibt Schlimmeres, als aus dem Bett geholt zu werden. Kaffee?«

»Gerne.«

»Gut, teilen wir uns auf. Sie fahren in die Agentur, ich besuche die trauernde Tochter.«

»Falls sie es überhaupt schon weiß.«

»Wie auch immer. Wir haben knapp zwei Stunden, dann treffen wir uns bei der Königin von Saba.«

»Die Königin von Saba? Ach, du lieber Himmel«, stöhnte Rabenhorst.

Cüpper grinste. Plötzlich war er wieder gut gelaunt.

Rabenhorst fuhr in die Clemensstraße. Cüpper hatte orakelt, dass Astrid Hasling dort vor Mittag nicht erscheinen würde. Sie musste den Tod ihrer Partnerin verdauen, was ihr allerdings weniger schwerfallen würde, als ihres Katers Herr zu werden. Reichlich Zeit für ein bisschen Feldforschung.

Die Agentur sah aus wie ein Museum. Rabenhorst verstand nicht viel von Kunst, eigentlich verstand er von gar nichts viel, außer von seinem Job. Aber die Warhols waren ebenso echt wie die Pencks und Immendorfs, daran bestand kein Zweifel. Er hielt der elegant gekleideten Dame am Empfang seinen Ausweis unter die Nase und wünschte Astrid Hasling zu sprechen.

Astrid Hasling habe angerufen. Dringende Termine. Nicht vor Mittag.

So, dringende Termine, dachte Rabenhorst und verlangte den Stellvertreter. Nach fünf Minuten erschien ein braun gebrannter junger Mann in Jeans und Turnschuhen, der sich als Holger Renz vorstellte. Er war sehr zuvorkommend, führte Rabenhorst in ein riesiges Büro und schnippte auf dem Gang nach Kaffee und Plätzchen. Rabenhorst ging etwas ratlos um den Besprechungstisch herum und überlegte, welchem Stuhl er seine Bandscheiben anvertrauen sollte. Jeder sah schöner, teurer und unbequemer als der andere aus.

»Nehmen Sie den bunten gepolsterten«, riet ihm Renz und lächelte strahlend. »Die Kripo, ist ja spannend. Was haben wir denn verbrochen? Unlauterer Wettbewerb, Herr Kommissar?«

»Hauptmeister bitte.«

»Sicher doch. Wir freuen uns über jede Anzeige.«

Rabenhorst rückte in dem Stuhl hin und her, versuchte, es sich bequem zu machen, und gab schließlich auf.

»Hat Frau Hasling Sie nicht informiert?«

»Ich weiß nicht. Worum geht's denn?«

»Um Frau von Barneck.«

»Oh, die war schon lange nicht mehr hier.«

»Sie wird auch nicht mehr kommen. Frau von Barneck wurde letzte Nacht ermordet.«

Es war, als hätte jemand einen Schalter umgelegt, so schlagartig verschwand das Lächeln aus Renz' Gesicht.

»Was haben Sie gesagt?«

Rabenhorst erzählte ihm kurz das Nötigste. Sein Gegenüber schien fassungslos. Nach einer Weile regten sich in Rabenhorst allerdings Bedenken, ob Renz betroffen oder vielmehr angenehm überwältigt war. Er beschloss, es mit einem Bluff zu versuchen, und sagte:

»Frau Hasling hat uns mehr oder weniger alles erzählt. Von den Problemen mit ihrer Partnerin, speziell den aktuellen.«

»So, das wissen Sie also.« Renz ließ sich zurücksinken. »Ja, das war eine verflucht böse Geschichte.«

»Sie sind über alles im Bilde?«

»Natürlich. Astrid, ich meine, Frau Hasling und ich

leiten die Agentur«, sein Lächeln kehrte langsam wieder, »jedenfalls machen wir die Arbeit.«

»Das sagte Frau Hasling auch.«

»Sie war vollkommen fertig, nachdem Inka gestern angerufen hatte! Dieses Dreckstück! Naja, sorry. Sie ist tot, aber was hilft's? Inka war drauf und dran, uns über Nacht zu ruinieren.«

»Was hat sie denn am Telefon gesagt? Oder besser, was hat Frau Hasling Ihnen erzählt?«

»Ich dachte, das wüssten Sie?«

»In groben Zügen. Ich hätte es aber gern noch mal von Ihnen gehört.«

Renz beugte sich vor. »Inka wollte raus aus dem Geschäft. Sie wollte aussteigen! Wissen Sie, was das geheißen hätte, Inka von Barneck auszuzahlen?! Schauen Sie sich hier mal um. Schauen Sie sich unsere Klientenliste an. Wir wären so was von pleite gewesen, unsere Gläubiger hätten uns das Vaterunser durch die Rippen blasen können.« Seine Augen glühten. Rabenhorst dachte, dass Inka von Barneck gut daran tat, tot zu sein. Besser, als Renz in die Quere zu kommen.

»Wann ist sie damit rausgerückt?«

»Gestern. Völlig überraschend. Das heißt, im Grunde stand es zu erwarten, spätestens seit der Sache mit Astrids Mann.«

Rabenhorst spitzte die Ohren. »Vor einem Jahr?«, fragte er ins Blaue hinein.

»Ja, richtig«, sagte Renz erstaunt.

»Als dieser Streit entbrannte?«

»Was glauben Sie denn? Ihre angeblich beste Freundin treibt's mit ihrem Typen, kein Wunder, dass Astrid ausgerastet ist. Inka als reumütige Geständige, pah. Man hätte ihr schon damals den Hals umdrehen sollen.«

»Langsam. Sie reden sich um Kopf und Kragen.«

»Ich war gestern Abend auf einer Party, wenn Sie das meinen. Nein, die eigentliche Sauerei war, dass Inka auch noch die Frechheit hatte, damit zu prahlen. Nicht, dass Astrid ihr auf die Schliche gekommen war. Inka hat es ihr unter die Nase gerieben, angeblich, weil sie mit der Lüge nicht mehr leben konnte. So ein Quatsch! Sie hat's genossen, jede Sekunde.«

»Und die Ehe?«

»Kaputt. Die Scheidung läuft. Ich will nicht sagen, dass Astrid drüber weg ist. Sie hat's so weit verkraftet.«

»Was ist mit der Beziehung zwischen Frau von Barneck und Herrn Hasling?«

Renz machte eine wegwerfende Handbewegung. »Aus und vorbei. Inka ging es nur darum, Astrid eins auszuwischen.«

»Eines ist mir nicht ganz klar«, meinte Rabenhorst, »dass ein derart eklatanter Freundschaftsbruch nicht ausreicht, auch die geschäftliche Verbindung abzubrechen.«

Renz lachte prustend. »Sie sind mir ein Spassvogel. Ich sagte doch, wir wären ausgelöscht, wenn Inka Zeit gefunden hätte, Ernst zu machen. Vor einem Jahr erst recht. Dieses perfide Luder, darum ging's ihr ja! Astrid fertigzumachen und trotzdem unentbehrlich zu sein. Inka hätte von heute auf morgen zwei Drittel unserer Klienten abziehen können. Man kann geschäftliche Verbindungen schneller zerstören als aufbauen, wenn Sie wissen, was ich meine. Und selbst wenn sie es nicht geschafft hätte, wären wir letztlich über die Abfindung gestolpert. Für Astrid war das eine Überlebensfrage. Sie musste sich mit Inka arrangieren.«

»Gut vorstellbar, dass sie sich dabei ziemlich mies gefühlt hat«, sagte Rabenhorst.

»Mies ist gar kein Ausdruck.« Renz schien innerlich zu kochen. »Sie hat sich dafür gehasst.«

»Haben Sie gestern noch mal mit Frau Hasling gesprochen?«

»Nein. Inka rief mittags an.« Seine Kinnmuskeln traten hervor. »Astrid hat sie am Telefon angefleht, sich die Sache zu überlegen. Inka willigte nach langem Hin und Her in eine Unterredung ein.«

»Um sechs im Bazaar?«

»Richtig. Wir wollten anschließend telefonieren, aber ich hab nichts mehr von Astrid gehört. Dann musste ich auf diese Party. Heute Morgen kurz nach neun hat sie sich bei der Zentrale krankgemeldet. Offiziell Termine. Ich bin eben erst gekommen, keine Ahnung, was das Treffen gestern noch gebracht hat.«

»Letzten Endes Frau von Barnecks Tod«, bemerkte Rabenhorst trocken.

Renz schaute ihn ungläubig an und schüttelte den Kopf. »Vergessen Sie's. Das ist eine Scheißtheorie.«

»Bei der Kripo gibt es nur Scheißtheorien«, sagte Rabenhorst und erhob sich mühsam. »Das liegt nicht an den Theorien, sondern an den Ursachen ihres Entstehens. Übrigens, falls Frau Hasling schuldig wäre, wem gehörte dann die Agentur?«

Renz warf ihm einen rabenschwarzen Blick zu.

»Vielen Dank, Herr Renz. Ich sagte ja, die Theorien können nichts dafür.«

# Katzenallergie

Cüpper wollte es nicht glauben.

Von allen Mordfällen hatte er den erwischt, der ihn bei strömendem Regen zwang, in den Zoo zu gehen. Marion Ried war Tierpflegerin!

Mord und Totschlag, dachte Cüpper, während er dem Zoobediensteten folgte, und dann ein Mädchen, das verträumt mit Äffchen spielt. Es gab nur eine Sorte, die noch schlimmer war. Angehende Kinderärztinnen. Romantelnde Wesen, die auf Whitney Houston standen und im Kino heulten. Wenn sie Säuglinge oder kleine Hunde sahen, verfielen sie in quiekenden Schwachsinn. Du lieber Himmel.

»Hätten Sie Frau Ried nicht nach vorne bitten können?«, maulte Cüpper. Tiere sah er so gut wie keine. Tiere hatten keinen Grund, im Regen rumzulatschen.

»Is nit mehr weit«, antwortete der Mann.

»Schon klar. Wir sind ja auch erst zehn Minuten unterwegs.«

»Tut mir leid. Die Frau Ried tät mich erschlagen, wenn ich sie dahinten weghol. So fleißig, wie die is.«

Wahrscheinlich Meerschweinchen melken, dachte Cüpper. Besser, er hätte Rabenhorst geschickt.

Sie passierten einen Durchgang zwischen Känguruhs und Ziegenböcken, gingen an neugierig gereckten Straußenhälsen vorbei und erreichten endlich ein langes querliegendes Gebäude, dessen Rückseite an die viel befahrene Riehler Straße stieß. Links und rechts davon erstreckten sich große Freigehege. Cüpper blinzelte, während er dem Mann zur Tür des Gebäudes folgte, aber er sah keine Tiere im Gelände. Das letzte Mal im Zoo gewesen war er vor über dreißig Jahren, als die Bären noch in Eisenkäfigen gesessen hatten. Damals war er auf die alte Lokomotive geklettert, von der er nicht wusste, ob es sie überhaupt noch gab. Die Kölner Spielplatzattraktion, ein schönes schwarzes Ungeheuer, das bezwungen werden wollte. Ganz klein und außer Atem hatte er neben dem Schornstein gestanden und auf die Welt herabgesehen. An diesem Tag hätte ein Abenteurer aus ihm werden können, aber dann schaffte er es nicht mehr runter und begann zu heulen. Sein Vater rief, er sei ein Feigling. Nicht, dass er seinem Sprößling weh tun wollte. Er war ganz einfach überzeugt, einen Angsthasen in die Welt gesetzt zu haben, reckte zwei starke Arme, und innerhalb weniger Sekunden hatte die Erde den kleinen Romanus wieder. Sein Vater beschloss, etwas gegen die Angst zu unternehmen und ihm Gelegenheit zu geben, seine Schlappe von der Lokbezwingung mannhaft wettzumachen. Er hatte es gut gemeint. Aber er hatte es nicht gut gemacht.

»So«, schmunzelte der Mann, und Cüppers Erinnerungen zerstoben wie ein Schwarm Mücken, »da hamer't ja wieder mal geschafft, ne? Is aber auch furchbar mit dem Wetter. Sommer soll dat sein. Ich weiß nit recht. Warm isset ja. Aber all der Regen, ob dat so normal is um die Jahreszeit…«

»Wo finde ich Frau Ried?«

»Da drinnen, die is da irgendwo.«

»Irgendwo ist gut.«

»Könnense nit verfehlen, so wat Hübsches hat der Zoo schon lang nit mehr gehabt.« Er zeigte auf die Tür, grinste und empfahl sich.

Cüpper ging hinein und fand sich in einem teilweise verglasten Vorraum wieder. Dahinter schloss sich ein breiter Korridor an, dessen komplette rechte Seite mannshoch vergittert war.

»Frau Ried?« Keine Antwort. Er runzelte die Stirn und warf einen Blick aus dem großen Fenster. Einige Meter unter ihm erstreckte sich das linke Freigelände.

»Frau Ried, sind Sie da?«

Achselzuckend betrat er den Gang. Hinter den Gittern lagen große Kammern, durch Stahlklappen voneinander getrennt und an den rückwärtigen Seiten offen. Cüpper ging näher ran und versuchte, einen Blick auf das dahinterliegende zweite Freigelände zu erhaschen.

»Frau...«

Etwas Riesiges kam durch die Öffnung. Cüpper sah eine gewaltige Masse Fell auf sich zuschießen und gegen das Gitter prallen. Sofort brach ihm der kalte Schweiß aus, und er taumelte zurück. Ohrenbetäubendes Brüllen hallte durch den Korridor, vermischt mit dem Klirren der dünnen Eisenstäbe.

Sie gaben nach! Sie würden brechen!

Cüpper wirbelte herum, wollte hinauslaufen und prallte mit jemandem zusammen.

»He!«, wurde er angeschrien. »Sind Sie noch ganz dicht?«

Er sah in grüne Augen und fuhr erneut zurück.

»Ich…«

»Hier hat niemand was verloren! Raus hier! Geh Flamingos gucken.«

Sein Blick wanderte hektisch zwischen der Katze vor ihm und der im Käfig hin und her. Er wusste nicht, welche gefährlicher war, aber die eine konnte wenigstens sprechen.

»Sind Sie Frau Ried?«

Der Blick aus den grünen Augen verfinsterte sich noch mehr.

»Wer will das wissen?«

»Kriminalpolizei. Kommissar Cüpper.«

Die Frau holte tief Luft und ließ den Eimer fallen, den sie in der Hand gehalten hatte. Cüpper gewahrte einen großen Klumpen Hackfleisch darin, genug für achtzig Frikadellen.

»Na und?«

»Ich muss Sie sprechen, Frau Ried. Aber bitte… nicht hier, wenn es sich einrichten lässt.«

»Warum? Hast du Schiss? Hast du was gegen meine Tiger?«

»Ja, ich hab was gegen Tiger. Können wir jetzt rausgehen?«

»Nein. Ich hab zu tun.« Sie packte den Eimer und ging zu den Käfigen hinüber.

»Es dauert nicht lange.«

»Nichts kann so wichtig sein, dass er seine Medizin nicht kriegt.« Er war offensichtlich der Tiger, der seinen riesigen Kopf nun an den Stäben rieb und Nahrung witterte.

Cüpper biss die Zähne zusammen und trat ebenfalls einen Schritt heran. Die Katze brüllte erneut, und er drückte sich wieder gegen die Wand.

Raubkatzen.

Allein der Anblick genügte, um einen schwitzenden Idioten aus ihm zu machen, so dass seine Eingeweide kontraktierten und er glaubte, sich übergeben zu müssen. Man hätte ihn auf einen Grizzly setzen und mit einem Schlauchboot in ein Becken voller Haie senken können, alles kein Problem. Nur keine Katzen! Keine kleinen und schon gar keine, die länger als zwei Meter waren.

Mit trockenem Mund sah er zu, wie Marion Ried den benachbarten Käfig aufschloss und das Fleisch hineinkippte. Dann schloss sie wieder ab und öffnete die stählerne Verbindungsklappe. Der Tiger drehte sich um seine Achse, schlüpfte elegant nach nebenan und machte sich über die Mahlzeit her.

»Entschuldigung«, murmelte Cüpper, »ich wusste nicht, dass Fütterung ist.«

»Ist auch nicht«. Der Zorn war aus Marion Rieds Gesicht verschwunden. Ihr Blick ruhte fast zärtlich auf dem Tiger. »Wir füttern morgens um acht. Aber mit ihm ist irgendetwas nicht in Ordnung. Er verträgt kein festes Fleisch mehr, also geben wir ihm Hack und mischen Medikamente drunter. Heute Morgen musste er sich wieder übergeben, alles kam raus, auch die Pillen. Ich hab ihn zwei Stunden lang beobachtet, scheinbar geht's ihm besser. Zweiter Versuch also. Hoffentlich bleibt diesmal alles drin.«

Cüppers Puls beruhigte sich ein wenig.

»Es wäre wirklich nett, wenn Sie kurz mal mit nach draußen kämen.«

»Ich seh schon. Katzenallergie.« Sie schüttelte den Kopf. »Friss schön. Bin gleich wieder da.«

Sie gingen auf den Vorplatz des Gebäudes, bewacht von zwei bronzenen Löwen, und Cüpper war dem Herrgott dankbar, dass er wieder im Regen stehen durfte.

Marion Ried schnaubte ungeduldig.

»Also gut, was gibt's?«

Cüpper betrachtete sie. Anfang zwanzig, kupferrote Locken, ungeschminkt. Sommersprossen, wohin man sah. Die Nase war zu klein, das Kinn kantig und der Mund zu groß. Nie zuvor hatte er eine Frau gesehen, die so wenig schön und zugleich so ungeheuer attraktiv war.

»Ihre Mutter ist tot«, sagte er langsam.

Die grünen Augen fixierten ihn wie eine Beute.

»Ich weiß.«

»Hat Ihr Vater…?«

»Fritz? Der ist nicht mein Vater. Ja, er hat. Kann ich jetzt wieder an meine Arbeit?«

»Nein. Ihre Mutter ist ermordet worden!«

»Das stand zu erwarten.«

Cüpper verschlug es die Sprache.

»Warum?«, brachte er schließlich hervor.

»Weil sie ein Schwein war. Darum.«

»Frau Ried, Sie sprechen über Ihre Mutter. Ich meine…«

»Halt mir keine Predigt!«, schrie sie. »Sag deinen Spruch auf und verdufte.«

Sie ließ ihn stehen und stapfte zurück zu dem Gebäude.

Cüpper stand da wie vom Blitz getroffen. Endlich löste sich seine Erstarrung, und er lief ihr hinterher. Als er sie an der Schulter packte, riss sie sich los und versetzte ihm eine schallende Ohrfeige. Cüppers Rechte zuckte hoch, aber er beherrschte sich im letzten Augenblick. »Sie bleiben hier«, zischte er.

Marion Ried sah sehnsuchtsvoll zur Tür. »Ich muss zu meinen Katzen.«

»Sie müssen gar nichts. Wann hat Ihr Vater Sie verständigt?«

»Er ist nicht mein Vater!«

»Gut, dann eben Ihr Stiefvater.«

Sie verdrehte enerviert die Augen. »Kurz nachdem Sie bei ihm waren, rief er an und sagte, Inka sei tot. Ich war erschüttert, wie es sich gehört, habe pflichtbewusst zwei Aspirin genommen, ferngesehen und bin dann in den Zoo gegangen.«

»Ich bin beeindruckt. Wo waren Sie gestern Abend?«

»Im Kino.«

»Welches Kino?«

»Cinedom.«

»Welcher Film?«

»Bond. James Bond«, fügte sie giftig hinzu.

»Uhrzeit?«

»Viertel nach acht.«

»Bis?«

»Weiß der Henker. Kurz nach zehn, vermute ich.«

»Und dann?«

»Bin ich nach Hause gegangen.«

»Was haben Sie da gemacht?«

»Hab mich ins Bett gelegt. Gelesen. Ohne Zeugen. Im Kino war ich auch alleine. Ebenfalls ohne Zeugen. Noch was?«

»Ja. Haben Sie Ihre Mutter umgebracht?«

»Nein. Sie Ihre?«

»Verdammt noch mal, es reicht. Was ist denn los mit Ihnen?«

»Nichts. Lassen Sie mich zu meinen Katzen.«

Cüpper biss sich auf die Lippen. Seine Wange brannte.

»Haben Sie denn gar kein Mitgefühl?«, fragte er.

»Nein. Meine Mutter war ein Aas. Es gab in ihrem Leben tausend Leute, die sie von ganzem Herzen verabscheuten.«

»So wie Sie.«

»Dass ich Inkas Tochter bin, ist Zufall. Kann ich nichts dran machen. Schätze, sie hat bekommen, was ihr zustand. Schönen Tag noch.«

»Frau Ried!«

»Was denn jetzt noch, Hosenscheißer?«

Er überhörte den Hosenscheißer, zog eine Karte hervor und steckte sie in die rechte Brusttasche ihres Overalls.

»Wann haben Sie Feierabend?«

Sie starrte ihn an. »Was soll das, Bulle? Hast du Notstand?«

»Nein. Ich bedaure den Tod Ihrer Mutter zutiefst. Sie haben mein ganzes Beileid. Trotzdem bitte ich Sie, Ihren Kummer für die Dauer eines Augenblicks zu meistern und meine Frage zu beantworten.« Cüpper lächelte dünn. »Andernfalls sehe ich mich gezwungen, Sie durch den Wolf zu drehen und an Ihre heiß geliebten Katzen zu verfüttern.«

Er sah vor seinem geistigen Auge die nächste Ohrfeige heransausen, aber die Prügel blieben aus.

»Dazu hättest du doch nicht den Mumm«, murmelte sie.

»Stimmt. Das mit den Katzen würde ich mir noch mal überlegen, als Tierfreund. Wann haben Sie Feierabend?«

»Um fünf.«

»Ich erwarte Sie um Viertel nach fünf auf dem Revier.«

»Weiß ich noch nicht.«

Cüpper wandte sich kopfschüttelnd ab und stakste davon.

»Und wenn nicht?«, rief sie ihm hinterher.

Er ging weiter. Später würden ihm tausend treffliche Erwiderungen einfallen. Augenblicklich war er sprachlos.

# Pathologie

Rabenhorst wartete seit einer knappen Viertelstunde, als sein Chef im gerichtsmedizinischen Institut am Melatengürtel eintraf. Im Gegensatz zu Cüpper hasste er die Königin von Saba und gab sich wortkarg. Gemeinsam nahmen sie den Aufzug in den ersten Stock.

Die Königin von Saba hob das Tuch, als wollte sie einen rotkarierten Elefanten präsentieren. Als sie es zurückgeschlagen hatte, lag der nackte Körper Inka von Barnecks vor ihnen. Die teilnahmslosen Augen hatten sich einen neuen Punkt im Universum auserkoren, dessen Geheimnis niemandem offenbar würde, der es nicht so weit gebracht hatte, ermordet zu werden oder wenigstens regulär zu sterben.

Rabenhorst schaute auf seine Krawatte. Er mochte die Pathologie nicht. Wenn er die teils übel zugerichteten Leichen sah, erschossen, aufgeschlitzt, verstümmelt, dachte er jedes Mal, es sei Krieg. Cüpper dachte eher ans Essen. Das hatte mit der Pathologie nicht viel zu tun. Cüpper dachte immer ans Essen.

Die Königin von Saba hieß eigentlich Kurt Brauner und leitete das Institut. Sie hatten ihn so genannt, weil er sich bis an die Grenze des Erträglichen mit Goldschmuck zu behängen pflegte. Vormittags war die Königin im Allgemeinen müde wie ein Hund, weil sie die Nächte gern im

*Hotel Timp* zubrachte und Gerüchten zufolge als hundertachtundzwanzigste Reinkarnation Zarah Leanders auftrat. Bis heute hatte man ihr nichts beweisen können, im Übrigen war sie eine Koryphäe auf dem Gebiet der Pathologie und damit jenseits kleinkarierter Bedenken.

»Und?«, fragte Cüpper.

»Ein wunderbarer Schnitt«, schwärmte die Königin. »Du bringst mir die schönsten Fälle, Cüpper. Ich könnte dich umarmen.«

»Tu's nicht, ich hab am ganzen Körper Dornen. Was meinst du, ist sie dran gestorben? Abgesehen davon, dass sie es nicht überlebt hat.«

»Oh ja, sie hat sich bös geschnitten, armes Ding. Ansonsten keinerlei Verletzungen, keine Betäubungsmittel, Drogen oder Ähnliches. Ein bisschen Alkohol. Viel Blut ist nicht mehr drin, das wir untersuchen können. Da fällt mir ein, hast du eigentlich mal diese Ente zubereitet, von der du mir erzählt hast?«

»Leider nein. Ich hab noch keinen gefunden, der eine für mich erwürgt.«

»Ja, die Leute greifen immer gleich zum Messer. Erinnere mich daran, dass ich dir ein Rezept für Parmesanknödelchen gebe, einfach köstlich! Sie zergehen auf der Zunge wie ein Wölkchen. Übrigens hat sie kurz vor ihrem Tod gebumst.«

»Wann ungefähr?«

»Irgendwann. Im Laufe des Abends, nachmittags, vorher wahrscheinlich nicht. Vielleicht aber doch, ist schwierig zu bestimmen.«

»Sperma?«

»Kaum der Rede wert. Oh, ich könnte ein genetisches Profil erstellen lassen, so viel war noch übrig. Aber du weißt ja, dafür braucht man Anträge und Genehmigungen, und was nützt das schon, solange du den Kerl nicht kennst.«

»Tatsache ist, sie hatte an dem Tag Besuch«, schlussfolgerte Rabenhorst. »Und wer mit ihr geschlafen hat, der konnte sie auch töten.«

»Welch ein Scharfsinn!«, rief die Königin. »Da habt ihr ihn ja bald gefunden. Besonderes Kennzeichen: Pimmel.«

»Was soll denn das?«, ereiferte sich Rabenhorst. »Warum kann sie nicht mit ihrem Mörder geschlafen haben?«

»Stimmt, Schatz. Scharfe Nummer!«

Rabenhorst blickte pikiert von Brauner zu der Leiche und wünschte sich, weit weg zu sein.

»Das heißt gar nichts«, sagte Cüpper und spazierte um Inka von Barneck herum. »Wenn sie mit jemandem geschlafen hat, kann sie das auch woanders getan haben als ausgerechnet in ihrer Wohnung.«

»Du bist der Kommissar«, sagte die Königin. »Aber wenn du mich fragst, gibt es keinen Grund, irgendwohin zu fahren, wenn es draußen Bindfäden regnet.«

»Gib mir einfach die konkrete Tatzeit.«

Die Königin kratzte sich das Kinn und sah übertrieben nachdenklich zur Decke. Natürlich hatte sie die Antwort längst parat, aber sie liebte dramaturgische Verzögerungseffekte.

»Das Nümmerchen wird sie auf jeden Fall vor zehn geschoben haben«, ließ sie schließlich verlauten. »Kaum später.«

»Und die Todeszeit?«

»Ich bin nicht Delphi, Cüpper. Aber um neun hat sie mit Sicherheit noch ihren Spass gehabt. Um elf dann nicht mehr.« Die Königin kicherte. »Der definitive Durchschnitt liegt bei zehn. Schnippschnapp.«

Cüpper zog die Brauen zusammen. »Bist du sicher?«

»Sicher bin ich sicher.«

»Was ist mit zwölf? Alles deutet darauf hin, dass sie um Mitternacht ermordet wurde.«

»Cüpper! Habe ich Worte zu verschwenden? Dann frag mich nicht! Dann geh zu irgendeinem Quacksalber und lass dir die Todeszeit bescheinigen, die dir am besten in den Kram passt. Herrgott, Polizisten!«

»Herrgott, Tunten«, stöhnte Rabenhorst.

»Du kannst dich irren«, meinte Cüpper.

Die Königin warf den Kopf in den Nacken. »Ich irre mich nie, mein Süßer. Beziehungsweise selten. Aber ich bin bereit, auch Mitternacht noch gelten zu lassen. Ja, meinetwegen Mitternacht. Zufrieden?«

»Wenn das dein Ernst ist.«

»Für dich immer. Um auf den Punkt zu kommen, es wäre möglich, aber nicht wahrscheinlich.«

»Hm.«

»Wie, hm?«

»Hm halt eben.«

»Na komm. Du hast dich doch nicht herbequemt, nur um die Routineuntersuchung mit mir durchzukauen.«

Cüpper schüttelte den Kopf.

»Nein. Kannst du rausfinden, ob sie von einem Linkshänder ermordet wurde?«

»Ach du lieber Himmel!«

»Also nicht?«

»Die Sache artet mir zu sehr in Arbeit aus. Ich bin so früh am Morgen nicht der Frischeste.«

»Frau von Barneck auch nicht.«

»Gib mir Zeit.«

»Wie lange?«

»Drei, vier Stunden. Nein, bis morgen.«

»Sagen wir, bis heute Abend. Danke, bitte. Rabenhorst, wir gehen Pläne schmieden. Königin«, fügte er fröhlich hinzu, »du bewaffnest dich mit einem Stift und schreibst mir die Sache mit den Knödelchen auf. Plus Weinempfehlung, bitte.«

»Wird mir eine Wonne sein. Für zwei Personen oder vier?«

Cüpper erstarrte. Plötzlich war er wieder müde.

»Für eine«, sagte er und ging.

## Tischgespräche

Anschließend trieb es ihn zum Italiener, aber Rabenhorst bestand auf Deftigem und schlug das *Sion* vor.

»Rabenhorst, Sie sind bescheuert. Wir sind im Dienst, und Sie schleifen mich ins Brauhaus.«

»Wir müssen ja nichts trinken.«

»Wir müssen ja nichts trinken. Wir müssen ja nichts trinken«, äffte Cüpper ihn nach. »Was zum Henker wollen Sie dann da?«

»Sauerbraten essen. Heute Morgen hat mich meine Mutter aus dem Bett geschellt. Meine Mutter ist eine üble Frau mit vielen schlechten Eigenschaften, aber sie kann Sauerbraten machen. Möglicherweise bin ich Masochist.«

»Sie sind ein Idiot. Wenn Sie Sauerbraten essen wollen, kommen Sie zu mir.«

»Gerne. Wann?«

»Ah … tja. Wollten Sie nicht wissen, was es mit dem Linkshänder auf sich hat?«

»Wann hätten Sie denn Zeit?«, hakte Rabenhorst nach.

»Das Messer hat mich drauf gebracht.«

»Ich hätte morgen Abend Zeit. Was halten Sie von acht?«

Cüpper schnaubte.

»Also, das Messer, ja? Der Angriff kam von hinten. So, wie sie gelegen hat, besteht daran kein Zweifel. Mal angenommen, der Mörder will die Waffe zurücklassen, um uns in die Irre zu führen – so was kann er planen. Aber er kann nicht gegen seine Natur an. Also greift er mit der rechten Hand in ihre Haare, zerschneidet ihr mit der linken den Hals, sie fällt nach vorne, er steht, über sie gebeugt, und legt das Messer neben sie. Auf welche Seite wohl?«

»Die linke.«

»Stimmt. Da lag es auch.«

»Er könnte das bewusst getan haben. Vielleicht ist er ein besonders raffinierter Rechtshänder.«

»Mag sein. Aber glauben Sie daran?«

»Nein. Und wo fahren wir jetzt hin?«

»Zum Italiener. Ist doch klar.«


Rabenhorst quengelte, und nichts war klar. Cüpper saß entsprechend missgelaunt vor seinem Sprudelwasser, während der Köbes fleißig Kölsch an ihm vorbeitrug. Rabenhorst stocherte in seinem Sauerbraten herum und suchte nach Rosinen.

»Und? Zäh?«

»Mir schmeckt's«, beharrte Rabenhorst trotzig.

»Gut. Sie sind ausgeladen.«

»Wieso? Sie haben mich doch gar nicht eingeladen.«

»Natürlich hab ich das!«

»Nicht richtig.«

»Ich werde schon geahnt haben, warum. Perlen vor die Säue. Wissen Sie eigentlich, was uns fehlt, Rabenhorst?«

»Der Mörder?«

»Eine Renaissance der Kölner Küche, Sie Schafskopf! Früher wurde der Sauerbraten vom Pferd gemacht, lag ewig und drei Tage in Essig, Weißwein und Gewürzen, bis Sie ihn fast lutschen konnten. Dann wurde er geschmort und immer wieder übergossen, und die Rosinen waren mindestens so groß wie Ihr Gehirn. Dazu gab es Knödel. Nicht aus der Packung! Mann, Rabenhorst, wussten Sie, dass Knödel nicht in der Packung erfunden worden sind, haben Sie darüber schon mal nachgedacht?«

»Schreiben Sie ein Buch«, sagte Rabenhorst.

Cüpper starrte auf seine Bockwurst.

»Schon komisch«, sagte er nach einer Weile. »Es kommt ja vor, dass man mit seinen Eltern nicht so richtig kann. Aber seiner Mutter den Tod an den Hals zu wünschen…«

»Wenn ich Sie recht verstanden habe, hat Marion Ried die Sache nicht direkt bedauert, aber auch nicht unbedingt herbeigewünscht.«

»Da wäre ich mir nicht so sicher.« Cüpper schüttelte den Kopf. »Ziemlich verstört, die Kleine.«

»Wundert Sie das?«

»Wie man's nimmt. Ihr Verhalten hatte was Neurotisches. So viel Hass!«

»Allseits unbeliebt, die gute Inka.«

»Ja. Das muss man sich mal vorstellen. Ihr Mann quittiert ihren Tod mit einem Achselzucken, Astrid Hasling hätte ihr mit Sicherheit gern selbst die Kehle durchgeschnitten…«

»Vielleicht hat sie«, bemerkte Rabenhorst.

»Ja. Vielleicht.«

»Dieser Renz war auch nicht gerade gut auf sie zu sprechen.«

»Und die Tochter macht keinen Hehl daraus, dass ihre Mutter bekommen hat, was ihr zustand. Muss ein wahrhaft reizender Mensch gewesen sein. Gut. Schauen wir mal, wer ein Alibi hat.«

»Fritz von Barneck.«

»Offensichtlich. Renz ebenfalls, wie's aussieht.«

»Sonst aber keiner. Dieser Schramm…«

Cüpper winkte ab. »Vergessen Sie Schramm. Wir können ihn von mir aus überprüfen, aber er war's nicht. Bleiben fürs Erste Astrid Hasling und Marion Ried. Die eine war betrunken, die andere im Kino. Keine Zeugen.«

»Chef! Die eigene Mutter umzubringen!«

»Stecken Sie Ihre Nase mal in griechische Sagen, dann wissen Sie, wie Verwandte miteinander umgehen. Aber gut, ich hab ja nicht gesagt, dass sie es war. Noch habe ich gar nichts gesagt.«

»Und wie geht's jetzt weiter?«

»Kurz aufs Revier. Inzwischen müssten ein paar Resultate da sein. Essen Sie das noch?«

»Was?«

»Die Scheibe Fleisch. Man hat sie immerhin in einer großen Fabrik mit Liebe und Sorgfalt abgeschnippelt. Dann ist sie zusammen mit zig Brüdern und Schwestern in ein Säurebad gewandert, voll mit Konservierungsstoffen und anderen leckeren Sachen, anschließend hat man sie zu Tode gekocht, abkühlen lassen, tiefgefroren und dann…«

Rabenhorst schob seinen Teller weg.

»Gehen wir.«

Cüpper grinste. »Wenn ich Ihrer Mutter erzähle, dass Sie das gegessen haben, kommen Sie in den Keller.«

Rabenhorst spießte Cüpper mit dem Zeigefinger auf. »Sie laden mich ein. Ich sag's Ihnen.«

»Ich denke drüber nach.«

Zurückgekehrt von Freud und Leid kölscher Brauhäuser, wurde Cüpper inmitten der heillosen Unordnung auf seinem Schreibtisch fündig. Der Bericht sagte aus, dass kurz vor Mitternacht bei mehreren Leuten im Bazaar geschellt worden war. Es schien, als hätte jemand wahllos die Hand auf das Klingelfeld gedrückt. Der späte Besucher und wahrscheinliche Mörder hatte somit keinen Schlüssel besessen. Nicht sonderlich gerissen, sich auf diese Weise Einlass zu verschaffen. Genau genommen war es saublöde.

Irgendwie zu blöde.

Was fehlte, waren die Ergebnisse aus der Untersuchung der Fingerabdrücke. Gerade als er der Spurensicherung Dampf machen wollte, klingelte das Telefon. Cüpper griff ins Papier und legte den Hörer frei. Es war einer der Wachtmeister aus seinem Team. Zwei Hausbewohner hatten sich an einen Italiener erinnert, der bei ihnen geschellt und nach Frau von Barneck gefragt hatte.

Wieder der Italiener! Offenbar lagen nur wenige Minuten zwischen seinem Zusammentreffen mit Astrid Hasling auf der Straße und diesem Vorfall. Die Beschreibung war identisch. Mittelgroß, schlank, gut aussehend, elegant gekleidet, Schnurrbart. Heisere, fast flüsternde Stimme. Höflich, aber leider unbekannt.

Cüpper stutzte. Von Barneck hatte Übernachtungsgäste aus Italien gehabt. Aber von denen trug keiner einen Schnurrbart.

Trotzdem.

Die Tür flog auf, und Krüger steckte den Kopf ins Zimmer. Er wedelte mit einem Stapel Papier.

»Resultate«, verkündete er.

»Was für Resultate?«, fragte Cüpper unwirsch.

»Fingerabdrücke.«

»Endlich. Ihr seid langsam.«

»Wir sind gründlich.« Er trat zu Cüppers Schreibtisch und knallte ihm die Akte auf den höchsten der Papierberge. Cüpper warf einen raschen Blick darauf.

»Und?«

»Die Barneck plus zwei Unbekannte. Einer hat hier und da rumgefingert. Ziemlich verstreut.« Krüger rümpfte die Nase. »Fällt als Mörder flach.«

»Sagen wir mal, als intelligenter Mörder«, brummte Cüpper. »Wer immer sie umgebracht hat, könnte im Affekt gehandelt haben. Vielleicht wollte er sie gar nicht töten, kam einfach zu Besuch, packte alles Mögliche an und entschied sich plötzlich, ihr die Gurgel durchzuschneiden.«

»Unwahrscheinlich«, sagte Krüger tonlos.

Cüpper runzelte die Stirn. »Mit anderen Worten, die Abdrücke des zweiten Unbekannten waren auf dem Messer?«

Krüger nickte.

Cüpper pfiff leise durch die Zähne. »Also doch ein Dilettant. Und wo sonst noch?«

»Türrahmen.«

»Was? Wo das Blut verschmiert war?«

Krüger wies auf seine Mappe. »Steht alles drin.« Er wandte sich zum Gehen, hielt dann aber inne. »Noch was«, sagte er. »Das Blut am Türrahmen stammt von einer linken Hand. Konnte man sehen. Sind die gleichen Abdrücke wie auf dem Messer, aber an dem Messergriff war überhaupt kein Blut. Nur an der Klinge.« Das waren mächtig viele Worte gewesen für Krüger.

»Klingt nach einem schlechten Drehbuch«, konstatierte Cüpper.

»Klar.«

»Na schön. Wo wir gerade dabei sind, wann bekomme ich den Rest? Blutgruppenuntersuchung und alles, was ihr da gefunden habt, Haare, Fusseln, rumliegende Elefanten?«

»Morgen.«

»Danke«, murmelte Cüpper entgegen seiner sonstigen Gewohnheit.

Einiges passte nicht zusammen.

Schmitz rief an, von Barnecks Butler. Ob es dem Kommissar wohl möglich sei, nach Marienburg hinauszukommen. Herr von Barneck hätte ihm Verschiedenes mitzuteilen, sei jedoch zu beschäftigt, die Villa zu verlassen. Sieh mal an, dachte Cüpper, der Löwe hebt das Haupt. Er hakte nicht lange nach und schwang sich in den Wagen.

Viel Zeit blieb ihm nicht. Kurz nach fünf würde Marion Ried zur weiteren Vernehmung kommen.

Falls sie kam.

# Doppelgänger

Es nieselte ohne Unterlass, als Cüpper seinen Wagen vor der schwarzen Hecke des Anwesens parkte, aber zugleich war es unerträglich schwül und drückend. Köln lag im Koma und träumte einen nicht enden wollenden, feucht-warmen Traum, in dem alles passieren konnte, wenn es nur schrecklich genug war.

Er schüttelte den Regen aus den Haaren, schellte, erhielt Einlass und ging den Kiesweg hinauf zur Villa. Bei Tageslicht wirkte das Gebäude weniger massiv und beinahe heiter. Niemand begrüßte ihn. Er hatte erwartet, dass Schmitz in der Tür erscheinen würde, um ihn mit Würde hereinzubitten, aber als er durch das halbgeöffnete Portal die Halle betrat, konnte er keine Menschenseele entdecken. Der Kronleuchter dräute in seinem Schacht. Tausende kleiner Cüppers spiegelten sich in seinen kristallenen Augen, gingen bis zum Treppenabsatz und schauten nach oben. Von dort drangen Stimmen herab.

»Warum tragen Sie keinen Trenchcoat?«, fragte jemand hinter ihm. »In den Filmen tragt ihr immer welche.«

Cüpper fuhr herum.

Die Frau lehnte am Durchgang zum Küchentrakt und betrachtete ihn abschätzend. Über den dunklen Augen wölbten sich feingeschwungene Brauen und verliehen ihr einen Ausdruck spöttischen Erstaunens.

»Weil ich keinen habe. Wo ist von Barneck?«

Sie lächelte und löste sich mit sanftem Hüftschwung vom Türrahmen. Wo die Revers ihres Blazers zusammenliefen, ließ ein weicher Schatten den Ansatz ihrer Brüste eben ahnen. Der Rock umschmeichelte sie bei jedem Schritt wie ein lebendiges Wesen. Allein ihre Figur war Grund genug, Schneider zu werden. Ein Traum in anthrazitfarbenem Flanell und schwarzem Nylon, eine nahezu perfekte Erscheinung, bis auf...

Sie streckte ihm einen knallroten Küchenhandschuh entgegen.

»Eva Feldkamp«, sagte sie.

Cüpper konnte nicht anders. Er nahm ihre Rechte und versah das steppdeckenartige Gewebe mit einem galanten Handkuss.

»Romanus Cüpper. Hab ich auf den letzten Modenschauen was verpasst?«

Jetzt lachte sie. Im selben Moment verschwand das Unnahbare aus ihren Zügen. Rechts und links der Augen zeigten sich die entzückendsten Lachfältchen, die Cüpper je gesehen hatte.

»Das ist der letzte Schrei. Wahrscheinlich lesen Sie nicht die richtigen Zeitschriften, Herr Kommissar.«

»Belassen wir's bei Cüpper.«

»Der Hausdiener ist in der Stadt unterwegs, und seine Frau plagt sich in der Küche mit einer Tarte Tatin. Ich habe gerade die Form aus dem Ofen geholt, als Sie schellten.«

»Sie arbeiten in der Küche? Offen gesagt, man kommt nicht drauf.«

»Ach was. Ich bin Herrn von Barnecks Privatsekretärin. Aber die Idee mit der Tarte war von mir, also hab ich geholfen. Wollen Sie ein Stück?«

»Was für eine Frage!«

»Gut, gehen Sie einfach rauf. Sie finden Herrn von Barneck im ersten Stock. Er hat Besuch.«

»Besuch?«

»Ihretwegen. Gehen Sie schon. Ich stoße später dazu.«

»Augenblick noch, wo wir gerade unter uns sind – wie gut kannten sie Inka von Barneck?«

»Ziemlich gut.«

»Haben Sie eine Ahnung, wer sie umgebracht hat?«

»Eine Ahnung?« Sie zögerte. »Ich wüsste nicht.«

»Aber?«

»Kein aber.«

»Mochten Sie Inka von Barneck?«

»Nein.«

»Wer mochte sie überhaupt?«

»Fritz mochte sie mal. Ansonsten war Inka nicht der Typ, den man mochte. Man verfiel ihr, ließ sich von ihr benutzen und wurde irgendwann entsorgt.«

»Wer war ihr denn verfallen?«

»Das sollten wir nicht gerade hier besprechen. Es würde zu lange dauern, und Sie hätten hinterher zu viele Verdächtige. Wenn Sie Wert auf Überraschungen legen, gehen Sie nach oben.«

Cüpper sah ihr nach, wie sie im angrenzenden Raum verschwand. Ihre Stöckelschuhe schlugen Nägel in sein Trommelfell.

Folgsam stieg er die Treppe hoch. Eine der Flügeltüren entlang der Balustrade wurde geöffnet, und er gewahrte Fritz von Barnecks weißen Schopf. Der Millionär winkte ihn heran, nahm ihn wortlos am Arm und schob ihn in das Zimmer, ein riesiges, kostspielig eingerichtetes Büro mit ausladendem Schreibtisch in der Mitte. Ein Mann mit kurzem braunem Haar stand am Fenster und wandte ihnen den Rücken zu.

»Darf ich Ihnen etwas anbieten?«, fragte von Barneck kühl.

»Danke, nein.«

»Sie werden kaum drum herumkommen. Eva meint, sie müsste Gott und alle Welt mit den Resultaten ihrer Großzügigkeit bedenken.«

»Ich fand sie sehr zuvorkommend.«

Von Barnecks Mund lächelte. Die grauen Augen fixierten ihn dabei so kalt und teilnahmslos wie in der Nacht zuvor.

»Im Übrigen, nehmen Sie doch Platz. Sie müssen meine Unhöflichkeit entschuldigen, ich bin, wie Sie sich vielleicht denken können, noch nicht ganz bei der Sache.«

Cüpper zuckte die Achseln und versank in einem roten Ledersessel.

»Wollen Sie wirklich nichts trinken?«

»Ich fürchte, nein.«

»Da fürchten Sie zu Recht.« Von Barneck umrundete den Schreibtisch und betätigte einen verborgenen Schalter. Hinter ihm glitt ein Teil der Wand zur Seite und gab den Blick frei auf einige Quadratmeter glitzernden Bernsteins.

»Dreihundertfünfundsechzig Sorten Whisky, im wesentlichen Scotch. Eine für jeden Tag im Jahr. Wirklich schade, dass Sie keinen trinken dürfen.«

»Geben Sie mir einen Grund, privat hierherzukommen, und ich mache ein Jahr zum Tag.«

»Das glaube ich.«

Die Wand glitt wieder zu. Cüpper fragte sich, was reiche Leute dazu trieb, irgendwelchen Kram hinter Wänden zu verstecken. Währenddessen nahm der Millionär ihm gegenüber Platz und schaute ihn nachdenklich an.

»Sie müssen sich vergangene Nacht gewundert haben«, sagte er.

»Hätte ich sollen?«

»Ich war kurz angebunden. Tja, der Schock.«

»Ich hatte nicht den Eindruck, dass Sie sonderlich schockiert waren«, meinte Cüpper und schlug die Beine übereinander, was dazu führte, dass er noch tiefer in die Polster rutschte.

»Sondern?«

»Gelangweilt wäre treffender.«

Von Barneck betrachtete seine Fingerspitzen und legte sie sorgfältig aufeinander. Irgendwo tickte eine Uhr. »Sehen Sie, Herr Cüpper, mir ist sehr daran gelegen, dass Sie kein falsches Bild von der Situation gewinnen. Zu diesem Zweck habe ich mich entschlossen, Ihnen jemanden vorzustellen, auch wenn ich mich damit ein bisschen … sagen wir mal, oute. Max?«

Der Mann am Fenster drehte sich zu ihnen um. Cüpper wollte etwas erwidern, aber dann verschlug es ihm die Sprache.

»Sag guten Tag, Max«, schmunzelte von Barneck.

Max trat zu Cüpper und grinste ihn freundlich an.

»Freut mich, Sie kennen zu lernen, Herr Kommissar.«

Cüpper blickte irritiert vom einen zum anderen. Von Barneck stützte das Kinn in die Hände und betrachtete ihn unter halbgeschlossenen Lidern.

»Nun?«, fragte er schließlich. »Was denken Sie?«

»Ihr Zwillingsbruder«, mutmaßte Cüpper.

»Zwillingsbrüder ähneln einander. Das wäre in diesem Fall ein bisschen untertrieben, meinen Sie nicht auch?«

Cüpper wuchtete sich aus den Polstern und trat dicht vor sein Gegenüber. Ließ man Haarfarbe und Schnitt beiseite, stand ihm ein zweiter von Barneck gegenüber. Der Millionär hatte recht. Sie ähnelten einander nicht, sie waren gleich.

Vollkommen gleich.

»Max Hartmann ist mein Doppelgänger«, sagte von Barneck. »Ich gehe damit nicht hausieren, also haben Sie die Freundlichkeit, Ihr Wissen sparsam zu verwenden. Der Grund für meine Offenheit wird Ihnen klar sein.«

Cüpper wanderte um Hartmann herum und hinüber zu von Barneck. Eine Zeitlang hörte man nur das schleifende Ticken der Uhr.

»Na schön«, meinte er schließlich. »Wer hat nun Ihre Frau auf dem Gewissen? Er oder Sie?«

»Die Frage war vorauszusehen. Darum diese Veranstaltung. Ich hatte keinen Grund, Inka etwas anzutun, und Max ebenso wenig. Aber das können Sie nicht wissen. Jeder kann verdächtig sein, nicht wahr? Und was wäre einfacher, als sich per Doppelgänger ein Alibi zu verschaffen? Unter uns gesagt, die wenigen Personen, die von Max' Existenz wissen, sind zu bedingungslosem Stillschweigen verdonnert. Sie hätten also nie erfahren, dass es ihn überhaupt gibt.«

»Sie hätten also nie erfahren, dass es ihn überhaupt gibt«, sagte Max und ließ sich in einen der Sessel fallen. Seine Stimme klang exakt wie die von Barnecks.

»Er kann sie verstellen«, erläuterte der Millionär. »Bevor Sie mich jetzt fragen, warum ich die Katze aus dem Sack lasse – ich spiele gern mit offenen Karten.«

»Ich auch«, pflichtete Max ihm bei, nun wieder mit seiner eigenen Stimme. Er beugte sich vor. »Fritz und ich wollen natürlich erfahren, wer Inka auf dem Gewissen hat. Aber wir wollen nicht, dass Sie in die falsche Richtung laufen. Finden Sie ihren Mörder, aber suchen Sie ihn da, wo er auch ist.«

»Augenblick mal!« Cüpper hob die Hände. »Alles der Reihe nach. Schön, Sie haben also einen Doppelgänger. Darf man fragen, wozu?«

»Sie dürfen«, nickte von Barneck. »Ich werde es Ihnen sogar erzählen. Sehen Sie, meine Mittel und Möglichkeiten erlauben mir eine gewisse Einflussnahme auf das öffentliche Leben. Da gibt es Etliches, was ich in den letzten Jahren verändert habe und noch verändern werde. Aber Sie glauben ja nicht, wie uneinsichtig die Leute sind! Haben Sie eine Vision, können Sie sich auf Heerscharen

militanter Bedenkenträger gefasst machen, die beispielsweise der Meinung sind, unser zerbombter, verschandel-
ter Eigelstein mit seinen Bruchbuden von Wohnungen
und Kramläden hätte irgendeinen kulturellen Wert. Wenn
Ihnen gar so etwas wie Stadtsanierung am Herzen liegt
und Sie Ihre Aktivitäten in die Politik verlegen, werden
Sie für einige ewig Gestrige gefährlich. Die größten Spie-
ßer sind die größten Terroristen. Vor gut drei Jahren fuhr
ich zum Kölner Rathaus, als einige dieser Terroristen
meinen Wagen stoppten, mich herauszerrten und auf offener Straße zu entführen versuchten. Sie hielten mir eine
Pistole an den Kopf, was unter uns gesagt zu den weniger erstrebenswerten Erfahrungen zählt, die ein Mensch
machen kann. Ich war zu dieser Zeit Hauptinitiator eines
größeren Abrissprojekts in der Südstadt. Schmucke, hel-
le Wohnungen gegen miese, verrottete Löcher. Aber diese Damen und Herren waren anderer Meinung. Sie lieb-
ten die miesen, verrotteten Löcher. Sie hingen faul und
stinkend darin herum und zahlten keine Miete, weil sie
ernsthaft glaubten, die Gesellschaft lege Wert auf Mieses
und Verrottetes. Wie Sie sich vorstellen können, waren
auch ihre Methoden mies und verrottet. Nun, gerade als
sie mich in ihren vergammelten Transporter stoßen wollten, kam ein Streifenwagen. Purer Zufall. Ich begann zu
schreien, sie schlugen mich nieder und traten mich ein
paar Mal in den Bauch.« Von Barneck blieb dicht hinter
Cüpper stehen und senkte die Stimme. »Das war nicht
nett, wissen Sie. Und die Beamten fanden es auch nicht
nett. Sie stiegen aus und machten ihren Job. Dabei knack-

ten leider ein paar Knochen. Versuchte Entführung, Bedrohung mit der Waffe, so was tut man schließlich nicht. Nun sitzen diese Zeitgenossen hinter Gittern, aber ich gehe meinem Beruf weiterhin nach und habe immer noch Visionen, größere als je zuvor. Die Zahl meiner Feinde ist entsprechend gewachsen. Nicht, dass ich feige wäre! Aber es gibt eine ganze Reihe öffentlicher Auftritte, die ich nur höchst ungern absolviere. Zu gefährlich.«

»Der Eigelstein?«, mutmaßte Cüpper.

»Der Eigelstein. Sie werden davon gelesen haben. Ich stehe in Verhandlungen mit der Stadt, und da sitzen ein paar Leute, die derselben Meinung sind wie ich. Wir könnten den kompletten Eigelstein in eine neue Welt verwandeln, mit exklusiven Apartments, schicken Restaurants und breiten, baumgesäumten Fußgängerzonen. Ist das nicht erstrebenswert? Aber nein, ich bekomme wieder anonyme Briefe, man beschimpft mich, droht mit Mord und Totschlag, und so geht das Tag für Tag.«

»Und jetzt trauen Sie sich nicht mehr aus dem Haus.«

Von Barneck schürzte verächtlich die Lippen.

»Doch, natürlich«, warf Hartmann ein. »Fritz ist weiß Gott kein Feigling. Aber Sie müssen ihn verstehen. Der Eigelstein ist nicht sein einziges Projekt. Fritz ist unbequem, wie Leute nun mal sind, die was bewegen wollen, und zu allem Überfluss ist er sehr reich. Er lebt in ständiger Gefahr, auf offener Straße entführt oder erschossen zu werden.«

»Sie doch auch.«

»Schon.« Hartmann lächelte. »Aber das ist mein Beruf.«

»Rund um die Uhr?«

»Nicht ganz. Je nachdem, was gerade anliegt.«

»Und gestern Abend?«

»Hatte ich frei.«

»Sind Sie sicher? Wer war denn nun der Gastgeber? Sie oder Ihr Chef?«

Hartmann schüttelte den Kopf. »Ich hatte wirklich frei.«

»Gut. Wo waren Sie?«

»Bei einer Frau. Hier liegt das Problem. Ich muss Sie einfach bitten, mir zu glauben, weil ich Ihnen den Namen der Frau nur im alleräußersten Notfall verraten werde. Ich will niemanden kompromittieren, wenn Sie wissen, was ich meine.«

Cüpper schüttelte den Kopf und drehte beiden den Rücken zu. Langsam durchmaß er den Raum und machte vor einer schlanken, schwarzen Säule halt, auf deren Podest eine chinesisch anmutende Porzellanvase stand. Sie muss furchtbar teuer sein, schoss es ihm durch den Kopf. Alles hier muss furchtbar teuer sein. Er nagte an seiner Unterlippe und wandte sich um. Von Barneck stand jetzt direkt neben Hartmann, zwei identische Gesichter, erwartungsvoll ihm zugewandt, das eine gekrönt von einem dichten weißen Schopf, der opulent in die Stirn fiel und bis auf die Schultern herabwallte, das andere unter einer kastanienbraunen Bürste. Cüpper befiel ein Anflug von Ratlosigkeit. Er fühlte sich überrumpelt.

»Und?«, fragte er. »Was erwarten Sie jetzt, dass ich tun soll?«

»Finden Sie Inkas Mörder«, sagte von Barneck.

»Sollte Ihnen tatsächlich daran gelegen sein?«

»Ja. Meine Frau und ich lebten die meiste Zeit getrennt. Wir verstanden uns nicht mehr. Um ganz ehrlich zu sein, ihr Tod berührt mich weniger, als er wohl sollte. Möglicherweise war sie selber schuld. Aber Mord ist Mord, und Mord ist schlechte Publicity. Ich mag keine offenen Rechnungen.«

»Aha. Ich soll den Mörder finden, damit alles seine Ordnung hat?«

»Wenn Sie so wollen.«

»Nicht nur«, sagte Hartmann. »Auch, weil irgendwo in Köln jemand herumläuft, dessen Motive wir nicht kennen. Jemand, der einen weiteren Mord verüben könnte. Und natürlich, weil niemand das Recht hatte, Inka so bestialisch abzuschlachten. Egal, was sie ihm getan hat.«

»Natürlich«, echote Cüpper.

»Lassen Sie mich bloß nicht hängen, Herr Kommissar«, sagte von Barneck. Seine Stimme klirrte vor Kälte.

»Einen Mord aufzuklären ist eine Sache«, bemerkte Cüpper. »Ihre Interessen zu wahren eine andere. Ich kann meine Arbeit nicht in den Dienst Ihres guten Rufs stellen.«

»Oh, Sie können mehr, als Sie denken.«

»Wie meinen Sie das?«

»Ich meine, dass der Polizeipräsident in die gleichen Restaurants geht wie ich.«

»Tut er das?«

»Ja.«

»Fein. Grüßen Sie ihn von mir. Sagen Sie ihm, ich mache meinen Job.«

»Was ich ihm sage, liegt ganz bei Ihnen.«

»So?« Cüpper fühlte, wie sich seine Nackenhaare aufrichteten. »Gut, dann erkläre ich Ihnen jetzt mal was in verständlicher Sprache. Wenn einer hier im Raum für den Tod Ihrer Frau verantwortlich ist, wird man ihn in gewissen Restaurants längere Zeit nicht zu Gesicht bekommen. Habe ich mich einigermaßen klar ausgedrückt?«

Von Barneck starrte ihn an. Seine Kinnmuskeln zuckten. Dann lächelte er dünn. »Ich bin sicher, Sie sind ein ausgezeichneter Polizist. Ich will lediglich mein Ansehen wahren. Falls Sie meine Unterstützung brauchen, stehe ich selbstverständlich jederzeit zu Ihrer Verfügung.«

»Ich auch«, versicherte Hartmann hastig.

Cüpper nickte grimmig. Er wollte noch etwas sagen, etwas von den Konsequenzen mangelnder Kooperation, da drang mit einem Mal der Duft karamellisierter Äpfel in seine Nüstern und eine hingehauchte Fanfare an sein Ohr:

»Tarte Tatin!«

Eva Feldmann strahlte ihn an, einen dampfenden Traum aus Blätterteig und Fallobst vor sich her tragend, und Cüppers Wut zerschmolz wie der Zucker, in dem die Apfelscheiben während der letzten Viertelstunde geschmort hatten. Er warf ihr einen hilfesuchenden Blick zu, schwankte einen Augenblick und stürmte dann an ihr vorbei nach draußen.

Tarte Tatin! Restaurants! Er würde die ganze Bande auf sein Revier zitieren!

»Wo wollen Sie denn hin?«, rief sie ihm nach. »Haben Sie gar keinen Hunger?«

»Geben Sie's Ihrem Chef!«, brüllte er, zwei Stufen auf einmal nehmend.

»Aber die war für Sie gedacht!«

»Zu ihm passt sie besser! Er verbrennt sich gern das Maul!«

»Er war es. Er muss es gewesen sein!« Cüpper rannte in seinem Büro auf und ab, als gälte es, eine Furche in den Boden zu laufen.

»Er hat ein Alibi«, gab Rabenhorst zu bedenken. »Und was Ihre persönlichen Rachegelüste anbetrifft, so werden die für eine Verhaftung kaum ausreichen.«

»Einen Scheißdreck hat er.«

»Nanana.«

»Unterbrechen Sie mich nicht. Was für eine miese Schau, mir so leutselig seinen Doppelgänger zu präsentieren, als sei damit alles erledigt. Während Hartmann die Gesellschaft schmeißt, kann er seine Frau in aller Seelenruhe aus dem Weg räumen. Und weil er ganz genau weiß, dass Hartmanns Existenz früher oder später auffliegt, geht er in die Offensive. Sie hätten ihn erleben sollen, Rabenhorst. So ein abgebrühter Schweinehund!«

»Chef. Warum sollte er seine Frau umbringen? Er ist einer der reichsten Leute hier. Sie lebten getrennt. Und er hat ein Alibi.«

»Papperlapapp. Hartmann zieht eine Perücke auf, und schon ist er von seinem Brötchengeber nicht zu unterscheiden. So einfach ist das.«

»Ich denke, Hartmann war bei irgendeiner Frau?«

»Rabenhorst, zum Donnerwetter! Er behauptet das, na und?«

»Bis Sie ihm das Gegenteil beweisen, hat er halt ein Alibi. Das Gleiche gilt für Fritz von Barneck.«

Cüpper blieb vor ihm stehen und wippte auf den Absätzen vor und zurück. Schließlich gab er auf und kehrte zurück an seinen Schreibtisch.

»Na schön, Sie haben recht. Ich bin ganz einfach sauer.«

»Vielleicht war er es ja tatsächlich.«

»Ja«, brummte Cüpper lustlos. »Vielleicht.«

Die Gegensprechanlage summte. »Herr Kommissar? Draußen wartet eine junge Dame.«

»Schicken Sie sie rein.«

»Marion Ried?«, fragte Rabenhorst.

»Ebendie.«

»Da bin ich aber mal gespannt.«

»Nein, das sind Sie nicht, weil Sie nämlich jetzt losziehen und Astrid Haslings gestrigen Feierabend rekonstruieren. Ich kann mir nicht helfen, aber die Geschichte mit dem einsamen Besäufnis hat irgendwo ein Loch.«

»Sie hätte zumindest einen Grund gehabt«, sagte Rabenhorst im Aufstehen.

»Ja. Obwohl ich mir nicht vorstellen kann, dass sie dazu fähig wäre.«

»Einmal gesehen…«

»…und schon ein Urteil. Ich weiß. Ist auch nur ein Gefühl, Rabenhorst. Aber ungeachtet dessen, ob sie es getan hat, bin ich sicher, dass sie lügt.«

Rabenhorst lächelte. »Wenn, dann nicht mehr lange. Irgendwelche Anhaltspunkte, außer dem, was ich schon weiß?«

»Nein. Das heißt, doch! Da war ein Pflaster an ihrer Hand. Komisch, dass ich Ihnen nicht davon erzählt hab. In der Mitte war ein bisschen Blut durchgesickert, allzu lange kann sie die Verletzung noch nicht haben.«

»Gut. Bis später.«

Rabenhorst ging und stieß in der Tür mit Marion Ried zusammen.

Sie knurrte ihn an, eine große, attraktive Katze ohne jedes diplomatische Interesse, warf Cüpper einen finsteren Blick zu und ließ sich auf den Besucherstuhl vor seinem Schreibtisch fallen. Hinter ihr schob sich ein hochgewachsener Mann mit nietenbestickter Lederjacke und langen blonden Haaren in den Raum. Er drückte einen Kaugummi von rechts nach links, schmatzte laut und grinste.

»Tag!«

»Wer sind Sie denn?«, fragte Cüpper.

»Bin der Ulli.«

»Geht's eventuell präziser?«

»'tschuldigung. Ulrich Stoerer. Marion ist meine Freundin. Ich dachte, geh mal besser mit, die Kleine braucht 'n bisschen Beistand.« Er kraulte Marions rote

Locken und grinste noch breiter. Cüpper hatte nicht den Eindruck, dass sie Beistand brauchte, aber vorerst war es ihm gleich.

Ulli blickte sich um. »Haben Sie wohl noch 'n Stuhl?«

»Nein. Sie können beide einen Kaffee haben.«

»Kaffee!« Ulli kam rasch näher und beugte sich zu Cüpper hinunter. »Wissen Sie, was ich glaube?«, flüsterte er. »Die Türken haben den Kaffee nach Wien gebracht, um uns zu vernichten. Echt, Mann, Kaffee ist schlimmer als Shit. Die verdammten Islamis wussten genau, was sie taten. Sie haben das Zeug vertragen, aber nicht die Österreicher und die Deutschen. Ich würde niemals welchen anrühren. Es steckt ein Plan dahinter mit dem Kaffee, so was wie 'ne Brunnenvergiftung!«

»Ulli«, sagte Marion gedehnt. Es klang ungefähr wie »Platz« oder »Bei Fuß«.

»Schon gut, Süße.« Er zwinkerte Cüpper zu. »Wir unterhalten uns mal drüber. Ich kann Ihnen ein klasse Ernährungsprofil zusammenstellen. Die Arschlöcher da draußen haben dann keine Schnitte mehr, das sag ich Ihnen, die können Sie alle einknasten, und warum, he? Weil Sie selber frei von bösen Kräften sind, darum!«

»Fein«, sagte Cüpper, »also keinen Kaffee.«

»Korrekt, Mann!«

»Wo waren Sie eigentlich gestern Abend?«

»War mit 'nem Kumpel unterwegs. Im *Max Stark*. Da trink ich immer Wasser, wissen Sie, wie schräg das kommt? Aber Bier ist Scheiße, das bringt dich komisch drauf. Ich empfange meine Inspirationen direkt aus dem All!«

»Ulli spielt Gitarre«, brummte Marion. »Er will sagen, man könnte besser komponieren, wenn man sich nicht volldröhnt. Wo er recht hat, hat er recht.«

»Also *Max Stark*. Kann Ihr Kumpel das bestätigen?«

»Klar, Mann!«, rief Ulli. »Die haben uns ja rausgekehrt um Mitternacht, da sind wir noch auf einen Sprung in den Stadtgarten. Irgendwann am frühen Morgen war ich zu Hause. Ehrenwort!«

»Stimmt das?«, fragte Cüpper. Marion nickte.

»Gut.« Er lächelte Ulli freundlich zu. »Dann dürfen Sie jetzt gehen und Ihre Gitarre stimmen.«

Ulli sah ihn verdutzt an.

»Aber ich kann mein Mädchen nicht im Stich lassen.«

»Ich tu ihr nichts.«

»Geh schon«, sagte Marion.

Ullis Blick wanderte widerwillig zur Tür.

»Naja. Ich will nur nicht...« Sein Kaugummi kreiste hektisch hin und her. »Also, wenn Sie meinen. Geheimhaltung, was? Ist mir schon klar. Haha. Na gut, Mann. – He, Sie müssen mal eines meiner Konzerte besuchen! Echt positiv und so.«

»Ich werd's mir überlegen.«

Ulli strahlte ihn an, ein Ausbund an Gesundheit, strotzend vor Lebenskraft, gereinigt von allem Bösen. Cüpper wartete hingebungsvoll darauf, gesegnet zu werden, aber Ulli ging zumindest wie ein ganz normaler Mensch nach draußen. Als er verschwunden war, atmete Marion sichtlich auf.

»Ist er immer so?«, fragte Cüpper. Eigentlich hatte er

ihr eine Standpauke halten wollen wegen der Ohrfeige im Zoo, aber etwas hielt ihn ab, wie sie da vor ihm saß. Sie zuckte die Achseln und schaute hinaus.

»Manchmal. In letzter Zeit essen wir nur noch reine Speisen, es wird allmählich lästig.«

»Was sind reine Speisen?«

Sie sah ihn an. »Das wüsste ich auch gern. Ulli ist kein Körnerfresser. Aber er hat ein paar ausgesprochen abstruse Theorien, unter anderem, die Äthiopier hätten den Kaffee als Waffe erfunden. Sie wollten ihre Feinde damit vernichten, aber dann haben sie sich mit den Saudis verbündet und die mit den Türken, und den Rest hat er Ihnen ja erzählt. Neuerdings sind Schweine bösartige Außerirdische, also essen wir kein Schwein mehr. Kartoffeln wachsen unter der Erde, wo die Toten liegen, das ist schlecht fürs Karma, schon hat's die längste Zeit Püree gegeben. Und so weiter, und so weiter.«

»Wie halten Sie das aus?«

»Geht Sie nichts an.«

»Na schön. Erzählen Sie mir etwas über Ihren Vater.«

»Er hat meine Mutter gefickt.«

»Das sieht man.«

»Herrgott, ich weiß es nicht! Ich kenne meinen Vater nicht. Er war irgend so ein armer Kerl, der es ihr besorgen musste. Als ich geboren wurde, spielte er schon keine Rolle mehr. Meine Mutter hat mich aufgezogen.« Sie kräuselte die Lippen. »Wenn man das so nennen kann.«

»Und Fritz von Barneck?«

»Den hat sie vor ungefähr zehn Jahren kennen gelernt. Dann haben sie geheiratet, bums, basta, aus.«

»Und Sie?«

»Ich musste in dieser verdammten Villa wohnen, wo sich erst recht keiner um mich kümmerte.«

»Auch nicht Ihre Mutter?«

»Müssen Sie denn alles wissen?«

»Muss ich.«

»Es ist doch scheißegal, wer meine Mutter umgebracht hat.«

Cüpper lehnte sich zurück und betrachtete sie aufmerksam. Ihr Gesichtsausdruck hatte etwas Stoisches. Marion Ried war eine Festung mit unbekanntem Inneren.

»Ist es das wirklich?«

Sie antwortete nicht.

»Passen Sie auf, Frau Ried«, sagte Cüpper ruhig. »Ich akzeptiere, dass es Ihnen gleich ist. Für den Augenblick. Aber mir ist es nicht gleich. Ich werde nämlich dafür bezahlt, es herauszufinden, also geht es hier um meine Interessen. Ich brauche Ihre Hilfe.« Nach einer Weile fügte er hinzu: »Und vielleicht brauchen Sie meine.«

»Ich brauche keine Hilfe.«

»Doch. Sie brauchen schon Ihr ganzes Leben Hilfe.«

»Mein Leben ist okay!«

»Aber jetzt haben wir eine Leiche, und die stammt aus Ihrer Familie. Und wir haben einen Mörder, der noch einmal zuschlagen könnte. Solange wir nicht wissen, was dahintersteckt, ist nichts okay!«

Sie sprang auf und funkelte ihn zornig an.

»Ich will nichts damit zu tun haben, Cüpper! Das ist für mich abgeschlossen, aus und vorbei. Ich habe sie nicht umgebracht, nicht dabei geholfen und nichts davon gewusst. Also vergessen Sie mich einfach, klar?«

Cüpper nickte. »Klar. Sie sind es ja gewohnt, vergessen zu werden.«

Sie holte tief Luft. Cüpper kam ihr zuvor.

»Gut, Frau Ried. Ich brauche Sie nicht mehr. Ich werde Sie vergessen. In dieser Sekunde. Falls ich Sie in diesem Fall als relevant erachtet haben sollte, habe ich mich halt geirrt. Falls ich so etwas wie Sympathie für Sie empfunden habe, war's wahrscheinlich ein Versehen. Sobald Sie mein Büro verlassen haben, sind Sie ausgelöscht.« Er tippte sich an die Stirn. »Restlos. Für immer.«

Er nahm den Untersuchungsbericht zur Hand und fing an, darin zu blättern. Nach einer Weile schaute er auf. Marion Ried stand mit geballten Fäusten vor seinem Schreibtisch wie Lots Weib.

»Wer sind Sie denn?«, fragte Cüpper.

»Na schön, was wollen Sie wissen?«, zischte sie.

»Nichts. Verschwinden Sie.« Er begann wieder zu arbeiten.

»Aber Sie haben mich doch kommen lassen!«, schrie sie ihn an. »Wozu?«

»Ist mir entfallen.«

»Ich werde nicht gehen!«

»Doch. Hauen Sie ab. Sie hauen doch immer ab, stimmt's? Weil Sie keiner lieb hat. Also heulen Sie ein bisschen, und dann legen Sie sich in den Zoo zu Ihren Katzen.«

»Sie sind nicht mein Therapeut.«

»Nein. Gott sei Dank nicht.«

Er pfiff eine Melodie und ordnete Akten zu kleinen Paketen. Sie wartete noch eine Weile, dann drehte sie sich wortlos um und ging zur Tür.

»Marion.«

Sie blieb stehen.

»Schönen Abend noch.«

Die Tür knallte hinter ihr zu. Cüpper starrte den Stuhl an, auf dem sie gesessen hatte.

# Scherben

Rabenhorst versuchte es erneut in der Agentur, aber Astrid Hasling war den ganzen Tag nicht erschienen, und Holger Renz saß in irgendeinem Flieger auf dem Weg nach München. Er plauderte entspannt mit einigen Leuten, scherzte mit der Dame vom Empfang und gab sich höflich interessiert, was den Ablauf in der Agentur betraf. Als er kurz darauf zu seinem Wagen ging, wusste er zumindest, dass tags zuvor niemand ein Pflaster an Astrid Haslings Hand bemerkt hatte.

Auch in der Overstolzenstraße schellte er vergebens. Das Wasser lief ihm währenddessen in den Nacken, bis er nicht mehr wusste, ob es der Regen oder sein eigener Schweiß war, der ihm das Hemd an den Rücken klatschte. Rabenhorst schaute mit zusammengekniffenen Augen in die graue See des Himmels und dann auf die Uhr. Kurz nach sechs. Gestern um diese Zeit war Astrid in Inka von Barnecks Wohnung aufgetaucht, vermutlich voller Hass und Angst, hatte sich erniedrigt, gebettelt, geschrien, geweint und dann vielleicht gedroht. Inka von Barneck hatte möglicherweise eingelenkt oder auch nicht. Gegen halb sieben hatte Astrid den Bazaar nach eigenem Bekunden wieder verlassen, was der Wahrheit zu entsprechen schien, da ihr Zusammentreffen mit dem Italiener zeitlich mit dem Erlebnis der Hausbewohner zusammenfiel.

Dazwischen lag nur eine halbe Stunde. Trotzdem Zeit genug für einen Kampf, möglicherweise einen Mord.

Halt, falsch! Die Königin von Saba hatte klargestellt, dass Inka nicht vor neun ermordet worden war. Alles in Rabenhorst entsetzte sich beim Gedanken an den Pathologen, aber er musste zugeben, dass Brauner eine Kapazität war. Wenn er einen Mord vor neun Uhr ausschloss, hätte nicht mal Jack the Ripper daran etwas ändern können.

Ratlos stieg er in den Wagen und fuhr in die Südstadt. Vor dem *Fonda* zwängte er seinen Wagen in den Rest einer Parklücke, die ein gigantischer schwarzsilberner Bentley älteren Baujahrs übrig gelassen hatte, setzte sich an die Theke und begann zu grübeln. Neben ihm trank ein Mann Champagner mit zwei gut gelaunten Frauen. Rabenhorst wurde neidisch, überlegte, ob er noch im Dienst war, entschied sich dagegen und bestellte ein Glas Weißen.

Cüpper hatte recht. Etwas stimmte nicht mit Astrid Haslings Geschichte.

Die Verletzung konnte sie sich während des Besuchs bei Inka von Barneck zugezogen haben. Vorstellbar, dass sie in ihrer Verzweiflung handgreiflich geworden war.

Aber wie verletzte man sich an der Hand? Indem man zuschlug? Da konnte man sich allenfalls was brechen. Eher, wenn man…

Rabenhorst vergaß seinen Wein. Einige Minuten starrte er wie verblödet vor sich hin, während ein Gedanke den anderen jagte, sich vage Vermutungen zu Theorien vereinten, unzusammenhängende Fakten plötzlich ineinandergriffen und ein klares Bild ergaben. Dann rutschte er von seinem Barhocker und ging telefonieren. Er brauchte fast eine halbe Stunde, bis er definitiv wusste, was er herauszufinden gehofft hatte.

Sehr zufrieden mit sich schlenderte er zurück an die Theke und fand seinen Wein unbekannterseits ausgetrunken. Er zuckte die Achseln, zahlte und rief Cüpper an.

Rabenhorst, fand Rabenhorst, war schon ein mächtig schlaues Kerlchen.


Cüpper, fand Cüpper, war ein mächtig großer Idiot. Hätte er sich bei von Barneck bloß am Riemen gerissen! Er wäre in den Besitz weiterer Informationen gelangt und vor allem in den Genuss der Tarte aller Tartes. Stattdessen hatte er seine schäbige Ehre gerettet. Wütend auf dem Knorpel des Lebens kauend, den Magen voller Sodbrennen, hielt er auf den Fahrstuhl zu.

Im selben Augenblick begann auf seinem Schreibtisch das Telefon zu schellen. Der Klang erreichte Cüpper, als die Aufzugtüren gerade auseinanderklafften. Er verharrte, horchte und überlegte, ob sich ein Spurt zurück ins Büro lohnen würde. Das Schellen erstarb. Achselzuckend nahm er den Lift ins Erdgeschoss, schenkte dem Pförtner ein knappes Lächeln und verließ das Polizeipräsidium um Punkt halb sieben.

Regen und kein Schirm, wie üblich. Bullenschicksal, dachte Cüpper, als er nach den Autoschlüsseln kramte. Bullen müssen nass wie Katzen sein. Sitzen sie im Tro-

ckenen und haben's warm, könnten sie am Ende aufhö-
ren, an die Schlechtigkeit der Welt zu glauben.

Er sah noch einmal auf den Zettel mit der Adresse von
Max Hartmann und fuhr los.

# Max Hartmann

Es war eine Aktion auf gut Glück, aber Leute zu überraschen zahlte sich im Allgemeinen aus. Wenn sie mit der Polizei nicht rechneten, hatten sie auch keine Zeit, sich auszudenken, was sie ihr erzählen würden.

Cüpper fuhr über den Neumarkt Richtung Rudolfplatz. Die Scheibenwischer der entgegenkommenden Autos winkten ihm freundlich zu und verwandelten die Fahrer in verschmierte Silhouetten. Er drehte am Radio und bekam die Fantastischen Vier ins Ohr: »Sie ist weg«.

Danke, dachte Cüpper grimmig. Hätt's fast vergessen.

Hartmann wohnte in der Spichernstraße, und das nicht schlecht. Cüpper hatte Glück, fand auf Anhieb einen Parkplatz, klingelte, wurde eingelassen und erkletterte diverse Stockwerke. Es gab zwar einen Lift, aber der war defekt, wie ein Schild verkündete. Die Treppen waren steil oder kamen ihm zumindest so vor. Kurz vor dem letzten Stockwerk geriet er außer Puste und erinnerte sich unvermittelt, dass er einen Heimtrainer besaß, den er noch nie benutzt hatte. Darum war der auch noch da und stand im Weg herum.

So was hatte sie ihm dagelassen!

»Sie sind nicht allzu sportlich, lieber Kommissar!«, hallte eine Stimme durchs Treppenhaus.

Cüpper schaute nach oben. Hartmann lehnte spöttisch

grinsend am Türrahmen. Er trug einen Kimono, der bis zum Boden reichte, und eine randlose Brille. Die Ähnlichkeit mit von Barneck frappierte Cüpper erneut so sehr, dass ihm nichts Passenderes einfiel als ein lahmes »Wieso?«

»Wieso? Weil ich für die sechs Stockwerke zwanzig Sekunden brauche und Sie zwanzig Minuten.«

»Lassen Sie die Schmeicheleien«, keuchte Cüpper und bewältigte die letzten Stufen. »Was ist mit dem Fahrstuhl?«

Hartmann lachte. »Sex!«

»Im Fahrstuhl?«

»Warum nicht? Kommen Sie rein. Es gibt hier einen phantasiebegabten Burschen, müssen Sie wissen. Kürzlich stieg er mit einer netten jungen Dame hinein und blieb stecken. Dann blieb der Aufzug stecken. Ende der Vorstellung. So was klappt im Kino, aber nicht in der Spichernstraße.«

»Wenig amüsant.«

»Wie man's nimmt. Die Bergung dauerte zwei Stunden. Als die beiden endlich draußen waren, wirkten sie nicht sonderlich verärgert.« Hartmann verschwand im Raum nebenan und ließ Cüpper mit dem Klang seiner Stimme zurück. »Ich war gerade dabei, mir einen Espresso zu machen, wollen Sie auch einen?«

»Gern. Viel Zucker bitte.«

Cüpper wanderte umher. Hartmann war teuer und geschmackvoll eingerichtet, alles pingelig gepflegt. Hinter einer Glasfront erstreckte sich eine riesige Terrasse. Fritz von Barneck schien seinen Doppelgänger gut zu bezahlen.

»Ich habe Sie erwartet«, sagte Hartmann beiläufig.

»So?«

»Ja. Mir war klar, dass Sie mit dem Verlauf des Nachmittags nicht glücklich sind.«

»Warum hätte ich gerade zu Ihnen kommen sollen?«

»Weil Sie Fritz nicht mögen. Und weil Sie glauben, dass ich Ihnen mehr erzähle. Wir haben Ihnen die Doppelgängertheorie ja sozusagen auf dem silbernen Tablett serviert. Einer von uns beiden könnte es gewesen sein.«

»Sie scheinen es drauf anzulegen, dass ich so was glaube.«

»Keineswegs. Die Dinge sind halt, wie sie sind.«

»Sehr weise. Seit wann wohnen Sie hier?«

»Noch nicht so lange. Knapp anderthalb Jahre. Nehmen Sie Milch zum Espresso?«

»Um Himmels willen! Warten Sie, ich komme in die Küche!«

Cüpper hatte es nicht anders erwartet: Das Zentrum seiner Leidenschaften präsentierte sich als übergroßes Refugium in Holz und Stahl mit freistehendem Herd und einem wahren Schlund von Dunstabzugshaube. Er entdeckte eine Kollektion von Töpfen, die er sich schon immer gern geleistet hätte, wenn er sie sich hätte leisten können. Links von der Kochstelle unterteilte eine mitternachtblaue Theke den Raum. Hartmann platzierte die Espressotassen unter zwei Halogenleuchten, die wie umgedrehter Mohn aus der Decke wuchsen. Verliebt in Kleinigkeiten, dachte Cüpper. Er ging in die Hocke und schaute in den Backofen.

»Spezialanfertigung?«

»Ja.«

»Mhm. Was haben Sie zuletzt gekocht?«

»Ist das Teil des Verhörs?«

»Nein. Pure Neugier.«

»Stockfisch-Frikadellen. Es macht irrsinnig viel Arbeit. Der Fisch ist so hart, dass Sie einen damit totschlagen können.«

»Wäre nicht das erste Mal.«

»Mord durch Stockfisch?« Hartmann lachte. »Wo?«

»Hier in Köln.«

»Ach was! Ich dachte, die Kölner hauen sich nur frischen Matjes um die Ohren?«

»Früher war das anders«, sagte Cüpper. »Da aßen sie in Köln fast jeden Freitag Stockfisch. Sie kauften ihn auf den Märkten, er war billig und überstand im Zweifel ein paar Erzbischöfe. Der letzte Stockfischmord traf einen stadtbekannten Wucherer. Er drohte seinen Opfern mit Pfändung und noch schlimmeren Sachen, bis sie genug von ihm hatten. In Ermangelung von Keulen haben sie ihm den Schädel mit dem Abendessen eingeschlagen.«

Hartmann schmunzelte, aber sein Blick war nachdenklich geworden. Gemeinsam schlürften sie den Espresso. Cüpper fand ihn ausgezeichnet.

»Sie kennen sich aus mit alten Rezepten?«, fragte Hartmann.

»Meine Lebensgefährtin ist… war ziemlich versessen

auf Hausmannskost. Gerade diese Stockfischsachen. Weiß nicht, ob ich die je noch mal kochen werde.« Cüpper hielt inne, den Kopf voller Gedanken, die nicht hierhergehörten. »Es macht wirklich zu viel Arbeit«, fügte er hinzu.

Hartmann nickte. »Haben Sie auch ein Rezept, um Morde aufzuklären?«

»Die Frage sollten Sie sich selber stellen«, sagte Cüpper. »Sie verstehen was vom Kochen. Glauben Sie, es gibt eins?«

»Vielleicht.«

»Nein, aber trotzdem liegen Sie nicht ganz verkehrt. Jedes Verbrechen ist im Grunde ein Rezept. Es gibt plumpe Rezepturen, die durchschauen Sie sofort. Andere wiederum sind ungeheuer raffiniert. An jede irgend notwendige Zutat wurde gedacht, und zwar so, dass Sie keine rausschmecken. Daraus ergibt sich das, was dem perfekten Verbrechen am nächsten steht, etwas, das Sie allenfalls bewundern, aber kaum rekonstruieren können. Es sei denn, Sie haben eine ungewöhnlich feine Zunge.«

»Oder sind ein ungewöhnlich guter Polizist.«

Cüpper zuckte die Achseln.

»Auch die feinste Zunge muss mal passen«, sagte Hartmann.

»Kein Koch ist perfekt. Jeder vertut sich letzten Endes um eine winzige Prise, eine kaum wahrnehmbare Ahnung, zu viel davon und zu wenig davon. Früher oder später kommt man der Zusammensetzung auf die Schliche. Ah, der Safran war's! Oder der Marsala! Kein Rezept wird je perfekt sein.«

Hartmann gesellte den Tassen eine schlanke Flasche und zwei Gläser hinzu. »Wenn das wahr ist, warum gibt es dann so viele unaufgeklärte Verbrechen?«

»Weil es zu wenig feine Zungen gibt«, erwiderte Cüpper und sah zu, wie sich ein kleiner Gebirgsbach funkelnden Grappas in sein Glas ergoss.

»Alter Levi«, verkündete Hartmann sichtlich stolz und prostete ihm zu. »In der Hoffnung, dass Ihre Zunge fein genug für Inkas Mörder ist.«

»Deswegen bin ich hier.«

»Ich weiß.«

»Wo wir gerade so nett zusammenstehen, haben Sie Inka von Barneck umgebracht?«

»Nein.«

»Ich hatte nicht erwartet, dass Sie ja sagen. Was wollten Sie eigentlich mit der kleinen Vorstellung heute Nachmittag erreichen?«

»Nichts.« Hartmann lächelte. Plötzlich wirkte er verlegen. »Um ehrlich zu sein, Fritz hat maßlos übertrieben, als er sagte, nichts und niemand könne mich ausfindig machen. Natürlich halten wir meine Existenz geheim, aber im Zuge der Ermittlungen wären Sie irgendwann auf mich gestoßen. Nein, es ging nur darum, von vorneherein mit offenen Karten zu spielen. Dass Fritz sich dabei im Ton vergriffen hat, tut mir leid. Ich halte nichts von Drohgebärden, er lebt damit. Wer bedroht wird, droht zurück.«

»Was hindert ihn daran, einfach aufzuhören?«, fragte Cüpper. »Wie viel Geld kann er noch ausgeben?«

»Das ist nicht der Punkt. Fritz liebt seinen Job.«

»Jedenfalls mehr als seine Frau.«

»Stimmt. Wir wollen nichts beschönigen. Früher war das wohl mal anders, aber als ich die beiden kennen lernte, bestand die Ehe nur noch auf dem Papier.«

»Können Sie sich vorstellen, dass er einen Mord begeht?«

»Ich kann mir nicht mal vorstellen, warum.«

»Er hat Feinde.«

»Sicher. Jeder hat Feinde. Jeder, den Sie hinter Gitter gebracht haben, ist Ihr Feind. Feinde sind kein Grund zum Morden.«

»Vielleicht hat seine Frau ihn unter Druck gesetzt.«

»Womit?«

»Ja, eben. Womit?«

Hartmann winkte ab. »Sie sind auf dem falschen Schiff. Zwischen den beiden herrschte eine große, aber unspektakuläre Gleichgültigkeit. Sie ließen einander in Ruhe. Ich habe nie von irgendwelchen Scheidungsplänen gehört.«

»Es gibt tausend Arten, Druck auszuüben.«

»Aber nicht in diesem Fall. Inka war ein Biest, soviel steht fest. Aber wenn es einen gab, vor dem sie die Krallen einzog, war es Fritz.«

»Mochten Sie Inka von Barneck?«

»Gute Frage. Sagen wir mal, ja.«

»Da sind Sie der Erste.«

»Dann sagen wir mal, nein. Es gab ein paar Dinge an ihr, die ich mochte. Dass sie sich um Konventionen nicht gekümmert hat, gefiel mir. Inka war geistreich, intelligent

141

und fast schon unerträglich attraktiv. Und sie hatte ein paar geniale Ideen, wie man sich amüsieren kann. Der Rest war überhaupt nicht amüsant. Ihren Egoismus konnte man so gerade noch verkraften, weit weniger ihre perfide Lust am Zerstören und ihren unausstehlichen Zynismus. Es machte ihr Freude, alles und jeden als Gebrauchsartikel zu betrachten. Manchmal konnte sie ein wahres Prachtstück sein, und dann behandelte sie einen wie den letzten Dreck, alles innerhalb von vierundzwanzig Stunden. Paradoxerweise war sie extrem nachtragend. Sofort bereit, jemanden zugrunde zu richten, nur weil er sie im Vorjahr auf irgendeiner Vernissage nicht gegrüßt hatte. Wenn ich's recht bedenke, müsste es ganze Völkerscharen von Verdächtigen geben.«

»So was Ähnliches hat Eva Feldkamp auch gesagt.«

»Ah, Eva! Wie gefällt sie Ihnen?«

»Wir hatten nicht viel Zeit, miteinander zu reden.«

»Selber schuld. Was sind Sie auch davongerannt?«

»Ich gebe zu, das war ein bisschen übereilt. Wie stehen Sie zu ihr?«

Hartmann zögerte den Bruchteil einer Sekunde zu lang, dann sagte er: »Freundschaftlich. Ich weiß, sie ist dem lieben Gott sehr gut gelungen. Wir sind Kollegen. Basta.«

Er lügt, dachte Cüpper. Alle lügen in dieser Geschichte.

»Auch Inka war sehr schön«, meinte er.

Hartmanns Blick bekam etwas Wachsames. »Ja«, sagte er gedehnt. »Sie haben recht. Aber sie war leider auch sehr kalt. Es ist nichts von ihr geblieben.«

»Und von Barneck? Er hat sie ja irgendwann mal geheiratet, und wohl kaum aus Langeweile. Ist er wirklich
so abgebrüht, wie er tut?«

Hartmann runzelte die Stirn. »Die Frage stelle ich mir
seit zwei Jahren. Manchmal denke ich, er hat wesentliche
Bereiche seines Gefühlslebens einfach abgeschaltet.
Wenn ihm Inkas Tod was ausmacht, lässt er es jedenfalls
nicht raus.«

»Vielleicht hat er sich anderweitig verliebt?«

»Fritz? Der kultiviert sein Eremitendasein. Bis vielleicht auf eine kleine, unausgesprochene Liebe zu Eva.
Naja, ich glaube jedenfalls, dass er sie insgeheim verehrt.
Aber wenn Sie ihm die Wahl ließen zwischen einer Nacht
mit ihr und einem Essen mit zahlungskräftigen Ge-
schäftspartnern, würde ich nicht wetten wollen.«

»Kein geheimes Doppelleben? Kein Skandälchen?«

»Ich weiß im Grunde gar nichts über ihn. Ich kenne
seine Finanzen, bin über alle geschäftlichen Belange ebenso im Bilde wie er, könnte sein Unternehmen morgen
weiterführen. Nur was in seinem Innern vorgeht, weiß
ich nicht. Da ist ein schwarzes Loch. Womöglich streift er
nachts als Werwolf durch Marienburg, ich habe nicht die
Spur einer Ahnung.«

»Sind Sie Freunde?«

Hartmann dachte einen Augenblick nach. »Ja. Komisch, nicht? Vielleicht ist es aber auch was anderes, ein
gespenstisches Gefühl des Identitätsverlusts, das uns an-
einanderkettet. Es ist seltsam, einen Doppelgänger zu
haben. Mitunter bin ich nicht sicher, ob es mir gefällt.«

»Warum arbeiten Sie dann für ihn?«

»Ich kann Fritz nicht ungeschehen machen. Im Übrigen, würden Sie Fünfhunderttausend im Jahr und kostenloses Wohnen in den Wind schlagen?«

»Ich würde mir überlegen, was ich dafür zu tun habe.«

»Habe ich.« Hartmann entkorkte die Flasche und schenkte ihnen nach.

»Wie sind Sie überhaupt an ihn geraten? Doppelgänger sucht man ja nicht per Annonce.«

»Umgekehrt. Fritz ist an mich geraten. Bis vor zwei Jahren lebte ich in Mailand. Arbeitete hin und wieder fürs Theater, als Statist und Maskenbildner, was so anfiel. Nicht, dass Sie einen falschen Eindruck gewinnen! Ich habe in Salzburg Schauspielerei studiert, mit einigem Erfolg. Aber das war, bevor ich dachte, alles hinschmeißen und nach Italien gehen zu müssen, so eine Art Goethe-Komplex, italienische Reise, zweiter Teil. In Mailand blieb ich also hängen, primär, weil mir das Geld ausging. Es lief von Anfang an ganz gut mit dem Theater, nur, dass ich hoffnungslos unterfordert war.«

»Und dann kam Fritz von Barneck?«

»Vor zweieinhalb Jahren tauchte er in Mailand auf, einen Troß von Mitarbeitern im Gefolge. Er und Inka kauften einen Palazzo nahe des Duomo, und plötzlich gab sich da alles, was Rang und Namen hatte, die Klinke in die Hand. Er machte Geschäfte mit piemontesischen Adeligen und toskanischen Weinbaronen, sanierte ganze Weiler, Fattorias und Herrensitze, und dann kamen die Interessenten, Deutsche und Italiener. Mindestens ein

Dutzend Kölner Honoratioren haben sich bei Fritz ein Stück vom Dolce Vita gekauft. Ehrenhaft, versteht sich.«

»Versteht sich. Und die Italiener haben sich gefreut, dass einer die längst fälligen Sanierungen bezahlt.«

»Oh, es ließ sich kaum vermeiden, dass er mit der Mafia zu tun bekam. Die ist immer da, wenn mit Geld geraschelt wird. Fritz feilschte nicht lange rum. Er weiß, wann es besser ist, nachzugeben.«

»Natürlich war von Mafia nie offiziell die Rede.«

»Die setzen sich nicht an den Tisch und sagen, guten Tag, wir hätten gerne drei Milliarden Lire. Sie bieten Ihnen ein Geschäft an. Sie müssen kein Verbrecher sein, um mit der Mafia Geschäfte zu machen – manchmal übrigens sehr gute. Es gibt einfach ein paar Spielregeln. Eine davon lautet, dass ein Handel so lange ehrbar ist, wie beide Seiten ihn als ehrbar betrachten. Das Wort Mafia wird nie erwähnt. Wir haben mit vielen anständigen italienischen Geschäftsleuten zu tun. Aber wenn Sie Trauben essen, essen Sie die Kerne eben mit. Fritz hat denen ihr angestammtes Recht eingeräumt, die Regeln zu bestimmen, und sie haben ihn dafür gewähren lassen.«

»Hatte er keine Angst, dass man ihn verhaften könnte?«

»Was glauben Sie, warum ich Ihnen das alles hier erzähle? Fritz' Interessen sind auch meine. Er hat selber nie die kleinste Schurkerei begangen. Wenn Sie heute nach Italien gehen und machen in der Florentiner Innenstadt ein Geschäft für deutsche Spezialitäten auf, steht morgen ein netter Herr darin. Er wird ein paar Frankfurter Würstchen kaufen, ein bisschen übers Wetter reden und kurz klarstellen, was man von Ihnen erwartet. Wenn Sie dem nachgeben, sind Sie noch lange kein Verbrecher. Sie wahren nur Ihre Interessen. Sie sind auch keiner, wenn Sie dem Vatikan eine Beteiligung an Ihrer, sagen wir mal, Fabrik für Präservative einräumen. Jeder weiß, dass viele Kardinäle alles andere als fromme Lämmer sind, aber wen schert das, wenn Sie selber eines sind.«

»Die Mafia hält selten ihre Versprechen«, stellte Cüpper fest. »Hatte Fritz von Barneck keine Angst?«

»Wer sagt denn, dass er keine hatte? Nach der missglückten Entführung war Fritz sicher, man könnte es wieder versuchen, ihn vielleicht sogar umbringen. Er wurde vorsichtig. In Köln steckte er bis zum Hals in den Südstadtprojekten, schon damals war er einer der meistgehassten Männer zwischen Eigelstein und Chlodwigplatz. In Italien ließ es sich kaum vermeiden, dass er pokern musste, wenn er nicht raus sein wollte aus dem Geschäft, also spielte er deren Spiel notgedrungen mit.«

»Gründe genug, sich Sorgen zu machen.«

»Sorgen hatte er reichlich. Und dann lief eines Tages einer seiner Sekretäre durch die Stadt und sah mich. Erst hielt er mich für Fritz, den er zehn Minuten zuvor verlassen hatte, und verstand die Welt nicht mehr. Dann fiel bei ihm der Groschen. Am nächsten Tag fand ich mich in der Villa wieder, Fritz machte mir ein Angebot, ich willigte ein und reiste zu einem ägyptischen Chirurgen.«

»Warum das?«

»Ich sah Fritz sehr ähnlich, aber die Natur macht nie zweimal das Gleiche. Erst unter dem Messer wurde ich tatsächlich der perfekte Doppelgänger. Es ist phantastisch, was plastische Chirurgie zu leisten vermag. Ich hatte die gleiche Statur und jetzt auch das gleiche Gesicht wie Fritz, sogar die gleichen Augen. Ich bin gelernter Schauspieler und zudem mit der seltenen Begabung ausgestattet, nahezu jede Stimme perfekt imitieren zu können. Sechs Monate lang tat ich nichts anderes, als meine Rolle zu lernen. Dann begannen wir mit den Tests. Als selbst seine engsten Vertrauten auf mich hereinfielen, ging ich an meine eigentliche Arbeit. Seitdem habe ich in seinem Namen Verhandlungen geführt, Reden gehalten und Geschäfte abgeschlossen. Überall, wo's brenzlig werden könnte, bin ich Fritz von Barneck.«

»Und wann sind Sie noch Max Hartmann?«

»Jetzt gerade.«

»Gut. Haben Sie ihn letzte Nacht gedoubelt?«

»Nochmals nein.«

Cüpper sah ihm fest in die Augen. Hartmann erwiderte den Blick, ohne mit der Wimper zu zucken.

»Überlegen Sie es sich. Wenn Sie ihm geholfen haben, Inka umzubringen, sind Sie vielleicht der Nächste.«

Hartmann schüttelte den Kopf. »Fritz würde niemanden umbringen.«

»Sie haben eben selbst gesagt, dass Sie ihn eigentlich nicht kennen.«

»In mancherlei Beziehung, ja. Aber Mord? Das werde ich mir nicht einreden, und Sie können es auch nicht! Ich würde diesen Job nicht machen, wenn ich nicht grenzenloses Vertrauen zu ihm hätte.«

»Mensch, Hartmann«, seufzte Cüpper. »Eine Frau wird ermordet! Ihr Mann hat einen Doppelgänger, der in vollem Ornat von seinem Chef nicht zu unterscheiden ist. Und der Doppelgänger weigert sich zu allem Überfluss, mir zu verraten, wo er die letzte Nacht verbracht hat. Was würden Sie an meiner Stelle tun?«

Hartmann grinste schief. »Ich würde mir nicht glauben.«

»Eben.«

»Trotzdem, Sie irren sich. Fritz ist kein Mörder.«

»Dann Sie vielleicht?«

»Wozu, in Dreiteufelsnamen? Ich habe Inka von allen Menschen noch am besten verstanden. Ansonsten war sie mir egal.«

»Gut. Sagen Sie mir, wie die Frau heißt, und ich glaube Ihnen.«

»Indiskutabel.«

»Dann haben Sie kein Alibi.«

Hartmann holte tief Luft. Einen Moment lang glaubte Cüpper, er hätte es geschafft. Dann lächelte sein Gegenüber.

»Tut mir leid. Ich habe ein Versprechen gegeben. Nennen Sie es meinetwegen altmodisch. Sie hätten nichts davon, wenn Sie ihren Namen wüssten.«

»Das ist albern.«

»Mag sein. Warum vertrauen Sie mir nicht?«

»Dazu habe ich keine Veranlassung.«

Hartmann nickte. »Ich verstehe. Gibt es außer mir und Fritz noch andere Verdächtige?«

»Gegenfrage. Kennen Sie einen mittelgroßen Italiener, gut aussehend, elegant gekleidet, dichter schwarzer Schnurrbart?«

»Davon kenne ich drei Dutzend.«

»Einen, den auch Inka kannte?«

Hartmann legte die Stirn in Falten. »Inka kannte halb Italien. Ich müsste in Ruhe darüber nachdenken.«

»Von Barneck hatte Italiener zu Besuch.«

»Keinen mit Schnurrbart.«

Cüpper schwieg und ließ den Grappa im Glas kreisen. Hier würde er im Augenblick nicht weiterkommen. Falls es hier überhaupt etwas gab, um weiterzukommen.

Er kippte den Levi herunter, und Hartmann brachte ihn zur Tür. Seltsam, dachte Cüpper, wie zwei Menschen fast identisch und dabei so unterschiedlich sein können. Fritz von Barneck stieß ihn ab. Max Hartmann mochte er. Nur an den Haaren konnte es nicht liegen.

»Falls Sie es sich anders überlegen«, meinte er im Hinausgehen, »wissen Sie ja, wo Sie mich erreichen.«

»Gerne«, sagte Hartmann. »Wir sollten mal zusammen kochen.«

»Besser nicht.«

»Warum?«

Cüpper winkte ab. »Sie verheimlichen mir zu viele Zutaten.«

# Das Taxi

Rabenhorst erwartete ihn vor seiner Haustür.

»Was machen Sie denn hier?«, wunderte sich Cüpper und scheuchte ihn nach oben, wo er ihm ein Handtuch gab. Rabenhorst triefte wie ein Straßenköter, trug aber einen aufdringlich triumphierenden Gesichtsausdruck zur Schau.

»Ich konnte Sie nicht erreichen, also bin ich aufs Geratewohl hergefahren. Wollte kurz warten und Ihnen dann eine Nachricht hinterlassen. In spätestens zehn Minuten hätte ich mich in den Stadtgarten abgesetzt.«

»Im Stadtgarten ist es nass.«

»In ganz Köln ist es nass. Haben Sie was zu trinken?«

»Rabenhorst, alter Freund! Haben Sie das auch mit Ihrer Mutter abgesprochen?«

»Halten Sie keine Volksreden, geben Sie mir endlich was zu trinken. Ich hab's verdient.«

Cüpper fischte einen Pouilly Fumé aus dem Weinregal und brachte die Welt mit einem satten Plopp wieder ins rechte Lot. Rabenhorst stürzte das erste Glas herunter wie Wasser.

»He, langsam!«, zeterte Cüpper. »Das ist keine von Ihren billigen Zahnspülungen.«

»Was würden Sie sagen«, flötete Rabenhorst unbeeindruckt, »wenn ich Inkas Mörder gefunden hätte?«

Cüpper bleckte die Zähne. »Ich würde fragen, wo der echte Rabenhorst geblieben ist.«

Rabenhorst knallte das Glas auf den letzten verbliebenen Wohnzimmertisch. »Ich habe mir aber den Arsch aufgerissen, um es herauszufinden!«

»Passen Sie mit dem Glas auf. Ich hab nicht mehr viele davon.«

»Wollen Sie's nun wissen oder nicht?«

»Ich vermute, das kostet mich einen weiteren Akt der Weißweinverschwendung?«

»Ja, genau!«

Cüpper schenkte mit ergebener Miene nach. »Gut, Watson. Ich höre.«

»Inkas Mörder ist eine Mörderin und heißt Astrid Hasling.«

Cüpper kannte seinen Assistenten gut genug, um zu wissen, dass er ohne triftigen Grund niemanden des Mordes bezichtigen würde. Er stellte die Flasche ab und lehnte sich zurück.

»Erzählen Sie.«

»Es ist ganz einfach«, meinte Rabenhorst munter. »Das Pflaster ist der Schlüssel. Astrid Hasling hatte sich doch an der Hand verletzt?«

»Ja.«

»Wissen Sie noch, an welcher?«

Cüpper brauchte nicht lange nachzudenken. Er hatte die Beobachtungsgabe einer Kamera. »Die linke.«

»Und Ihr Eindruck? War's ein altes Pflaster?«

»Eher nicht. Sie kann es natürlich gewechselt haben,

aber da war etwas Blut in der Mitte durchgesickert, wie von einer frischen Wunde. Nein, es war ziemlich neu.«

»Es war sogar verdammt neu!«, bekräftigte Rabenhorst. »In der Agentur konnte sich niemand an ein Pflaster erinnern. Ich habe mich also gefragt, wie sich jemand an der Hand verletzen kann. Ob Astrid vielleicht auf Inka losgegangen ist bei ihrem Besuch am frühen Abend. Wär ja gut möglich, sauer, wie sie war.« Rabenhorst machte eine bedeutungsschwangere Geste. »Oder aber, ob sie sich an irgendwas geschnitten hat.«

»An Scherben«, ergänzte Cüpper tonlos.

Rabenhorst nickte. »Scherben von zerbrochenem Glas. Wir nehmen mal an, dass Inka noch lebte, als Astrid Hasling sie gegen halb sieben verließ. Sie traf dann auf der Straße diesen ominösen Italiener, der wenige Minuten später im Haus schellte und ergo existent ist. Bis dahin hat sie also nicht gelogen. Brauner gibt an, dass Inka bis mindestens neun Uhr gelebt hat, also kann der Mord zu dieser Zeit noch nicht geschehen sein. So weit, so gut. Jetzt nehmen wir weiter an, die beiden konnten sich nicht einigen. Astrid bittet und bettelt und versucht, Inka von ihrem Vorhaben abzubringen, sie erniedrigt sich, dann droht sie, flucht, heult, schreit. Keine Reaktion. Nach dem, was wir inzwischen über Inka wissen, hat die sogar noch ihren Spaß daran. Jedenfalls, Astrid weiß, dass alles aus ist und Inka nach ihrer Ehe nun auch ihre Agentur ruinieren wird. Sie fährt nach Hause, verkriecht sich und lässt sich volllaufen.«

»Mit fünfundzwanzig Jahre altem Armagnac«, klagte Cüpper.

»Womit auch immer. Es paaren sich Suff und Verzweiflung. Astrids Wut wird zur Raserei, die Ausweglosigkeit der Situation treibt sie zum Äußersten. Also beschließt sie, Inka zu töten! Sie schnappt sich ein Messer, ruft ein Taxi und lässt sich nochmals zum Bazaar fahren. Dort bringt sie Frau von Barneck unter irgendeinem Vorwand dazu, sie in die Wohnung zu lassen. Inka will hinter ihr die Tür schließen und dreht ihr dabei den Rücken zu. Aber sie hat dennoch was gemerkt. Bevor Astrid zuschlagen kann, wirbelt sie herum, schreit auf, es gibt einen Kampf, in dessen Verlauf beide stürzen und den Tisch mit den Gläsern umreißen. Alles geht zu Bruch, Astrid zerschneidet sich die Hand, Inka versucht zu fliehen, kommt noch eben bis zur Tür – und dann passiert's!«

»Was passiert?«

»Na, was?! Sie schneidet ihr die Kehle durch!«

»Und dann?«

»Wird ihr klar, was sie getan hat. Sie gerät in Panik, lässt das Messer fallen und flieht Hals über Kopf in die Nacht. Ende der Geschichte.«

Cüpper trank einen Schluck Wein und dachte über das Gehörte nach. Es klang ein bisschen theoretisch, aber keineswegs schlecht.

»Na?«, fragte Rabenhorst. Seine Augen glänzten.

»Es wäre zumindest möglich. Nehmen Sie gleich morgen ihre Fingerabdrücke zum Vergleich mit denen auf dem Messergriff, dann wissen Sie's.«

»Ich weiß es jetzt schon«, sagte Rabenhorst entschieden.

»Nein«, sagte Cüpper. »Im Moment haben Sie nur eine Theorie.«

»Ich habe was viel Besseres. Eine Aussage der Taxizentrale. Gestern kurz vor Mitternacht wurde ein Wagen angefordert. Der Fahrer heißt Kurt Odenthal, Wagennummer 16. Er fuhr in die Overstolzenstraße, wo er eine sichtlich betrunkene Frau an Bord nahm.« Rabenhorst lachte leise. »Und dreimal dürfen Sie raten, wo die hinwollte.«

# Zweiter Tag

# Frühstück

Die Königin von Saba schmatzte so laut, dass Cüpper fürchtete, die Toten würden wach.

Es war früher Morgen, aber in der Pathologie herrschte bereits Hochbetrieb. Offenbar ließen einige Kölner ihren Frust über den Dauerregen an anderen aus. Das Wetter änderte sich dadurch nicht.

»Cüpper!«

Brauner winkte gut gelaunt mit einem Becher Kaffee. »Setz dich. Gottchen, bist du blass!«

»Ich schlafe schlecht.«

»Du? Ist ja das Neueste. Seit wann?«

»Seit ein paar Tagen. Schmeckt's denn?«

»Aber immer. Guck mal, selbstgemachte Würste. Kalte Reibekuchen. Und«, die Königin von Saba griff nach einem hartgekochten Ei, »Hühner vom Reißbrett!«

Cüpper warf einen Blick auf die beiden Körper, zwischen denen Brauner seinen Tag begann. Der Brustkorb des einen klaffte weit auseinander. Der andere war weitestgehend unversehrt, bis auf ein paar merkwürdig aussehende Löcher im Kopfbereich. Brauner verschlang ein großes Stück Wurst und deutete nacheinander auf die Leichen.

»Den haben sie erschossen, der hat's gut.« Er schmatzte genießerisch.

»Und der da?«

»Auch erschossen. Haben's aber nicht dabei bewenden lassen.«

»Ist ja scheußlich! Gib mir mal den Reibekuchen.«

»Vorher haben sie ihn auf ein Bett geschnallt, so dass er sich nicht mehr bewegen konnte, und ihm die Augen rausgeholt. Weißt du, so.«

Brauner krümmte Daumen und Zeigefinger und drückte sie in unsichtbare Augenhöhlen.

»Wo ist das passiert?«

»Hinterm Bahnhof in dem schäbigen Hotel, wo letztes Jahr die kleine Blonde mit der Kreissäge...«

»Schon gut.«

»Da, nimm dir einen Kaffee. Tut mir übrigens leid, dass es gestern nicht mehr geklappt hat. Du siehst ja, ich habe alle Hände voll zu tun. Dafür kann ich dich beglückwünschen. Du hattest recht.«

»Natürlich hab ich recht«, murmelte Cüpper.

»Man sieht es an der Schnittrichtung. Beginnt sehr flach, wird zur anderen Seite tiefer und zackt dann leicht aus. Wenn der Mörder tatsächlich von hinten kam, und daran scheint es keinen Zweifel zu geben, haben wir es definitiv mit einem Linkshänder zu tun.«

»Ha!«, triumphierte Cüpper. »Fehlt nur noch die Blutuntersuchung.«

»Ach, Krüger? Der wollte eben zu dir. Kam hier vorbeigelatscht. Lange Fresse, wie gewohnt. Ich war natürlich neugierig, was mich jetzt in die Lage versetzt, ihm die Überraschung zu verderben.« Die Königin schnalzte mit der Zunge. »Soll ich?«

»Ich kann keine Überraschungen mehr gebrauchen«, erwiderte Cüpper. »Was hat Krüger gesagt?«

»Dass einige der Blutflecken nicht von unserer schönen Inka stammen, sondern von jemand ganz, ganz anderem.«

»Na also!«

»Klingt, als hättest du's geahnt.« Brauner wirkte enttäuscht.

»Geahnt ist untertrieben. Es bestätigt eine Theorie.«

»Ihr habt eine Spur?«

»Wir haben ein bisschen mehr. Möglicherweise. Rabenhorst ist unterwegs, um jemanden zu verhaften. He! Was sind denn das für Stückchen da im Reibekuchen?«

»In Rübenkraut gewendeter Speck. Halte mich ja auf dem Laufenden!«

»Mach ich. Und danke für die guten Gaben.«

»Gern. Kadaverfrühstück.«

Cüpper schüttelte den Kopf. »Sag mal, Königin, was bringt einen Schöngeist wie dich bloß dazu, diesen Beruf zu ergreifen?«

Brauner grinste und tätschelte dem Augenlosen die Wade. »Menschen, Cüpper. Menschen. Ich hab halt gern mit ihnen zu tun.«

# Revier

Astrid Hasling war weiß wie eine Wand. Zitternd saß sie in Cüppers Büro und riss mit dem Daumennagel die Finger ihrer rechten Hand wund, während die linke bemüht war, eine Tasse zu halten.

Die ganze Zeit über hatte sie leise geweint. Jetzt starrte sie mit geröteten Augen vor sich hin und schwieg.

Weder Rabenhorst noch Cüpper hatten nach der Verhaftung etwas aus ihr herausbekommen. Sie gestand nicht und leugnete auch nichts. Alles, was sie tat, war, einen Kaffee nach dem anderen in sich hineinzustürzen, zu schluchzen und dann wieder still dazusitzen. Es war, als habe sie mit allem abgeschlossen, als sei die Frage nach der Schuld angesichts ihres vernichteten Lebens unwesentlich geworden. Cüpper fühlte sich an ein kleines Kind erinnert, das sich die Augen zuhält, um nicht gesehen zu werden. Sie tat ihm leid.

Krüger kam herein und flüsterte ihm etwas zu. Cüpper nickte und fasste Astrid sanft bei den Schultern.

»Ich habe die Ergebnisse der Blutuntersuchung und der Fingerabdrücke bekommen«, sagte er leise. »Es sind Ihre Abdrücke auf dem Messer, und das wissen Sie genau. Ihr Blut am Türrahmen und an den Scherben. Astrid, es ist vorbei. Sagen Sie uns, was passiert ist. Mhm?«

Sie hob den Blick zu ihm und öffnete den Mund. Dann

schüttelte sie heftig den Kopf und begann wieder zu weinen.

»Warum haben Sie es überhaupt getan?«, fragte Rabenhorst etwas zu laut. Cüpper warf ihm einen strafenden Blick zu. Rabenhorst zuckte schuldbewusst zusammen und ging zum Fenster.

Astrid zerfetzte weiterhin das Nagelbett ihres Zeigefingers. Sie schien den Schmerz nicht zu spüren. Als Cüpper sah, dass ihre Finger zu bluten begannen, nahm er ihre Rechte in die seine.

»Je eher Sie es uns erzählen, desto besser.«

»Nein«, wimmerte sie.

Cüpper seufzte. Wie er solche Augenblicke hasste. »Es hat doch keinen Sinn. Was wollen Sie uns noch verschweigen? Warum quälen Sie sich, anstatt Ihrem Herzen endlich Luft zu machen?«

»Nein.«

»Sie werden sich danach besser fühlen.«

»Nein.« Ihr Atem ging stoßweise. Schockreaktion, dachte Cüpper. Besser, wir hören auf.

»In Ordnung, ruhen Sie sich aus. Wir reden später miteinander.«

»Nein!«

»Später, Frau Hasling.«

»Nein!« Fast schrie sie das Wort. Ihre Hände krallten sich in Cüppers Hemd und zogen rote Spuren. Er nahm ihre Handgelenke und drückte sie zurück nach unten.

»Ruhig, Astrid«, sagte er warnend. »Bleiben Sie…«

Astrid Hasling riss sich los, sprang auf und taumelte

zum Fenster. Fast gleichzeitig waren Rabenhorst und Cüpper bei ihr, um sie aufzuhalten. Als Cüpper sie zu sich herumriss, wusste er, dass die Krise nicht mehr aufzuhalten war. Ein Beben lief durch ihren Körper, dann brach sie zusammen.

»Rabenhorst, schnell! Einen Arzt.«

Cüpper ließ ihren Körper vorsichtig zu Boden gleiten.

»Astrid«, sagte er eindringlich. »Können Sie mich hören? Antworten Sie.«

Ein Ächzen kam aus ihrer Kehle. Langsam verdrehte sie die Augen, bis unter den flatternden Lidern nur noch das Weiße zu sehen war.

Dann begannen die Krämpfe, plötzlich und ruckartig. Fahler Schaum trat zwischen ihren zusammengebissenen Zähnen hervor und tropfte zu beiden Seiten des Kinns herab. Cüpper presste ihre Arme zu Boden. Es war, als kämpfe er gegen ein Erdbeben an. Schließlich hielt er sie mit seinem ganzen Körper nieder, bis die Krämpfe allmählich nachließen.

Rabenhorst kam hereingestürmt, zwei Sanitäter und den Doktor im Gefolge.

»Was ist mit ihr?«

»Verdammte Scheiße«, keuchte Cüpper und rappelte sich hoch. Seine Stirn war mit kaltem Schweiß bedeckt. Die Männer gingen neben dem gekrümmten Körper in die Knie, öffneten die Bluse und lockerten den Gürtel der Jeans. Die Hände des Arztes wanderten routiniert über die daliegende Gestalt, suchten, tasteten, fühlten.

»Epilepsie?«, fragte Cüpper.

»Ja. Ich gebe ihr eine Spritze. Vorerst ist nicht mit ihr zu rechnen.«

»So ein Mist«, fluchte Rabenhorst.

Der Arzt zuckte die Achseln. »Ist sie wichtig für Ihren Fall?«

Cüpper fuhr sich durch die Haare und atmete tief durch. Das gemeinsame Frühstück mit Brauner vor zwei Stunden schien Jahre zurückzuliegen.

»Sie ist eine Mörderin«, knurrte Rabenhorst.

»Dann ist sie wichtig. Bahre!«

Sie trugen Astrid Hasling nach draußen. Cüpper ging ihnen ein Stück hinterher und lehnte sich gegen die nackte Flurwand. Es geschah verhältnismäßig oft, dass Verdächtige, wenn sie überführt waren, plötzlich die Gewalt über sich verloren. Ein solcher Fall war ihm allerdings noch nicht untergekommen. Epilepsie! Die Krankheit der Götter.

Aber die Götter meinten es nicht gut mit ihr.

Astrid Hasling, eine Mörderin?

Alles in Cüpper sträubte sich gegen die Vorstellung, aber ebenso sprach alles dafür. Die Fingerabdrücke an der Tatwaffe. Das Blut an den Scherben. Die ganze verdammte Geschichte!

Er kehrte zurück in sein Büro und war unzufrieden wie seit langem nicht mehr.

»Na, wenigstens haben wir sie«, meinte Rabenhorst, als sie gemeinsam zur Kantine gingen.

»Noch haben wir gar nichts«, murrte Cüpper.

Rabenhorst hob fassungslos die Brauen. »Zweifeln Sie

daran? Nach allem, was die Untersuchungen ergeben haben? Der Fall liegt doch klar auf der Hand!«

Cüpper winkte ungeduldig ab. »Wir werden sehen.«

»Ich bitte Sie, Chef. Sie hat das Messer in der Hand gehalten, so wie Sie gleich eines in der Hand halten werden. Was gibt es da noch zu bezweifeln?«

»Ist ja gut.«

»Hat sie die Tatwaffe nun angepackt oder nicht? War sie in der Wohnung oder nicht? Ist es ihr Blut am Türrahmen oder...«

»Ja, ja, ja«, gab Cüpper widerwillig zu.

»Ich begreife Ihr Problem nicht ganz.«

»Mein Problem?«

Cüpper schaute auf den Speiseplan und machte auf dem Absatz kehrt. Rabenhorst blinzelte verwirrt.

»Herrgott, was ist denn jetzt schon wieder?«

»Mein Problem sind Frikadellen à la Präsidium. Gehen Sie ruhig essen, Rabenhorst. Ich hab zu grübeln.«

Rabenhorst schaute ihm mit offenem Mund nach. Dann drang der Duft von gebratenem Hackfleisch an seine Nase, und er beschloss, sich von Cüppers Launen nicht länger terrorisieren zu lassen.

Nie wieder, das stand fest!

Zumindest nicht bis nach der Mittagspause.

# Eva Feldkamp

Als Cüpper hinaus auf die Straße trat, sah er sie schon von weitem durch den Nieselregen heraneilen. Ihre Absätze mussten mindestens acht Zentimeter hoch sein, trotzdem lief sie mit geschmeidiger Eleganz auf ihn zu. Mit ihrem Cape und dem breitrandigen Hut erschien sie ihm so unwirklich wie die Wesen aus der H&M-Reklame; eine Momentaufnahme, etwas, das es eigentlich nicht gibt, aber zum Klauen schön.

»Herr Kommissar!«

Er schlenderte ihr ohne Hast entgegen. Mit jedem Schritt besserte sich seine Laune. Auf den letzten paar Metern, die sie noch trennten, verliebte er sich schnell in ihre Beine und war glücklich darüber hinweg, als sie ihm, nach Atem ringend, gegenüberstand.

»Zufall oder Gottvertrauen?«, fragte er freundlich.

»Ich hab Sie angerufen.« Eva Feldkamp durchwühlte eine winzige Handtasche. »Man sagte mir, Sie seien im Büro. Hat man Sie nicht verständigt, dass ich komme?«

»Nein«, räumte er verwundert ein.

»Vor einer Viertelstunde habe ich … ja, wo ist denn … Mist!« Es rappelte und klirrte in der Tasche. Cüpper kam neugierig näher und räusperte sich.

»Soll ich suchen helfen?«

»Halten Sie das.« Ehe er sich's versah, drückte sie ihm

einen Schminkstift in die Hand. Ihre Finger verschwanden erneut im Ungewissen.

»Und das.« Ein Päckchen Taschentücher wurde unsanft ans Tageslicht gezerrt, gefolgt von einem Feuerzeug. »Und hier den Füller. Vorsicht damit, der war teuer! Blödes Ding, wo bist du denn?«

Das namenlose blöde Ding entzog sich ihrem Zugriff offenbar durch gut vorbereitete Flucht von einer Ecke der Tasche in die andere, denn es folgten nacheinander ein kleiner, runder Spiegel, ein Kamm, zwei Lippenstifte und dreihundert Mark, ohne dass sie fündig geworden wäre.

»Halt. Nicht so schnell.« Cüpper balancierte angsterfüllt den Spiegel und die Lippenstifte in die andere Hand. »Wie haben Sie das alles bloß da reinbekommen?«

»Ergonomische Anwendungstechnik. Nehmen Sie einen Kaugummi?«

»Ich kann gerade nicht.«

»Egal. Ah, hier!«

Mit Siegermiene fischte sie ein zusammengefaltetes Zettelchen aus den unerforschten Tiefen ihrer Tasche und hielt es Cüpper hin. »Für Sie.«

Cüpper warf einen hilflosen Blick auf seine vollgepackten Hände. Sie kiekste in gespielter Verzweiflung und verstaute den Kram mit geradezu unglaublicher Geschwindigkeit und Präzision wieder in seine angestammte Umgebung, bis nichts mehr übrig war als das prall gefüllte Täschchen und der Zettel in Cüppers Hand.

»Machen Sie schon auf«, strahlte sie.

Amüsiert und ratlos fummelte er das dünne Papier auseinander. Es war ein Rezept für Tarte Tatin. Cüpper war zu Tränen gerührt.

»Und deshalb sind Sie hergekommen?«

Sie schüttelte den Kopf und lachte. »Nicht ganz. Ich möchte Ihnen was erzählen. Vorausgesetzt, Ihnen fällt eine Alternative dazu ein, mich im Regen stehen zu lassen.«

»Ich wollte ohnehin was essen gehen.«

»Einverstanden.«

Cüpper nahm den Wagen, und sie fuhren ins *Apropos*, einer kühnen Fusion aus Boutique, Lifestyle-Supermarkt und Restaurant, gelegen unter einem Himmel aus Glas. Hier traf sich, wer genügend Geld hatte, um darüber zu reden, und zu wenig, um es zu lassen. Im geräumigen Innenhof lümmelten gestylte Menschen auf Designermöbeln. Der ganze Laden war eine einzige schillernde Oberfläche. Wer sie betrat, wurde augenblicklich schöner oder verblasste, je nach Vermögenslage. Cüpper liebte das *Apropos*, auch wenn die Preise an Wegelagerei grenzten. Es verlieh der Stadt den längst fälligen Glamour, seinetwegen fuhren Düsseldorfer zum Shoppen nach Köln, die Küche war ausgezeichnet, und Eva Feldkamp fügte sich ins Bild, als sei die komplette Kathedrale des Konsums eigens für sie errichtet worden. Eigentlich, fand Cüpper, gab es tausend Gründe, immer wieder hinzugehen. Es sei denn, man litt unter einer ausgeprägten Yuppie-Allergie.

»Lassen Sie sich nichts erzählen«, raunte er, während er einen Tisch für zwei anpeilte. »Nehmen Sie auf jeden Fall das Wiener Schnitzel!«

»Abgemacht. Was trinken wir dazu?«

»Mittags sollte man auf Alkohol verzichten.«

Sie stutzte, nickte und bestellte Wasser. Die Bedienung wandte sich zu Cüpper.

»Und Sie?«

»Ein Glas von dem Petit Chablis«, sagte Cüpper.

»Petit Chablis?!« Eva verlor sichtlich die Fassung. »Aber Sie haben doch gesagt…«

»Ich bin ein charakterschwacher Mensch.«

»Sie haben mich reingelegt!«

»Mach ich wieder gut. Warum bestellen Sie Wasser? Bloß, weil ich's gesagt habe?«

»Sie sind eitel«, schmunzelte sie. »Sie gefallen sich in so was, stimmts?«

»Ich bin Polizist. Ich weiß, dass die meisten Leute tun, was andere von ihnen erwarten, ohne es zu merken. Sie glauben, ihrem eigenen, freien Willen zu folgen, auf den sie so verdammt stolz sind. Ich hätte weniger Arbeit, wenn es anders liefe.« Er grinste. »Ach ja, und ich bin eitel. Stimmt.«

»Sie meinen, die meisten Verbrechen geschehen, weil Menschen manipuliert werden?«

»Ich meine, es gibt immer einen, der sich den Unfug ausdenkt, und andere, die mitmachen. Charisma ist die Ursache etlicher Lumpereien.«

»Jack the Ripper handelte alleine«, wandte Eva ein, nicht ohne Stolz, sich auszukennen.

»Gerade das ist nicht erwiesen!«, konterte Cüpper. »Der Ripper hat vermutlich überhaupt nicht existiert, sondern entstand als Schreckgespenst vertuschungsfreudiger Politiker. Wenn Sie wissen wollen, was ich unter Mittäterschaft verstehe, lenken Sie den Blick in unsere Vergangenheit. Schauen Sie in den braunen Sumpf. Und weiter zurück. Gewöhnen Sie sich an, Protagonisten der Geschichte wie Napoleon und Cäsar als gewissenlose Schwerverbrecher zu sehen mit der Befähigung, andere für ihre Zwecke einzuspannen. Solche Leute schaffen sich ein Gefolge, dem sie per Dekret das Denken erlassen, ergo auch jede Verantwortung. Die Charismatiker sind die Gefährlichsten. Sie haben mindestens einen Komplizen. Ohne ihn kämen sie nicht so weit. Dummerweise ist es genau dieser Helfer, der sie den Kopf kosten kann, weil sie ihn nicht hundertprozentig kontrollieren können. Komplizen sind Schwachpunkte im Konstrukt des Verbrechens. Weniger, dass sie patzen, wenn es um die Durchführung geht. Aber hinterher dann! Manche bekommen Skrupel, andere rasten aus oder erzählen zu viel rum, und so bringen sie einen theoretisch perfekten Plan früher oder später doch noch zum Scheitern. Kluge Verbrecher wissen das.«

»Und lassen sich erst gar nicht mit Komplizen ein?«

»Doch.« Cüpper nahm einen langen und genussvollen Schluck. »Aber sie bringen sie hinterher um.«

»Mein Gott.« Sie runzelte die Stirn. »Was für Schauergeschichten Sie erzählen.«

»Leider kommen Sie in einer vor.«

»Ja, leider. Offen gestanden bin ich beunruhigt wegen der Sache gestern Nachmittag.«

»Welche Sache?«

»Ihr Besuch. Fritz wollte Ihnen reinen Wein einschenken. Ich fürchte nur, er hat sich und Max keinen Gefallen damit getan.«

»Warum?«

»Wegen der Art und Weise!«, schnaubte Eva. »Das war ungeschickt. Fritz weiß das. Er hasst es, Fehler zu machen, aber diesmal ist ihm einer unterlaufen. Darum war er auch so wütend.«

»Mich stört nicht im Geringsten, dass er einen Doppelgänger hat«, sagte Cüpper.

»Nein. Aber jetzt glauben Sie genau das, was Sie nicht glauben sollten. Also, damit Sie's wissen, Fritz ist aus dem Schneider. Er war der Gastgeber, und das lässt sich ohne weiteres beweisen.«

»Wie?«

»Darüber wollte ich mit Ihnen reden. Max und ich waren vorgestern zum Mittagessen in der Villa. Danach haben wir uns in Fritz' Arbeitszimmer zurückgezogen und Verschiedenes besprochen. Gegen fünf bin ich gegangen, um einzukaufen und privaten Kram zu erledigen. Max blieb zwei Stunden länger, weil er Fritz über diverse Transaktionen ins Bild setzen wollte. Sie wissen, die Eigelsteinsanierung.«

»Augenblick mal! Max hat Fritz ins Bild gesetzt?«

»Ja, natürlich. Max ist nicht einfach nur der Doppelgänger, er ist in allem ein zweiter von Barneck. Sein Job macht es erforderlich. Immer dann, wenn er anstelle von Fritz Verhandlungen führt, weiß er mehr über den Ver-

lauf eines Geschäfts als Fritz. Daran ist nichts Ungewöhnliches.« Sie stockte kurz. »Obwohl ich manchmal
glaube, dass es Fritz ein bisschen fuchst«, fügte sie hinzu.
»Er nennt Max scherzhaft seinen Risikofaktor Nummer
eins.«

»Vielleicht, weil Max ihm lästig wird?«

»Ach wo!« Eva winkte ab. »Fritz hängt an Max, er be-
trachtet ihn als Freund. Natürlich nur, solange er sich
innerhalb der von ihm gezogenen Grenzen bewegt.«

»Und was passiert mit einem, der die Grenzen über-
schreitet?«, fragte Cüpper.

Sie schüttelte den Kopf. »Reden wir von was anderem.«

»Max ist vertrauensselig, stimmt's?«

»Er ist…« Sie schien mit sich zu ringen. Dann sagte sie
leise: »Er ist ganz einfach der feinere Kerl. Mag sein, er
neigt dazu, die Dinge nicht so ernst zu nehmen. Nennen
Sie ihn meinetwegen naiv. Aber Fritz ist eine Maschine
und Max ein Mensch mit Gefühlen. Das ist wichtiger als
alles andere.«

»Warum arbeiten Sie für eine Maschine?«

»Maschinen zahlen gutes Geld.«

Cüpper betrachtete sie prüfend. »Sie sind sehr offen.«

»Und Sie sind sehr misstrauisch. Ich mag Sie, Herr
Kommissar, aber ich mag es nicht, wenn Sie zu falschen
Schlüssen kommen, nur weil mein Arbeitgeber es am
nötigen Geschick hat fehlen lassen. Als Max vorgestern
Abend die Villa verließ, sahen das mehrere Zeugen, unter
anderem Schmitz und Schmitz, Sie wissen, unsere guten

Geister. Danach hat Fritz das Haus nachweislich nicht mehr verlassen, bis die Gäste eintrafen. Kurz, er kann es nicht gewesen sein.«

»Waren Sie auch auf der Party?«

»Nein.« Sie lächelte vieldeutig, griff herüber und leerte Cüppers Glas.

»Das hab ich wohl verdient?«, grinste Cüpper.

»Na, und wie!«

Ein kurzes Schweigen trat ein.

»Sie sind sich hoffentlich darüber im Klaren«, sagte Cüpper, »dass Sie Max mit Ihrer Aussage nur umso mehr belasten.«

»Tue ich das?«

»Wenn Fritz es definitiv nicht gewesen sein kann, ja.«

»Max war es auch nicht.«

»Sind Sie da so sicher?«

»Ja. Er war bei mir.«

# Der Schrei

»Na und? Dann war er halt bei ihr«, rief Rabenhorst. »Warum auch nicht? Was spielt das überhaupt für eine Rolle?«

Sie saßen in Cüppers Büro und tranken Kaffee. Von nebenan drang gedämpftes Schreibmaschinenklappern und vermischte sich mit dem Prasseln des Regens zu einer monotonen Attacke aufs Gemüt.

Astrid Hasling war während des Nachmittags in eine tiefe Depression verfallen. Nachdem der Anfall vorüber war, hatte sie eine Stunde geschlafen und war mit einem Schrei erwacht. Seitdem saß sie auf ihrem Bett in der Krankenstation, zusammengekauert wie ein ängstliches Tier, sprach kein Wort und schien auch niemanden zu sehen. Ihr Blick war starr und apathisch. Auf Fragen und die Nennung ihres Namens reagierte sie ebenso wenig wie auf Handzeichen und Berührungen. Sie war einfach verschollen und hatte ihren Körper als Beweis des endgültigen Zusammenbruchs zurückgelassen.

»Denken Sie eigentlich, mir macht das Spaß?«, brummte Rabenhorst betreten.

Cüpper schwieg und sah aus dem Fenster.

»Beweisen Sie mir, dass sie es nicht war, und ich bin der Erste, der sie nach Hause fährt!« Rabenhorst rutschte auf seinem Stuhl hin und her. »Ist aber auch zu dumm, dass wir nichts aus ihr herauskriegen.«

Er sprang auf, nahm sich einen neuen Kaffee und verzog das Gesicht. Das Zeug war bitter. Zu lange auf der heißen Platte gestanden.

»Blutspuren, Fingerabdrücke, alles von ihr«, schimpfte er. »Zu allem Überfluss noch ein Motiv, das sich gewaschen hat. Bin ich etwa dran schuld, dass sie es war?«

Cüpper lehnte sich zurück und krauste die Nase.

»Nein, bin ich nicht!«, versicherte Rabenhorst mit Nachdruck.

»Äh… was?«, nuschelte Cüpper.

Rabenhorst schnellte in die Höhe. »Chef! Ich hadere mit Gott und allen Menschen, und Sie hören nicht mal zu!«

»Was haben Sie denn gesagt?«

»Ich habe gesagt…« Rabenhorst schüttelte entnervt den Kopf und setzte sich wieder.

»Rabenhorst, passen Sie mal auf.« Cüpper stützte die Ellbogen auf den Tisch und beugte sich vor. »Ich habe nachgedacht. Wir haben da was übersehen, alter Freund. Während Sie sich gerade geißelten, ist mir plötzlich klar geworden, was an Ihrer Theorie nicht stimmt.«

»Was stimmt denn nicht?«, fragte Rabenhorst müde.

Cüpper sah ihn finster an. »Wenn Sie Ihr Viertelpfund Gehirn anstrengen würden, kämen Sie von selber drauf. Aber eher kocht Bocuse mit Maggi, was? Also los, wir fahren in den Bazaar.«

Rabenhorst verdrehte die Augen, wagte aber nicht zu widersprechen, während Cüpper eine Nummer wählte.

Schramm war in seinem Geschäft. Cüpper beorderte ihn in seine Wohnung.

Wenige Minuten später brachen sie auf.

»Was glauben Sie eigentlich bei Schramm zu finden?«, fragte Rabenhorst skeptisch, als Cüpper den Wagen vor der Apostelnkirche parkte.

»Bei Schramm? Gar nichts.«

»Und in Inkas Wohnung?«

»Auch nichts.«

»Ah, nichts. Und was tun wir dann hier?«

»Ich gebe Ihnen Nachhilfe in gesundem Menschenverstand. Kommen Sie schon, nicht so lahm.«

Rabenhorst rannte Cüpper zähneknirschend hinterher und verfluchte den Tag ihres Zusammentreffens. Sie erstiegen die Treppen bis zum vierten Stock und klingelten bei Schramm. Der öffnete mit säuerlicher Miene.

»Wird es lange dauern?« Alles an Schramm war eine einzige Sorge.

»Kaum«, antwortete Cüpper.

»Ich bin nicht einfach so entbehrlich, wissen Sie. Die Geschäfte...«

»Die Geschäfte können ein Viertelstündchen ohne Sie gehen«, beschied Cüpper. »Rabenhorst, der Reihe nach. Was ist Ihrer Meinung nach passiert?«

Rabenhorst schaute ihn verdutzt an.

»Hab ich doch schon gesagt.«

»Dann sagen Sie es noch mal.«

»Astrid Hasling schellt bei Inka von Barneck und wird

eingelassen. Inka dreht ihr den Rücken zu, sie zieht das Messer, aber Inka merkt was und schreit auf. Es kommt zum Kampf, beide stürzen mit dem Dreibein um, wobei Astrid sich die Hand an den Scherben zerschneidet. Inka flieht Richtung Tür, Astrid hinterher, bekommt sie zu fassen und macht ihr den Garaus. Astrid erkennt, was sie getan hat, lässt entsetzt das Messer fallen und flieht.«

»Davon sind Sie überzeugt.«

»Davon ist die Spurensicherung überzeugt.«

Schramm sah verständnislos von Rabenhorst zu Cüpper. »Sie haben den Täter?«, fragte er.

»Nein«, antwortete Cüpper.

»Natürlich haben wir ihn – ich meine, sie!«, ereiferte sich Rabenhorst.

»Herr Schramm«, sagte Cüpper, ohne weiter auf Rabenhorst zu achten, »was genau haben Sie in der Mordnacht gehört?«

»Aber das habe ich der Polizei schon tausendmal erzählt.«

»Dann erzählen Sie es noch mal.«

»Sicher, wenn Sie meinen.« Schramm zuckte widerwillig die Schultern, bemühte sich aber um einen kooperativen Gesichtsausdruck. »Man will ja helfen, nicht wahr?« Knopfdrucklächeln. »Es passiert so viel Schreckliches, alleine, wenn man jeden Tag die Zeitung aufschlägt...«

»Wie recht Sie haben! Was hörten Sie zuerst?«

»Gehört... ach ja. Den Schrei.«

»Können Sie den wiederholen?«

Schramm erbleichte. »Wiederholen?«

»Inhaltsgemäß«, sagte Cüpper beschwichtigend.

»Ach so. Gewiss! Also, sie schrie, ja?«

»Schrie wie?«

»Na, so ein unartikulierter Entsetzensschrei halt, wie im Fernsehen, wenn einer abgemurkst... ich meine, umgebracht wird oder was Fürchterliches sieht, und dann ›Ohgottogott‹, so ähnlich jedenfalls.«

»Bemühen Sie sich um Exaktheit. Wie oft wurde Gott angerufen?«

»Chef«, empörte sich Rabenhorst leise.

Schramm rieb sich die Augen. Er wirkte schrecklich müde. »Dreimal. Sagte ich das nicht? Ja, dreimal!«

»Wo befanden Sie sich da?«

»Ich lehnte an der Wohnungstür. Mir war nicht gut.«

»Und dann?«

»Einige Sekunden lang passierte nichts. Dann fiel oben was um.«

»Augenblick!« Cüpper hob die Hand. »Woher wissen Sie, dass etwas umfiel?«

Schramm zuckte zusammen. »Ihr Kollege...« Er wies zaghaft auf Rabenhorst.

»Ich will nicht wissen, was Herr Rabenhorst gesagt hat, sondern was Sie gehört haben. Wir wollen uns doch bitte nicht beeinflussen lassen.«

»Natürlich nicht! Es polterte.«

»Es polterte. Sonst noch was?«

»Nein. Das heißt, ich hörte Schritte auf der Treppe, hastig, aber erst ein bisschen später.«

»Gut. Einen Augenblick, Herr Schramm.« Cüpper zog

Rabenhorst am Arm auf den Flur hinaus und gab ihm den Schlüssel zu Inka von Barnecks Wohnung und einige geflüsterte Instruktionen.

»Nein, das mach ich nicht!«

»Rabenhorst, verdammt noch mal!«

»Ach, Scheiße! Geben Sie schon her.« Rabenhorst ergriff den Schlüssel und stapfte zornig nach oben. Dort öffnete er die Tür zu Inkas Wohnung und postierte sich direkt neben der Garderobe.

»Alles klar?«, rief Cüpper.

»Nichts ist klar«, schimpfte Rabenhorst.

»Hätte mich auch gewundert. In zwei Minuten darf ich dann um Ihren Auftritt bitten.« Cüpper kehrte zurück in die Wohnung, schloss die Tür und lächelte Schramm an wie der Fuchs die Gans.

»Ein Experiment, Herr Schramm. Lehnen Sie sich einfach gegen die Tür wie in besagter Nacht.«

Schramm stand mit einem Mal der Schrecken in den Augen. Er ist der geborene Feigling, dachte Cüpper. Er wird sich an jedes noch so unbedeutende Detail erinnern, wenn es ihm nur Angst gemacht hat.

»Und was passiert jetzt?«, fragte Schramm mit dünner Stimme.

»Warten Sie es ab.«

Nichts tat sich. Cüpper schaute unwillig auf die Uhr und verfolgte den Sekundenzeiger mit drängenden Blicken. Schramm bebte.

»Arrrrggggghhhh!«, schrie jemand über ihnen.

Cüpper stürzte zur Tür und riss sie auf.

»Rabenhorst!«, brüllte er nach oben. »Sie klingen wie ein Mädchenpensionat. Noch mal!«

Schramm hatte die Farbe frischen Kalks angenommen. Cüpper schloss die Tür und zwinkerte ihm zu.

»Sie müssen es durchstehen«, raunte er, »möglicherweise retten Sie einem Unschuldigen das Leben.«

»Oh!«, sagte Schramm.

Sie warteten.

»Arrrrrgggggghhhhh! Gott! Oh Gott!! Oh Gott!!!«

Schramm fixierte die Zimmerdecke in Erwartung des Polterns, und es polterte.

»War es so?«, fragte Cüpper.

Schramm nickte erregt. »Gott im Himmel! Genau so war es.«

»Gut. Bleiben Sie an der Tür. Wir spielen es ein zweites Mal durch.«

Diesmal geschah längere Zeit nichts, dann polterte es wieder, so schwach und leise wie beim ersten Mal.

»Und jetzt?«, fragte Cüpper.

»Sie haben den Schrei vergessen«, sagte Schramm erleichtert.

Cüpper grinste und öffnete die Tür.

»Rabenhorst! Sie können runterkommen! Ich danke Ihnen sehr, Herr Schramm. Wir wollen Sie nicht länger aufhalten.«

»Konnte ich helfen?«, flüsterte Schramm andächtig.

»Aber ja. Vor allem meinem Assistenten.«

Als sie nach unten gingen, wirkte Rabenhorst müde und niedergeschlagen. Er ahnte, was kommen würde.

»Sie kann es nicht gewesen sein, mhm?«, fragte er.

»Nein«, sagte Cüpper. »Kommen Sie, wir trinken einen Kaffee.«

»Danke, kein Mitleid. Fahren wir lieber ins Büro.«

# Revier

Der Wachtmeister gähnte. Er blätterte in seiner Zeitschrift und warf hin und wieder einen Blick auf Astrid Hasling, die teilnahmslos auf ihrem Bett hockte. Eigentlich eine hübsche Frau, dachte er. Schade, dass sie eine Mörderin ist.

Beziehungsweise eine stumme Mörderin.

Sie hatten einen Psychologen hergeschickt, aber auch der hatte nicht zu ihr durchdringen können. Der Wachtmeister nickte zufrieden. Psychologen waren eben auch nur irgendwelche Leute. Er hatte das immer gewusst. Es gab viel zu viele Menschen, die sich für wichtiger und intelligenter hielten als andere, beispielsweise als die Polizei.

Aber vielleicht war die Polizei ja intelligenter als die Experten?

Einen Versuch mochte es wert sein. Wachtmeister Haas! Der Mann, der das Schweigen brach!

Stellte sich die Frage, wie.

Vielleicht durch ein Geräusch? Möglich, dass sie in eine Art Trance verfallen war. Der Wachtmeister legte die Zeitschrift weg und schnippte mit den Fingern in ihre Richtung.

»Aufwachen!«, sagte er.

Astrid Hasling würdigte ihn keines Blickes. Haas

dachte kurz nach, ging auf Zehenspitzen zu ihr rüber und kniff sie vorsichtig in die Nase.

Nichts geschah.

Na, dann kitzeln. Da müsste sich zumindest ein Reflex einstellen. Ob er so was durfte? Schwer zu sagen. Zögernd streckte er die Finger aus und berührte ihre Seiten.

Hinter ihm flog die Tür auf. Er fuhr herum und sah sich mit einer matronenhaften Frau konfrontiert, gefolgt von einem unteren Dienstgrad, der verzweifelt auf sie einredete.

»Ich sagte doch, Sie dürfen hier nicht rein!«

»Warum denn nicht?«, meckerte die Frau und schüttelte den Mann ab. »Sie haben selbst...«

»Ich habe gesagt, er könnte hier sein, nicht, dass er es ist.«

»Und ich sagte, dann sehen wir eben nach.«

»Wer sind Sie?«, bellte Haas und warf seinem jungen Kollegen einen vernichtenden Blick zu.

»Ich bin Frau Rabenhorst«, erwiderte die Frau, als müsse man das wissen, »und suche meinen Sohn.«

Der Wachtmeister entspannte sich. »Ihr Sohn ist nicht hier.«

»Wann kommt er denn?«

»Das weiß ich nicht. Haben Sie in seinem Büro nachgefragt?«

»Und ob sie das hat«, antwortete der jüngere Polizist. »Dann hat sie mich gelöchert, was ihr Sohn gerade tut, an welchem Fall er arbeitet, und so weiter und so fort.«

»Und Sie haben gequasselt?«, knurrte Haas. Eigentlich

war er nur wütend, weil diese kurze, dicke Frau mit den rosigen Apfelwangen seine Bemühungen sabotiert hatte, Astrid Hasling zum Reden zu bringen.

»Ich wollte …«, begann der Polizist.

»Der Herr war ausgesprochen freundlich«, sagte die Frau, die Rabenhorsts Mutter war. »Sehr im Gegensatz zu Ihnen. Als ich jung war, haben wir anders mit älteren Menschen gesprochen, das will ich Ihnen mal in aller Klarheit sagen. Aber heute gilt ja nichts mehr. Wenn Sie mir also verraten, wann mein Sohn kommt, kann ich hier so lange auf ihn warten.«

»Hat Rabenhorst denn im Büro nichts hinterlassen?«, fragte Haas unwirsch.

»Noch nie hat er das!«, rief die Frau. »Immer musste man fragen, hast du dies getan, hast du das getan, hast du deine Hausaufgaben gemacht, ein Drama! Er war immer so unselbständig, wissen Sie.«

Der andere Mann grinste. Haas schüttelte energisch den Kopf.

»Sie können hier nicht warten.«

»Aber ich habe ihm was mitgebracht!« Ehe Haas Einspruch erheben konnte, hatte sie ein scheußliches Polohemd aus ihrer Einkaufstasche gefischt und am Fußende des Bettes ausgebreitet. »Aus dem Sonderangebot. Heute muss ja immer alles teuer sein, aber wenn man mit offenen Augen durch die Welt geht, findet man viel Schönes für wenig Geld. Das ist topmodern! So sagt man doch wohl unter jungen Leuten?«

Ihr Blick fiel in Astrid Haslings leere Augen.

»Finden Sie nicht auch, meine Liebe?«, fragte sie, vor Herzlichkeit triefend.

Haas kochte über. »Schluss jetzt. Lassen Sie die Frau in …«

»Der Verkäufer sagte, es sei italienisch!«

Astrid Haslings Lider begannen zu flattern.

»Der Italiener«, murmelte sie.

Einen Augenblick lang herrschte vollkommene Stille. Dann begannen alle gleichzeitig zu reden.

»Wie war das?« – »Ganz billig!« – »Zum Teufel, was hat sie da gerade gesagt?« – »Kennen Sie eigentlich meinen Sohn?« – »Holen Sie Cüpper!« – »Italiener? Welcher Italiener?«

»Ruhe!«, brüllte Haas. Die Szenerie erstarrte zu einem Stilleben.

»Der Italiener«, flüsterte Astrid.

Haas beugte sich zu ihr hinunter. »Ja?« Seine Stimme war leise und eindringlich »Was ist mit ihm?«

»Der Italiener.«

Er brachte sein Gesicht ganz nah an ihres.

»Was ist mit diesem Italiener? Sagen Sie es uns.«

»Der Italiener.« Ein dünner Speichelfaden lief ihr übers Kinn. »Ich kenne den Italiener.«

»Weiter. Weiter!«

»Der Italiener.«

»Weiter!«

Sie starrte an ihm vorbei.

# Zum Revier

»Zweimal haben Sie geschrien«, sagte Cüpper, während sie Richtung Präsidium fuhren, »wenn man Ihre jammervolle Generalprobe außer Acht lässt. Einmal bei geöffneter Tür neben der Garderobe, dann weiter innen.«

»Neben dem Dreibein«, nickte Rabenhorst.

»Das Sie dann umgestoßen haben. Der Bazaar hat dicke Wände und Decken. Das Aufschlagen eines schweren Gegenstandes ist in der Wohnung darunter eben noch zu hören, wir hörten es also zweimal. Ihren Schrei aber nur einmal, nämlich den ersten. Wenn Schramm dort, wo er sich zum fraglichen Zeitpunkt aufhielt, nämlich an seine Wohnungstür gelehnt, Inkas Schrei gehört hat, gibt es nur einen Platz, wo sie geschrien haben kann.«

»Ja. Gleich neben der geöffneten Wohnungstür.«

»Genau da. Das Treppenhaus wirkte als Resonator, es hat den Schrei verstärkt. Wäre er weiter drinnen ausgestoßen worden, hätte Schramm ihn nicht mehr hören können. Also wissen wir jetzt, wo geschrien wurde. Sehen wir mal weiter. Angenommen, Inka lässt Astrid ein und bemerkt im Augenblick, da sie die Tür schließen will, das Messer. Sie schreit auf. Können Sie mir nun sagen, warum erst fünf bis zehn Sekunden später das Dreibein umfällt?«

»Sie haben gekämpft. Oder Inka hat versucht zu fliehen.«

»Ins Innere der Wohnung?«

»Ja. Warum nicht?«

»Weshalb nicht in den Flur? Sie stand doch an der Tür?«

»Vielleicht stand Astrid dazwischen.«

»Meinetwegen. Also, Inka flieht. In Panik, ist ja klar. Wie lange braucht ein laufender Mensch von der Tür bis zum Dreibein, um es umzustoßen?«

»Drei Sekunden«, meinte Rabenhorst zögerlich.

»Höchstens!«, bekräftigte Cüpper. »Aber Inka kennt ihre Wohnung. Warum sollte sie gegen ihren eigenen Tisch laufen? Oder Astrid, die ihr folgt?«

»Ich weiß es nicht. Wahrscheinlich haben sie von Anfang an gekämpft. Auf diese Weise sind sie irgendwann gegen das Dreibein gestoßen und haben es umgerissen.«

»Schweigend?«

»Wieso?«

»Ich meine, Inka stößt einen gellenden Entsetzensschrei aus, um dann sekundenlang schweigend zu kämpfen, wirft einen Tisch um, schafft es, bis zur Tür zu kommen, wo man sie eigentlich wieder hätte hören müssen, und das alles ohne einen einzigen Laut? Ohne wenigstens um Hilfe zu rufen?«

»Vielleicht«, wand sich Rabenhorst, »ist sie ja schon neben dem Tischchen ermordet worden.«

»Abgesehen davon, dass die Spurensicherung jeden anderen Platz als den vor der Garderobe für die eigentliche Tat ausschließt, wüsste ich keinen Grund, die tote Inka bis zur Tür zu schleifen und dann so zu tun, als hätte sie den Blazer heruntergerissen. Oder?«

Rabenhorst nickte stumm.

»Ein lauter Schrei, dann Stille, dann das umgeworfene Dreibein, dann wieder Stille, dann die Flucht.« Cüpper hob die Brauen. »Schon komisch, was? Sagen Sie mal, Rabenhorst, was täten Sie wohl, wenn ich plötzlich mit dem Messer vor Ihnen stünde? Was würden Sie sagen?«

»Ich würde sagen, Cüpper, Mann, was soll das? Hey, das ist doch nicht Ihr Ernst! Legen Sie das Messer weg, lassen Sie uns drüber reden, und so weiter, und so weiter.«

»Klingt irgendwie anders als Arrrgggghhhh! und Gottogottogott!«

»Dann hat sie ihr die Kehle halt sofort durchgeschnitten, Himmel, Arsch und Zwirn!« Rabenhorst rang die Hände. »Nein, hat sie nicht. Doch, hat sie wohl. Gleich, als sie reinkommt. Inka wird von hinten überrascht, als sie sich umdreht, um die Tür zu schließen. Astrid erkennt, was sie getan hat, lässt das Messer neben die Leiche fallen, taumelt fassungslos zurück und stößt dabei gegen den Tisch. Alles geht zu Bruch, sie verletzt sich an den Scherben und haut ab, wobei sie mit der blutigen Hand an den Türrahmen packt!«

»Warm, Rabenhorst, um nicht zu sagen, heiß! Nebenbei gefragt, wie sagt man eigentlich mit durchgeschnittener Kehle ›Oh Gott‹?«

»Ach, ich weiß nicht weiter.«

»Noch was. Inka wurde eindeutig von hinten und ebenso eindeutig von einem Linkshänder umgebracht. Astrid hat sich an der linken Hand verletzt, und zwar so böse, dass ihr Blut an den Messergriff gelangt sein müsste. Aber da war nichts.«

»Ich geb's auf«, seufzte Rabenhorst.

Sie parkten den Wagen und nahmen den Lift in Cüppers Büro.

»Und wie wollen Sie das alles nun erklären?«, fragte Rabenhorst.

»Seien Sie nicht so verdammt griesgrämig«, grinste Cüpper. »Ist es nicht schön, dass unsere arme Astrid keinen Mord begangen hat?«

»Zum Teufel auch. Was hat sie dann?«

»Ganz einfach, Rabenhorst. Sie hat geschrien.«

# Zoo

Marion Ried saß im Schneidersitz vor dem eisernen Gitter des Käfigs und sah zu, wie es mit dem Tiger zu Ende ging.

Ein alter Mann kam herein.

»Hallo, Gopper«, sagte Marion tonlos.

Eigentlich hieß der Alte anders, aber irgendwann war er für alle Gopper geworden. Er war Pfleger, schon seit Ewigkeiten. Ein Faktotum.

Sanft spürte sie seine Hand auf ihrer Schulter. Sie schüttelte ihn unwillig ab.

»Er kann doch nicht einfach sterben«, flüsterte sie.

»Er wird.« Gopper ließ sich ächzend neben ihr nieder.

Marion ballte die Fäuste. »Es gibt einen Haufen Medikamente für jeden Mist. Und er stirbt an einer einfachen Darmvergiftung. Das ist nicht fair.«

Gopper betrachtete sie. Das Mädchen erschien ihm wie ein Bronzeguss.

»Fair?«, brummte er. »Was weißt du schon.« Der Tiger hob den Kopf und sah matt zu ihnen herüber. »Sie haben keine Zukunft, die Viecher. Kein Tier hat eine Zukunft. Er weiß nicht, dass er sterben wird, und darum macht es ihm nichts aus.«

»Er leidet«, sagte Marion.

Gopper schüttelte langsam den Kopf. Marion schien

es, als hörte sie seine Nackenwirbel knirschen. »Nein. Ihn interessiert nur, was ist. Nicht, was war. Und nicht, was sein wird. Wenn er tot ist, ist er eben tot.«

»Das brauchst du mir nicht noch zu sagen!«, zischte sie ihn an.

»Doch«, erwiderte er ruhig. »Ich bin zweiundsiebzig Jahre alt, Kleine. Ich bin immer krummer geworden unter all der Scheiße, die ich falsch gemacht habe in meinem Leben. Ich denke jeden Tag darüber nach, dass es gelaufen ist und wie es hätte laufen können.« Er hustete trocken. »Und ich weiß, dass ich nichts mehr zu erwarten habe. Glaubst du, es sei eine Gnade, als Mensch auf die Welt gekommen zu sein?« Gopper kratzte sich das stoppelige Kinn. »Manchmal wäre ich gern an seiner Stelle.«

»Das ist dein Problem.«

Sie schwiegen eine Weile.

»Deine Katzen töten, aber sie sind unschuldig«, sagte Gopper schließlich. »Sie sterben, aber sie sind unwissend. Sie nehmen keine Schuld auf sich und geben keine weiter. Rein sachlich gesehen haben sie keine Freunde und keine Feinde. Das ist weder gut noch schlecht, aber wenigstens einfach.« Er seufzte und rappelte sich hoch. »Wenn du mich fragst, ist es übrigens viel eher dein Problem als meines.«

»Wovon sprichst du?«, fragte sie.

»Dass du wie sie sein willst. Weil du nicht klarkommst.«

Sie drehte sich wütend zu ihm um.

»Wen geht das eigentlich was an?«

»Dich«, sagte der alte Mann.

»Dann wollen wir es auch dabei belassen.«

»Wie du meinst.« Er straffte sich und ging den kahlen Gang entlang nach draußen. Erstaunlich, dachte Marion. Er ist immer noch voller Kraft. Wie werde ich mit zweiundsiebzig sein? Plötzlich spürte sie eine beklemmende Angst und rückte näher an das Gitter heran.

Gopper blieb stehen, als könne er Gedanken lesen.

»Du kannst keine Katze sein«, sagte er. »Sieh zu, dass du wenigstens ein Mensch wirst.«

# Revier

»Und seitdem?«, fragte Cüpper.

»Sitzt sie wieder da und schweigt sich aus«, sagte Haas. Er tupfte sich den Schweiß von der Stirn. Wenige Minuten, bevor Rabenhorst und Cüpper aus dem Bazaar zurückgekehrt waren, hatte er es geschafft, die kleine, dicke Frau zum Gehen zu bewegen. Als Ergebnis war er fertig mit den Nerven.

»Sonst hat sie nichts gesagt?«

»Der Italiener, hat sie gesagt. Und dass sie ihn kennt.« Er warf Rabenhorst einen abschätzenden Blick zu. »Ihre… Mutter muss da was ausgelöst haben.«

Rabenhorst zerrte betreten an seinem Polohemd.

»Gut, Wachtmeister«, sagte Cüpper. »Ich werde sie mir gleich mal ansehen. Haben Sie vielen Dank.«

Haas nickte förmlich und ging nach draußen.

»Wo waren wir stehen geblieben?«, fragte Cüpper.

»Als Haas kam?«

»Ja.«

»Beim Schrei.«

»Richtig! Erinnern Sie sich, was Brauner über die Tatzeit sagte?«

»Zwischen neun und zwölf.«

»Nein, zwischen neun und elf. Zwölf räumte er nur widerwillig ein. Seiner Ansicht nach passierte es um zehn.«

»Das heißt, als Astrid Hasling kam…«

»War Inka schon zwei Stunden tot. Astrid fand die Wohnungstür offen, ging hinein und stolperte ebenso über die Leiche wie unser guter Freund Schramm. Ich schätze, es war alles dunkel.«

»Ein Mörder, der das Licht ausmacht?«

»Nein, einer, der mordet, als es draußen noch ein bisschen hell ist. Astrid jedenfalls, orientierungslos und betrunken, wie sie ist, ohne eine Chance, den Lichtschalter zu finden, bückt sich und holt mit der Rechten ihr Feuerzeug hervor. Im Schein der Flamme sieht sie Inka und begreift zuerst nicht, was geschehen ist. Dann fällt ihr Blick auf das Messer. Bevor sie weiter drüber nachdenkt, fasst sie es an. Ein simpler Reflex, der ihr helfen soll, zu glauben, was sie sieht. Dann der Schock. Sie schreit auf. Lässt die Waffe fallen, wieder dahin, wo sie schon gelegen hatte. Und gerät in Panik. Anstatt zur Tür hinauszulaufen, taumelt sie zurück und reißt im Dunkeln den Dreifuß um. Das Feuerzeug hält sie mit der Rechten immer noch umklammert, mit der Linken versucht sie, sich abzustützen, und gerät in die Scherben. Der Schmerz bringt sie zur Besinnung. Nur raus hier, ist ihr nächster Gedanke, aber es ist zu dunkel, und sie muss sich zur Tür tasten, bis sie den Rahmen zu fassen bekommt. Dann ist sie draußen, hastet die Treppen runter und auf die Straße. Keine Ahnung, wie sie nach Hause kommt, zu Fuß wahrscheinlich oder mit dem Taxi.«

Rabenhorst atmete langsam aus. Dann nickte er.

»Es macht alles sehr viel klarer«, sagte er. »Bleibt die

Frage, wie sie um zwölf ins Haus gekommen ist, und was sie wollte.«

»Das ist einfach zu erklären. Lesen Sie den Bericht. Jemand hat wild geschellt, und zwei, drei Leute haben aufgedrückt. Und was sie wollte? Einen letzten Versuch starten, ihre Agentur zu retten. Möglicherweise drohen. Inka verprügeln. Sie anflehen.« Cüpper machte eine Pause. »Oder sie umbringen.«

»Was schon geschehen war.«

»Ja.«

»Also gut. Zumindest ist Ihre Theorie im Augenblick einleuchtender als meine.«

»Es ist die Wahrheit.«

»Gut. Es ist die Wahrheit. Wie geht's weiter?«

Cüpper ließ seinen Blick nachdenklich über die Unordnung auf seinem Schreibtisch schweifen.

»Wir müssen uns die Liste der Verdächtigen noch mal vornehmen«, sagte er.

»Wäre das Beste«, stimmte Rabenhorst zu. »Wer ist der Erste? Von Barneck? Unser unbekannter Italiener?«

»Die Paillette«, sagte Cüpper.

# Zoo

Gopper ging nach draußen, lehnte sich an die Brüstung des Geheges und sah den Löwen beim Nichtstun zu. Im Graben unter ihm trieben Blätter und kleine Äste dahin. Die Wasseroberfläche war bedeckt von einem Film aus Algen, Staub und Mücken, ein fauliges Biotop.

Marion hatte Gefühle in ihm wachgerufen, die er in den Fluten eines fernen Ozeans ertränkt zu haben glaubte. Nicht, dass er sich Illusionen machte. Er war ein alter, ungepflegter Mann. Aber sie war jung. Zu jung, um verbittert und voller Hass zu sein. Zum ersten Mal seit langer Zeit verspürte Gopper den Wunsch, etwas Sinnvolles zu tun, bevor er starb.

Seine Eltern fielen ihm ein. Er hatte Marion nie von ihnen erzählt. Vom großbürgerlichen Habitus. Von der blütenweiß gestärkten Atmosphäre, der Erwartungshaltung und dem Geltungsdrang seines über alle Unordnung erhabenen Vaters. Dass er es vorgezogen hatte, ein Hasardeur und Abenteurer zu werden, der mehr gesehen hatte als die meisten Menschen, aber doch im Grunde nichts. Als er nach Jahrzehnten zurückkehrte, war niemand mehr da, den man hätte hassen und verachten können, und zum Lieben war er nicht mehr fähig.

Es war falsch, wenn Marion so wurde.

Aber konnte einer, der gescheitert war, überhaupt beurteilen, was richtig oder falsch war? Marions Mutter hatte alles falsch gemacht und alle falsch behandelt.

War es richtig gewesen, sie zu töten?

Gopper versuchte, über die Zukunft nachzudenken. Es gelang ihm nicht. Zu viel Hass. Zu viel Schuld, die mit Schuld vergolten wurde. Ein Kreislauf ohne Ende.

Müde blickte er zum Himmel.

Schwarze Wolken zogen von Südwesten heran und brachten neuen, schweren Regen mit sich. In der Ferne rollte leise der Donner. Eine der Löwinnen sprang leichtfüßig auf und trottete zum Wassergraben. Sie hob den Kopf und heftete ihren kalten, gelben Blick auf Gopper.

Die ideale Henkerin, dachte Gopper. Alles Gute und alles Schlechte reduziert auf Beute. Töten ohne Schuld. Ökologische Auslese.

Plötzlich überkam ihn ein Gefühl des Friedens.

# Die Liste

Als der Computer ihre Aufstellung ausgespuckt hatte, befestigte Cüpper sie an der Wand, wo sie zwischen Steckbriefen und Suchmeldungen merkwürdig deplatziert aussah. Bei aller Ausführlichkeit las sie sich nicht gerade ermutigend.

1. FRITZ VON BARNECK

Motiv:      *a) Geld (Wie viel hätte Inka im Fall einer Scheidung bekommen?).*

               *b) Rache für Untreue.*

Alibi:      *War Gastgeber einer Party.*

Allerdings:      *a) ... könnte Hartmann der Gastgeber gewesen sein.*

               *b) ... könnte er Hartmann für den Mord bezahlt haben.*

               *c) ... könnte er einen Killer engagiert haben.*

2. MAX HARTMANN

Motiv:      *Geld. Mordete oder deckte den Mord im Auftrag Fritz von Barnecks.*

Alibi:      *War bei Eva Feldkamp.*

Allerdings:      *... könnte Eva Feldkamp lügen. In diesem Fall ...*

a) ... könnte er von Barneck gedoubelt
haben, ohne zu wissen, dass er einen
Mord damit deckte.

b) ... könnte er selbst der Mörder sein.

## 3. EVA FELDKAMP

Motiv:       *Negativ.*

Alibi:       *War angeblich in Gesellschaft Hart-*
*manns.*

Allerdings:  *... könnte sie lügen, um Hartmann zu*
*decken.*

## 4. ASTRID HASLING

Motiv:       *a) Rache.*
*b) Die Agentur.*

Alibi:       *Negativ.*

Allerdings:  *... spricht einiges gegen ihre Täterschaft.*

## 5. INKAS LETZTER LIEBHABER

*(Sie hat kurz vor ihrem Tod mit einem Mann geschla-*
*fen.)*

Identität:   *Unbekannt.*

Motiv:       *Unbekannt.*

## 6. MARION RIED

Motiv:       *Hass.*

Alibi:       *Negativ. Angeblich im Kino.*

7. ULRICH STOERER

Motiv: *Negativ.*
Alibi: *War mit einem Freund im »Max Stark«.*
Allerdings: *Alibi noch nicht überprüft.*

8. HOLGER RENZ

Motiv: *Die Agentur.*
Alibi: *War auf einer Party.*
Allerdings: *Alibi noch nicht überprüft.*

9. DER ITALIENER

Identität: *Unbekannt.*
Motiv: *a) Im Auftrag der Mafia.*
*b) Im Auftrag von Barnecks.*
Allerdings: *... behauptet Astrid Hasling, ihn zu kennen.*

10. DIE PAILLETTE

*(Hinweis auf eine Person, die sie kurz vor dem Mord am Tatort verloren hat.)*
Identität: *Unbekannt.*
Motiv: *Unbekannt.*

»Plus verschiedene Völkerscharen, die Inka wegen ihres lieben und verständnisvollen Wesens an die Gurgel wollten«, sagte Rabenhorst.

»Unbekannte haben wir genug«, meinte Cüpper. »Zwei lassen sich vielleicht zusammenfassen. Die Paillette könnte mit dem letzten Liebhaber identisch sein.«

»Ein Liebhaber, der Pailletten trägt?«

»Warum nicht? Denken Sie an die Königin von Saba.«

»Die besucht Männer.«

»Nicht ausschließlich, hab ich mir sagen lassen.«

»Fein!«, freute sich Rabenhorst. »Verhaften wir die Königin.«

»Ungern. Sie kocht zu gut.«

»Dann verhaften wir den Italiener. Mal im Ernst, was soll der Hinweis auf die Mafia?«

»Den Hinweis haben wir von Hartmann.«

»Weiß ich. Aber das betrifft nicht unbedingt von Barnecks Frau.«

»Vielleicht doch«, wandte Cüpper ein. »Nachdem Eva Feldkamp mir verraten hatte, dass Hartmann in der Tatnacht bei ihr war, ließ sie sich überreden, noch ein bisschen mehr zu erzählen. Über die Zeit in Mailand. Ganz interessant! Die Ehe der von Barnecks war schon ziemlich ruiniert, und Inka machte, was sie wollte.«

»Und was wollte sie?«

Cüpper schnippte mit den Fingern. »Sex!« Er vollführte einen eleganten Tanzschritt. »And Drugs! And Rock'n' Roll!«

Rabenhorst warf die Stirn in Falten. »Drogen?«

»Kokain. Inka schnupfte das Zeug von morgens bis abends. Alle wussten davon, aber offensichtlich hat es nicht mal ihren Mann gestört, geschweige denn irgendjemanden sonst.«

»Wo hatte sie das Zeug denn her?«

»Rabenhorst, Sie können Fragen stellen.«

»Also von der Mafia?«

»Man muss nicht unbedingt die Mafia bemühen, um an Koks zu kommen. Aber in diesem Fall wahrscheinlich schon. Die Kontakte hatten sich ja über Fritz ergeben. Hartmann meinte, Fritz hätte sich mit den Mafiosi arrangiert, gut möglich, dass die dafür nett zu seiner Frau gewesen sind.«

»Oder auch nicht«, meinte Rabenhorst. »Vielleicht hat Inka vergessen, ein paar Rechnungen zu bezahlen.«

»Möglich.« Cüpper nickte versonnen. »Kann auch sein, dass denen die Kontakte irgendwann zu eng geworden sind. Also haben sie einen hergeschickt, um das Problem zu lösen.«

»Es gibt noch eine Variante«, sagte Rabenhorst. »Fritz von Barneck hatte schlicht die besseren Verbindungen. Er hat denen einen Gefallen erwiesen, und dafür haben sie ihm seine Frau vom Hals geschafft.«

»Hm«, machte Cüpper.

»Meinen Sie nicht?«

»Ich weiß nicht. Es wäre sicher interessant, von Barnecks geschäftliche Transaktionen der letzten Jahre unter die Lupe zu nehmen.«

»Das ist elend viel Arbeit«, sagte Rabenhorst säuerlich. »Wir blättern uns die Finger wund in unseren Karteien. Bis jetzt war jeder schlanke Italiener mit Schnurrbart eine Fehlanzeige.«

»Na und? Italien ist groß.«

»Schon gut. Hat Ihre Tischgefährtin sonst noch was erzählt?«

»Oh ja. Unsere liebe Verblichene war mit Leib und Seele der milanesischen Männerwelt zugetan. Vornehmlich mit dem Leib. Angeblich soll von Barneck nichts davon mitbekommen haben.« Cüpper lächelte in sich hinein. »Tatsache ist, dass er andere Prioritäten setzte. Er verliebte sich in Eva.«

»Ach!«, entfuhr es Rabenhorst.

»Eine Zeitlang spielte sie mit dem Gedanken, nachzugeben«, nickte Cüpper. »Wissen Sie, der Bursche ist zwar ein Arsch, aber einer von den reichen und attraktiven. Dann tauchte eines Tages Max auf. Und was soll ich Ihnen sagen?«

»Eva wechselte das Lager.«

»Bingo.«

»Aber wieso?«, fragte Rabenhorst verwundert. »Sie sehen gleich aus! Was hat Hartmann, was von Barneck fehlt?«

»Charme. Humor. Er ist romantisch, alles Eigenschaften, die von Barneck abgehen. Anfangs war er einfach der bessere Fritz, aber dann begann sie ihn dafür zu lieben, dass er Max war. In Evas Augen sind sie übrigens kein bisschen gleich. Sie kann die zwei auf Anhieb auseinanderhalten, etwas, das bisher selbst engen Freunden nicht gelungen ist.«

Rabenhorst schürzte die Lippen. »Und wie reagierte von Barneck auf ihren Verrat?«

»Tja, Rabenhorst, das ist ein dicker Hund. Er weiß es nicht. Sie und Max halten ihre Beziehung seit fast zwei Jahren geheim. Eva sagt, Fritz liebt sie immer noch. Er hat

202

sich damit abgefunden, dass sich ihr Verhältnis auf das rein Geschäftliche beschränkt. Wenn er allerdings herausbekäme…«

»Du lieber Himmel!«, stöhnte Rabenhorst. »Die Ehefrau treibt's mit der Mafia, der Ehemann will's mit der Sekretärin treiben, aber die treibt's mit dem Doppelgänger, und der Doppelgänger treibt's womöglich wieder mit der Ehefrau.«

»Jetzt nicht mehr«, flötete Cüpper.

»Trauen Sie der Dame?«

»Sie ist kooperativ, ohne dass man sie erst groß drum bitten muss. Was zugegebenermaßen auch ein Trick sein kann.«

Rabenhorst musterte die Liste der Verdächtigen.

»Und von Barnecks italienische Besucher? Was ist mit denen?«

»Könnte eine Spur sein.« Cüpper schloss die Augen und massierte sich die Schläfen. Leichtes Kopfweh machte ihm zu schaffen. »Alles könnte eine Spur sein«, seufzte er. »Am besten kümmern Sie sich erst mal um die Alibis von Holger Renz und Ulrich Stoerer. Ich möchte ein paar Leute von der Liste streichen.«

»Gut. Was machen Sie derweil?«

»Ich fahre noch mal zu von Barneck«, sagte Cüpper und fingerte nach seinen Autoschlüsseln. »Mal sehen, ob…«

Das Telefon schellte. Er ließ die Schlüssel wieder fallen und griff zum Hörer. »Cüpper.«

»Ich muss Sie sehen.«

»Wer ist ich?«

Kurze Pause. »Ach ja. Ich hatte einen Moment lang vergessen, dass Sie mich aus Ihrer Erinnerung gestrichen haben.«

Cüpper pfiff leise durch die Zähne. »Sieh mal an. Haben wir wieder Ohrfeigen zu verteilen?«

»Reden Sie keine Scheiße!« Erneute Pause. »Sorry. Mein Tiger ist gestorben. Haben Sie Zeit?«

»Wann?«

»Wann, bestimmen Sie. Ich sage, wo.«

Cüpper überlegte kurz. »Halb acht.«

»Einverstanden. Kommen Sie in den *Stadtgarten*.«

»Warum in den *Stadtgarten*?«

»Ulli spielt mit seiner Band.«

»Au Backe! Gibt's da wenigstens was zu essen?«

»Irgendwas wird's geben. Kommen Sie?«

»Ja.«

»Gut. Bis später.«

»Tut mir leid für Ihren Tiger.«

Lange Pause. Schließlich dachte Cüpper schon, sie wäre einfach weggegangen.

»Marion?«

»Geschenkt.«

# Fritz von Barneck

Die Villa, fand Cüpper, sah immer wieder anders aus. Jetzt, im wiedereinsetzenden Nieselregen, kam sie ihm vor wie eine Fata Morgana, grauflächig, kaum durch Licht im Inneren erhellt, fast gespenstisch. Cüpper dachte an das Schloss der Bestie von Krull, das jeden Morgen woanders auftauchte, um die Menschen für die Dauer von vierundzwanzig Stunden in Angst und Schrecken zu versetzen.

Aber das war nur ein alter Kasten in Marienburg, und darin saß nur ein müder, abgebrühter Millionär.

Oder vielleicht doch ein Ungeheuer?

Der Kies knirschte unter seinen Schuhsohlen, als wolle er ihn anmelden. Diesmal öffnete der Butler.

»Guten Abend, Schmitz«, sagte Cüpper und musste plötzlich niesen. Was war das jetzt wieder? Butler-Allergie?

Schmitz war untröstlich. Unangemeldete Besuche seien immer ein Problem. Er könne nicht garantieren, dass von Barneck Zeit habe, werde aber sein Möglichstes tun.

»Keine Eile«, sagte Cüpper und überlegte schnell, ob es im Bereich des physikalisch Möglichen lag, bei dreißig Grad und Dauerregen eine Grippe zu bekommen. Vorsichtshalber entschied er sich dagegen. »Ich hätte Sie ganz gerne was gefragt.«

»Die Polizei wünscht meine Aussage?« Schmitz' kleiner Körper schien zu wachsen. »Ich stehe hundertprozentig zu Ihrer Verfügung.«

»Danke. Können Sie bestätigen, dass Herr von Barneck am Abend der Ermordung in der Villa war?«

»Aber ja!« Schmitz hob die Brauen und fügte den drei Dutzend Falten auf seiner Stirn ein paar weitere hinzu. »Wir hatten, wie Sie sich erinnern werden, einen Empfang.«

»Ich weiß. Ist er aber währenddessen oder vorher aus dem Haus gegangen?«

»Lassen Sie mich überlegen… nein. Den Nachmittag verbrachte er mit Herrn Hartmann und Frau Feldkamp in seinen Arbeitsräumen. Anschließend kümmerte er sich um die Vorbereitungen, führte verschiedene Telefonate und begrüßte dann die Gäste.«

»Und Sie wussten immer, wo er war?«

»Selbstverständlich! Auch wenn es nicht zu meinen Usancen gehört, Herrn von Barneck auf Schritt und Tritt im Auge zu behalten. Er selber ist es, der mich informiert.« In seiner Stimme schwang Stolz mit. »In all den Jahren ist es nicht ein einziges Mal vorgekommen, dass er mich über seinen Aufenthaltsort im Ungewissen gelassen hätte!«

»Glückwunsch. Wissen Sie auch, wo er heute Abend sein wird?«

»Sicher doch.«

»Und wo?«

Schmitz legte den Kopf schief und blinzelte ihn von unten herauf an.

»Darf ein Butler denn geschwätzig sein, Herr Kommissar?«

»Gute Güte, nein!«, rief Cüpper im Brustton der Entrüstung. »Ich ziehe meine Frage zurück und stelle eine andere: Können Sie Ihren Chef und Max Hartmann auseinanderhalten?«

Schmitz wirkte überrumpelt. »Ich... denke schon.«

»Ich meine, in voller Verkleidung?«

»Oh! Aha! Verstehe. Nein, das kann ich leider nicht.«

»Es sind also wirklich nur die Haare, die sie voneinander unterscheiden?«

Schmitz lächelte fein. »Nicht ganz. Herr Hartmann und ich teilen beispielsweise – ganz im Gegensatz zu Herrn von Barneck – eine leidige Sehschwäche, welche meinerseits altersbedingt, bei ihm jedoch angeboren ist.«

»Stimmt«, sagte Cüpper. »Gestern Abend trug er eine Brille.«

»Er trägt immer etwas. Da Herr von Barneck über einen wahren Adlerblick verfügt, wenn ich mir den Vergleich gestatten darf, bedient Herr Hartmann sich in offiziellen Fällen der segensreichen Erfindung zweier Kontaktlinsen.«

»Was ist er denn? Kurzsichtig?«

»Sie sagen es. Ein weiteres Merkmal wäre sodann eine kleine Tätowierung, welche aus Herrn Hartmanns Jugendtagen stammt. Er trägt sie am linken Oberarm. Ein winziger Skorpion, über dessen Bedeutung ich nichts weiß. Darüber hinaus werden Sie bemerkt haben, dass Herr Hartmann über eine hellere Stimmlage verfügt.«

»Er verfügt über jede Stimmlage, nicht wahr?«

»Darin ist er perfekt!«

»Und rein menschlich?«, fragte Cüpper. »Ich meine, wie unterscheiden sich die beiden im Charakter?«

»Nun…« Schmitz stockte und sah hoch zur ersten Balustrade, als folge er einem lautlosen Ruf.

»Beide Herren sind Ehrenmänner«, sagte er zögernd.

»Das habe ich eigentlich nicht gemeint.«

»Aber ich. Wenn Sie gestatten, werde ich Sie jetzt bei Herrn von Barneck melden.«

»Tun Sie das«, sagte Cüpper ergeben. Schmitz nickte ihm zu, dankbar, dass der Kommissar nicht weiter auf seiner Frage insistierte. Gemessenen Schrittes erstieg er die Treppe und verschwand in von Barnecks Arbeitszimmer. Es kam Cüpper vor, als sei eine Ewigkeit verstrichen, bis er endlich nach oben gerufen wurde.

Von Barneck saß im Dunkeln. Bleiernes Licht fiel durch das Fenster hinter ihm und umgab seinen Kopf mit einer silbrigen Aura.

»Ich habe wenig Zeit«, sagte er leise. »Wird es lange dauern?«

»Nein«, antwortete Cüpper.

»Gut. Nehmen Sie Platz. Einen Whisky?«

»Ich bin im Dienst.«

»Ich auch.«

Cüpper schmunzelte. »Was hätten Sie anzubieten aus Ihrer großen Schatzkammer?«

»Schwere Zeiten erfordern schwere Getränke. Was halten Sie von einem Laphroaig?«

»Wie alt?«

»Zehn Jahre.« Von Barneck griff nach der Flasche, die neben ihm stand, holte ein zweites Glas für Cüpper und füllte es mit dunklem Gold. Schweigend ließen sie dem Whisky Zeit, seinen komplexen Charakter zu entfalten. Torf und salzige Seeluft, Rauch und Sherrynoten, Unerklärliches.

»Sie kennen den Ursprung des Wortes Whisky«, sagte von Barneck. Es war mehr eine Feststellung als eine Frage.

»Uisge beatha«, murmelte Cüpper.

»Wasser des Lebens«, nickte von Barneck. »Die Engländer waren zu ignorant, das Gälisch der Schotten richtig auszusprechen. Darum sind sie heute sterblich und die Schotten nicht.«

»Sie wären also gern ein Schotte?«

Von Barneck stellte sein Glas ab. »Nein. Und Sie sind nicht hier, um mit mir über das Wasser des Lebens zu philosophieren. Reden wir vom Tod.«

»Es gibt nicht viel zu reden. Wir hatten jemanden, der es gewesen sein könnte.«

»Sie hatten? Das heißt, es war der Falsche.«

»Sieht so aus. Wer könnte Ihre Frau ermordet haben?«

»Jeder.«

»Auch Sie?«

»Nein. Ich war an besagtem Abend hier.«

»Oder war's Max Hartmann?«

Von Barneck nahm sein Glas wieder auf und ließ die Flüssigkeit darin kreisen.

»Immer dieselben Fragen. Glauben Sie meinethalben, was Sie wollen.«

»Ich glaube, was im Bereich des Möglichen liegt.« Cüpper schlug die Beine übereinander und lauschte dem Ticken der Uhr. Es wurde dunkler. »Wissen Sie, was mir noch nicht ganz klar ist?«, sagte er. »Die Entführung liegt jetzt mehr als drei Jahre zurück. Ich will überhaupt nicht abstreiten, dass Sie große Angst um Ihr Leben hatten. Aber die hat jeder, der im Rampenlicht der Öffentlichkeit steht.« Er beugte sich vor. »Und Sie sind nicht der Typ des Feiglings.«

»Weiter.«

»Wozu brauchen Sie einen Doppelgänger?«

Von Barneck klatschte in die Hände. »Weiter, Herr Kommissar.«

»Hartmann leitet Ihre Geschäfte, stimmt's?«

»Ich weiß nicht, was das mit dem Tod meiner Frau zu tun hat.«

»Wenn er nur ein simpler Angestellter wäre. Aber er ist zu allem Überfluss Ihr Freund. Wichtige Leute halten ihn für Sie. Haben Sie nicht manchmal das Gefühl, Ihre Identität einzubüßen?«

»Ich habe nie an mir gezweifelt.«

»Wozu brauchen Sie ihn wirklich?«

»Es gibt eine alte Binsenweisheit, wonach man nicht zur gleichen Zeit an zwei verschiedenen Orten sein kann. Ich fand das immer schon störend.«

»Ist es von Vorteil, gleichzeitig an zwei Orten zu sein?«

»Es kann ungeheuer lukrativ sein. Oft kommt es auf

Minuten an, wenn Sie ein gutes Geschäft machen wollen. Sie haben natürlich recht. Was meine persönliche Sicherheit betrifft, brauche ich Max schon längst nicht mehr. Aber dafür gibt es andere reizvolle Möglichkeiten, einen Doppelgänger einzusetzen.«

»Sie können mit einem italienischen Minister eine Kreuzfahrt unternehmen, wo doch jeder bestätigen wird, dass Sie zur selben Zeit in Moskau waren. Ist es so was?«

»Wenn Sie meinen.«

»Komisch. Kommt es mir nur so vor, oder sind Sie nicht sonderlich daran interessiert, dass wir den Fall aufklären?«

»Natürlich bin ich interessiert. Der Kölner Express ist das auch.«

»Woran ist Ihre Ehe eigentlich gescheitert?«

»Am täglichen Gebrauch.«

»Nicht an was anderem? Seitensprünge beispielsweise?«

»Mein Gott, Herr Kommissar! Ihre Moral ist ja noch älter als der Whisky da in Ihrem Glas.«

»Sind Sie einsam?«

»Und Sie?«

Cüpper setzte zu einer Antwort an und schluckte.

»Ich habe gehört, die Einsamkeit macht einen guten Polizisten«, sagte von Barneck. »Sie macht auch einen guten Millionär. Ich bin nicht einsamer als jeder andere, dessen Erfolge man nicht gerne sieht und dessen Misserfolge man nicht gerne teilt. Im Grunde macht es keinen Unterschied, ob Inka tot ist oder nicht. Nicht mal, ob Sie den Mörder finden.«

»Verdammt!«, entfuhr es Cüpper. »Irgendetwas muss Ihnen doch heilig sein.«

»Sie neigen zu Sentimentalitäten, bester Freund. Ich kann Ihnen wirklich nicht helfen bei Ihrer schweren Aufgabe. Keine Ahnung, wer sie umgebracht hat.«

»Kann es jemand aus Italien gewesen sein?«

Von Barneck war sichtlich verblüfft. »Wie kommen Sie denn darauf?«

»Eine andere Spur. Wir suchen nach einem kleinen, gut aussehenden Mann mit üppigem Schnurrbart.«

»Ich mache Geschäfte mit den Italienern«, sagte von Barneck. »Das ist alles.«

»Waren das auch Geschäftsfreunde in jener Nacht?«

»Ja. Wir kennen uns seit Jahren.«

»Schön. Ich brauche Informationen über sie. Ihre Adressen und Telefonnummern…«

»Abgelehnt. Aber ich kann ein Zusammentreffen arrangieren, obwohl ich nicht wüsste, was dabei herauskommen sollte.«

»Vielleicht der Mörder Ihrer Frau.«

»Was Sie nicht sagen.«

»Hatte Frau von Barneck Verbindungen zur Mafia?«

Von Barnecks Hände zerteilten sachte die Luft. »Wer weiß?«

»Und Sie?«

»Verschiedentlich. Ich glaube nicht, dass die Mafia etwas mit dem Tod meiner Frau zu tun hat, aber das Leben lehrt uns, vorurteilsfrei an jede These heranzugehen. Halten Sie mich also auf dem Laufenden.«

Cüpper sah ihn nachdenklich an. »Wie stehen Sie eigentlich zu Marion?«

»Ist das zu fassen? Sie wechseln Ihre Themen schneller als eine Wechselstube Dollars. Also gut, Marion mag mich nicht. Das ist vielleicht der einzige Umstand, den ich wirklich bedaure. Sie könnte etwas lernen, weil sie klug ist. Stattdessen zieht sie es vor, sich in Gesellschaft verlauster Großkatzen herumzutreiben. Unverständlich.«

»Warum? Eines Tages wird sie ohnehin alles erben, nehme ich an.«

»Ein gutes Schlusswort.«

Von Barneck ging zur Tür und hielt sie demonstrativ auf.

»Es hat mich gefreut, Herr Kommissar, mit Ihnen zu trinken. Sorgen Sie auch weiterhin dafür, dass mein Name nicht in Misskredit gerät. Ich bin so offen zuzugeben, dass mir daran mehr liegt als am Mörder meiner Frau.«

»Versuchen Sie nicht noch einmal, mir zu drohen«, sagte Cüpper ruhig.

Im Dämmerlicht wirkten von Barnecks Augen wie zwei Seen aus geschmolzenem Metall. »Das war unfein, und es tut mir aufrichtig leid. Jetzt wollen Sie mich bitte entschuldigen. Ich habe einiges zu tun und außerdem eine Karte für die Philharmonie, die ich ungern verfallen lassen möchte.«

»Was wird gegeben?«

»Die Symphonie mit dem Paukenschlag.«

»Ja«, grinste Cüpper freudlos. »Den können wir gebrauchen.«

Unten brachte Schmitz ihn zur Tür. Der alte Mann wirkte verlegen. Etwas steif entschuldigte er sich für von Barnecks knapp bemessene Zeit und seinen eigenen Unwillen, den Charakter seines Arbeitgebers zu diskutieren. Cüpper schätzte, dass Schmitz es trotz der langen Dienstjahre gar nicht gekonnt hätte. Er winkte ab.

»Sie sind mir vielleicht nicht unbedingt die größte Hilfe«, sagte er nonchalant, »aber dafür bestimmt der beste Butler deutschen Geblüts.«

»Danke«, strahlte Schmitz und fügte nach einigem Zögern lächelnd hinzu: »Sir.«

»Wenn Ihnen noch was einfällt, was ich wissen sollte, zögern Sie nicht, mich anzurufen. Hier ist meine Karte. Versuchen Sie es ruhig privat, wenn ich nicht im Revier bin. Die Nummer bekommt nicht jeder, aber bei Ihnen mache ich eine Ausnahme.« Er zwinkerte Schmitz vertraulich zu. Damit stand der Alte in seiner Schuld. Er würde sich melden. Cüpper wusste, dass sein Ehrenkodex auf wackeligen Füßen ruhte. Er war ebenso wenig ein Butler wie die kölschen Mädchen in den *Divertissementchen* Frauen waren.

Draußen sah er auf die Uhr. Früher Abend. Es hätte hell sein müssen, aber die Wolkendecke schien nur noch tiefer herabgesunken zu sein. Bald würde Köln komplett darin verschwunden sein.

Cüpper fuhr los und dachte, dass er einen Freund gebrauchen könnte.

# Stadtgarten

Es war leer im Bühnenraum, so dass er sie sofort sah. Sie wuchtete ein wahres Gebirge von Box auf die Bühne, während Ulrich Stoerer auf und ab stolzierte und Anweisungen gab.

Eine Kellnerin mit Silber in den Nasenflügeln kam aus dem angrenzenden Restaurant und balancierte ein Tablett mit Kölsch an ihm vorbei. Cüpper nahm zwei herunter.

»Macht acht Mark.«

»Später«, versprach Cüpper.

»Nix später. Ich bekomme acht Mark.«

»Erstens habe ich keine Hand frei, zweitens bin ich von der Kripo.«

»Erstens ist mir das egal, und zweitens bekomme ich jetzt acht Mark von der Kripo.«

Cüpper stellte die Gläser ab, fischte nach Kleingeld und stapfte hinüber zur Bühne. Marion hatte die Box mittlerweile anderen überlassen. Sie hielt sich den Daumen und fluchte lautstark.

»Hallo, Catwoman«, sagte Cüpper.

»Oh, Sie!« Ein Lächeln huschte über ihre kantigen Züge. Cüpper gefiel es.

»Die beiden Kölsch hier stellten sich mir in den Weg, da hab ich sie verhaftet und mitgenommen. Wollen Sie eines?«

»Her damit!«

Die Flüssigkeit verschwand schneller, als man Simsala-bim sagen konnte. Cüpper sah dem Vorgang entgeistert zu und gab ihr seines gleich dazu. Sie lachte. Es war das erste Mal, dass er Marion Ried lachen sah. Leider dauerte es nur einen Augenblick, dann stahl sich wieder die kleine, senkrechte Falte zwischen ihre Brauen.

»Was ist eigentlich mit Ihrem Tiger passiert?«, fragte Cüpper.

»Reden wir nicht von meinem Tiger.«

»Worüber dann? Sie haben mich angerufen, nicht um-gekehrt.«

»Haben Sie den Mörder?«

Er nahm sie beim Arm und zog sie wortlos ein Stück von der Bühne weg.

»Nein. Um ehrlich zu sein, wir stecken fest.«

»Mhm.« Sie schaute auf ihre Hände.

»Wir hatten eine Spur, aber sie erwies sich als Sackgas-se. Ihre Mutter wurde wahrscheinlich schon gegen zehn Uhr umgebracht und nicht erst um Mitternacht. Voraus-gesetzt, Sie waren wirklich im Kino, könnte ich Sie damit von der Liste meiner Verdächtigen streichen.«

Sie schüttelte den Kopf. »Ich habe keinen Zeugen, wenn Sie das meinen.«

»Dann bleiben Sie vorerst drauf.«

»Bin ich denn verdächtig?«

»Ja.

»Und was ist Ihre Meinung?«

»Meine persönliche Meinung tut hier nichts zur Sa-che.«

»Ach, so ist das.« Sie schaute ihm spöttisch ins Gesicht. »Was wollen Sie dann noch? Verhaften Sie mich doch!«

»Das könnte Ihnen so passen. Warum haben Sie mich angerufen, Marion?«

»Ich weiß es nicht – Romanus.«

Er musste lächeln. So wie sie seinen ungeliebten Vornamen aussprach, klang er plötzlich gar nicht mehr so übel.

»Also?«

»Also was?«

»Warum wollten Sie mich sehen?«

Sie schwieg und schaute an ihm vorbei, während ihre Kinnmuskeln arbeiteten. Cüpper überlegte, was er sagen könnte. Er sah zu, wie die Band letzte Vorbereitungen für ihren Auftritt traf, ein paar Neugierige, die auf die Bühne kletterten und wieder runtergescheucht wurden. Ulli hängte sich eine elektrische Gitarre um und versuchte ein paar Akkorde. Das Pfeifen der Rückkopplung zerriss Cüpper fast das Trommelfell. Dann hatte der Mann am Mischpult ein Einsehen, und plötzlich wurde aus dem schrägen Klirren eine zarte, langsame Melodie.

»Ich will tanzen«, sagte Marion.

Cüpper wollte etwas Sachliches erwidern, dass jetzt nicht die Zeit sei, zu tanzen, dass sie Wichtigeres zu bereden hätten. Stattdessen streckte er die Hand aus und ließ seine Fingerspitzen langsam über ihr Gesicht gleiten.

Erschrocken zuckte er zurück. Bist du denn von allen guten Geistern verlassen, schalt er sich. Mach gefälligst deinen Job, verdammter Idiot.

Im nächsten Augenblick wiegten sie sich im verschleppten Takt der traurig schönen Ballade.

»Haben Sie eine Frau?«, fragte sie leise.

»Nein.«

»Eine Freundin?«

»Ich hatte eine.«

»Wo ist sie?«

»Sie ist gegangen.«

»Warum?«

Eine gute Frage. Er hatte immer noch keine Antwort darauf gefunden.

»Erzählen Sie mir irgendwas von sich«, bat sie.

»Was soll ich erzählen?«

»Irgendwas.«

Er drückte sie fester an sich, als könnte sie ihm entgleiten. Ein Rest seiner Selbstbeherrschung protestierte, wies darauf hin, er sei im *Stadtgarten* und im Dienst. Er hörte nicht weiter hin, sondern ging den Pfad seiner Erinnerungen zurück auf der Suche nach etwas, das er ihr erzählen konnte.

Und fand sich wieder im Zoo.

»Ich war sehr klein, als wir zu den Löwen gingen«, sagte er. »Mein Vater meinte, ich sei feige. Vielleicht war ich das. Jedenfalls, er wollte mich kurieren, weil er dachte, dass es Feiglinge zu nichts bringen.« Wie lange war das her! »Einer der Löwen kam sehr nah ran, und mein Vater hielt mich dicht ans Gitter. Damals waren sie noch in Käfigen, es gab keine Freigehege. Aber ich begriff nicht, dass da Gitterstäbe waren. Ich dachte, mein Vater hätte es aufgegeben mit mir und wollte mich zur Strafe für meine Ängstlichkeit an die Bestien verfüttern. Ich brüllte lauter als der Löwe. Ich schrie sogar noch, als wir längst schon auf der Riehler Straße waren, weniger aus Angst, sondern weil ich spürte, wie enttäuscht mein Vater war.« Er machte eine Pause und musste unwillkürlich lächeln. »Seltsam. Ich hatte das eigentlich vergessen.«

»Sind Sie darum zur Polizei gegangen?« Ihre Frage war ein kleines Tier, das verspielt an seinem Ohr knabberte.

»Ja. Mag sein.«

»Aber Sie haben immer noch Angst.«

»Jeder hat ein Recht auf Angst.« Das klang, als spräche er sein eigenes Plädoyer. »Kein Vater, niemand hat das Recht, sie einem zu nehmen.«

»Sie haben Angst vor Katzen.« Fast schien es, als bereite ihr die Erkenntnis Vergnügen.

Cüpper schwieg.

Sie kicherte. »Sie sehen süß aus, wenn Sie ängstlich sind.«

Er wollte etwas erwidern, aber da endete die Musik wie mit dem Beil gekappt.

»Scheiße!«, schrie Ulli Stoerer, kein Minnesänger mehr, sondern nur noch ein überdrehter und cholerischer Künstler. »Scheiße, Scheiße, Scheiße! Das ist kein Sound, das ist Trash! Nimm doch mal die bekackten Höhen raus!«

Marion schoss einen giftigen Blick in Richtung Bühne ab. Der *Stadtgarten* war wieder der *Stadtgarten*. Cüpper ließ sie los.

»Ich muss Sie etwas fragen, Marion«, sagte er nüchtern.
»Es wird Ihnen nicht gefallen.«

Sie zuckte die Achseln.

»Hat Ihre Mutter Ihnen irgendetwas hinterlassen? Vermögen? Immobilien?«

»Sie meinen, ob es sich für mich gelohnt hätte, sie deswegen umzubringen?«, antwortete sie.

»Ja. Genau das.«

Die versilberte Kellnerin trug Bier an ihnen vorbei. Vorne stritt sich Ulli mit dem Mann vom Mischpult. Cüpper straffte sich. Marion war weiter weg als je zuvor.

»Meine Mutter hinterlässt mir gar nichts«, sagte sie kühl.

»Kein Testament?«

»Nein. Inka hat keins gemacht. Wahrscheinlich ist sie nicht davon ausgegangen, irgendwann sterben zu müssen wie andere Menschen auch.«

»Oder Katzen«, entfuhr es Cüpper.

Sie funkelte ihn zornig an. »Oder Katzen! Gibt es da irgendeinen Unterschied? Ich kann ihr nicht mal einen Vorwurf machen. Meine Mutter hat mich nicht geboren, sie hat mich geworfen. Als ich auf zwei Beinen stehen konnte, verlor sie das Interesse.«

»Kümmert Fritz sich wenigstens um Sie?«

»Fritz?«, prustete sie. »Hat der sich jemals um was anderes gekümmert als um seine Geschäfte?«

»Er ist Ihr Stiefvater!«

»Na und? Ich hab ihn mal bewundert. Was hätte dieses Arschloch für ein Vater sein können! Aber Fritz hatte zu viel damit zu tun, Geld zu scheffeln, um sich loskaufen zu können.«

»Fritz hat keinen Grund, sich loszukaufen. Er ist reich genug.«

Marions Augen weiteten sich, dann brach sie in Gelächter aus. »Hat er Ihnen das erzählt?«

»Er... nein.«

Sie setzte ihm den Zeigefinger auf die Brust. »Fritz hat überhaupt nichts, Kommissärchen. Gar nichts. Er war ein armer Schlucker aus kleinen Verhältnissen, als er Inka kennen lernte. Alles gehörte ihr. Und er wird alles erben. Wenn es jemanden gibt, der von Inkas Tod profitiert, dann ganz bestimmt nicht ich.«

»Augenblick mal«, rief Cüpper verblüfft. »Soll das heißen, Fritz ist kein reicher Mann?«

»Jetzt ist er einer«, sagte sie gedehnt.

»Marion...« Er schnappte nach Luft. »Wissen Sie, was Sie mir da erzählen?«

»Hätte sie sich von ihm scheiden lassen«, rief sie zornig, »wäre Fritz auf den Arsch gefallen. Und da kommen Sie und fragen mich, ob ich Inka ermordet habe!«

»Verdammt!« Er fühlte Wut in sich hochsteigen. »Wollen Sie ihn ans Messer liefern?«

»Was erwarten Sie denn?«

»Er ist Ihr...«

»Ist er nicht. Sie scheinheiliger Sack! Als ob Sie ihn nicht selbst verdächtigen! Moralisieren Sie mir keinen vor von wegen Vater und Familie. Sie wollen doch bloß jemanden einlochen und dann Ihre Ruhe haben.«

»Ich will die Wahrheit.«

»Ja, Sie wollen! Und was tun Sie dann mit Ihrer Wahrheit? Legen sie zu den Akten. Klasse!«

»Das ist nichts Persönliches. Ich meine…«

»Eben. Das ist nichts Persönliches.« Ihre Augen blitzten. Ehe Cüpper noch etwas sagen konnte, war sie zwischen den Umstehenden verschwunden und zur Bühne gelaufen.

Mit einem Mal kam er sich furchtbar töricht vor.

Er machte auf dem Absatz kehrt und ging nach draußen.

# Der Abend

»Ihr Mantel«, sagte Schmitz.

»Danke. Ich brauche keinen Mantel.« Von Barneck sah ungeduldig auf die Uhr. »Wo bleibt denn das Taxi, Himmeldonnerwetter?«

»Den Schirm vielleicht? Es regnet wieder.«

»Ja, es regnet, regnet, regnet. Wenn schon.«

»Ich habe die Symphonie mit dem Paukenschlag gehört, als ich ein kleiner Bub war«, bemerkte Schmitz und holte einen Schirm.

»So? Muss ja ewig her sein.«

»Etwa siebzig Jahre. Ich bin dabei eingeschlafen.«

Von Barneck lachte. »Das war der Grund, warum der alte Haydn die Pauke eingebaut hat. Das Werk ist von zwei unumstößlichen Regeln geprägt, lieber Freund. Erstens, Höflinge und Majestäten verstehen nichts von Musik. Zweitens, sei dein Geld wert.«

»Das ist heute kaum anders, nicht wahr?« Schmitz hatte einen Schirm mit Entenkopf ausgesucht. Von Barneck nahm ihn und sah der Ente in die gläsernen Augen.

»Ja«, sagte er, mehr zu sich. »Das ist heute ganz genau dasselbe.«

Das Taxi kam.

Marion Ried saß hinter der Bühne und lauschte den schwerblütigen, harten Klängen der Band.

Sie schloss die Augen und dachte an Cüpper in seinem schwarzen Anzug und dem förmlichen weißen Hemd, die Krawatte korrekt gebunden, das dunkle Haar gescheitelt wie mit dem Lineal gezogen. An die schroffe Ruhe, die er ausstrahlte, und das Chaos hinter der kontrollierten Fassade. Sie konnte es wittern wie etwas Lebendiges. Auf gewisse Weise war Cüpper wie sie.

Nur, dass er sie verdächtigte, ihre Mutter umgebracht zu haben.

Hatte sie das?

War es ein Unterschied, jemanden in Gedanken umzubringen oder es tatsächlich zu tun? Natürlich hatte sie ihre Mutter umgebracht. Sie hätte die ganze Welt umbringen können. Einschließlich ihres übergeschnappten Freundes.

Und Gopper? Der alte Gopper, der sich so rührend um sie kümmerte? Hätte sie ihn wegstoßen dürfen, als er kam, um sie zu trösten? Brachten sie sich nicht alle gegenseitig um, jeden Tag, immer ein bisschen?

Hätte, hätte!

Hätte sie mit Cüpper tanzen dürfen?

Ulli schrie sich die Seele aus dem Leib. Sein Anzug funkelte im Scheinwerferlicht. Marion stand auf und ging nach oben ins Büro des Geschäftsführers, um ein Telefonbuch zu suchen.

Ein Gewitter entlud sich über Köln. Der Himmel war weiß von Blitzen.

Rabenhorst lag zwischen Stapeln geliehener Kochbücher und blätterte sich die Fingerkuppen wund. Schließlich gab er es auf und wählte widerstrebend eine Nummer.

»Rabenhorst?«

»Hier auch.«

»Junge! Das ist aber eine Überraschung. Eben habe ich noch zu deinem Vater gesagt, der Rolfi hat uns ganz vergessen, der ruft nicht mehr an und kümmert sich um gar nichts. Das hast du nicht von uns, dieses Desinteresse.«

»Unsere ganze Verwandtschaft ist ein Haufen wehleidiger Stänkerer«, sagte Rabenhorst. »Keiner von denen würde je auf die Idee kommen, mich mal anzurufen.«

»Du bist schließlich der Jüngere«, erwiderte seine Mutter schlau.

»Gott sei's getrommelt. Im Übrigen, da ich dich gerade an der Strippe habe – es kommt nicht gut, wenn du im Revier aufkreuzt und die Leute verrückt machst.«

»Ich weiß gar nicht, was du willst«, entrüstete sich seine Mutter. »Der nette Herr Haas meinte, es wäre ganz alleine mir zu verdanken gewesen, dass die komische Frau auf dem Bett was gesagt hat. Hast du dich übrigens schon für das Polohemd bedankt?«

»Danke.«

»Schön, nicht? Sieh mal, und das hat nur… na, ich will's nicht verraten. Es muss nicht alles teuer sein.«

»Gewiss, Mama. Du kaufst mir ein Polohemd. Du

machst mich im Revier unmöglich. Alle zeigen mit dem Finger auf mich und gratulieren mir zu einer so patenten Mutter, dass ein halbes Streifenkommando erforderlich war, um sie rauszuwerfen. Würdest du eventuell die Güte haben, wirklich was für mich zu tun?«

Es entstand eine Pause, in der Frau Rabenhorst eins und eins zu drei addierte. »Wie viel brauchst du?«, fragte sie gefasst.

Rabenhorst verdrehte die Augen, aber er schaffte es, seiner Stimme so etwas wie Liebenswürdigkeit abzuringen.

»Ich brauche deinen Rat, Mama.«

»Meinen Rat? Gott der Gerechte! Es geschehen noch Zeichen und Wunder. Was kann ich dir raten, mein Sohn?«

»Du kannst mir sagen, wie man einen Sauerbraten macht.«

Am anderen Ende der Leitung entstand ratloses Schweigen. Dann sagte seine Mutter mit veränderter Stimme: »Du solltest deine alte Dame nicht für blöd verscheißern, mein Sohn. Wozu brauchst du das Rezept?«

»Ich brauche es, um einem Großmaul zu beweisen, dass es wenigstens eine Sache in der Welt gibt, die ich besser kann als er!«, schrie Rabenhorst.

»Warum sagst du das nicht gleich?«, säuselte seine Mutter. »Hol dir was zu schreiben.«


Das feine Gehör von Eleonore Schmitz registrierte die Ankunft eines Wagens. Sie ließ den Abwasch stehen und knuffte ihren Mann in die Seite, der am Küchentisch eingedöst war.

»Geh doch aufmachen«, raunte sie.

Schmitz schreckte hoch.

»Was? Schon?«

»Es ist Viertel nach zehn, da fragst du? Gerade ist ein Taxi vorgefahren. Wofür bezahlt man dich? Ein Butler willst du sein? Los, troll dich!«

Schmitz rückte folgsam sein Gebiss zurecht und schlurfte in die Halle. Er schaffte es eben noch, rechtzeitig die Tür zu öffnen.

»Herr von Barneck. Wie war der Abend?«

»Ein Desaster! Da wird um Punkt acht Uhr ein Konzert gegeben, und sie reißen die Karten ab, als hätten sie bis in alle Ewigkeit Zeit. Ich weiß beim besten Willen nicht, warum man sich das antut!«

Schmitz nahm den Entenschirm in Empfang. »Sehr bedauerlich«, beeilte er sich, seine Anteilnahme auszudrücken. »Haben sie wenigstens an den Paukenschlag gedacht?«

»Das war das Mindeste. Ein schlechtes Orchester, lustlos wie alte Weiber, und ein Dirigent zum Notschlachten. Schmitz, ich habe noch zu tun. Werde den Apparat in die Halle umstellen, bitte verbinden Sie nur weiter, wenn es wirklich dringend ist.«

»Natürlich. Sie sind im ersten Stock?«

»Ja, im Arbeitszimmer.«

Schmitz ging den Schirm verstauen.

»Wie bitte? Lebkuchen?«

»Es gibt zwei Philosophien des Sauerbratenmachens, mein lieber Junge. Eine mit und eine ohne Lebkuchen. Das ist die ganze Wahrheit.«

»Wo soll ich im Sommer Lebkuchen herbekommen?«

»Stell halt eine Untersuchung an.«

»Ich weiß nicht, wo ich da beginnen soll.«

»Dann frag deinen Chef. Er wird es besser wissen.«

»Nein!«, knirschte Rabenhorst und notierte die Lebkuchen, dass der Kugelschreiber das Papier zerriss.

Es schellte.

»Kaum, dass er fünf Minuten da ist«, brummte Schmitz und schlurfte zum Telefon in der Halle. »Bei von Barneck«, schnarrte er kühl.

»Ah, Sie sind's. Wo ist Fritz?«

»Herr Hartmann!« Schmitz war hocherfreut. Er mochte den Doppelgänger. Genau genommen mochte er ihn lieber als das Original. »Sind Sie in einer Telefonzelle? Es rauscht ein wenig in der Leitung.«

»Nein, ich rufe über das Handy an. Bin unterwegs. Aber Sie haben natürlich recht, alter Halunke, die Dinger rauschen wie der Teufel. Warum lassen Sie sich von dem Halsabschneider weiter ausnutzen, werden Sie Detektiv!«

»Ach, Herr Hartmann, das Alter.«

»Keine Diskussion, Sie werden Detektiv, bei Ihren Fähigkeiten! Was anderes, ist Fritz zu Hause?«

»Oh, er ist missgelaunt und hat sich ausgebeten, nicht gestört zu werden…«

»Verstehe. Es ist wichtig.«

»Wenn Sie es sagen, selbstverständlich! Ein Sekündchen, ich verbinde.«

Er wählte die Nummer des Arbeitszimmers. Von Barneck ließ es ein Dutzend Mal schellen, bis er ungehalten an den Apparat kam.

»Habe ich nicht gesagt … ?«

»Hartmann, Herr von Barneck.«

Kurzes Stutzen.

»Gut, ich übernehme.«

Schmitz legte auf und ging in die Küche.

»Das reinste Tollhaus!«, giftete seine Frau, versunken in Bergen von Seifenschaum.

»Aber, Eleonore. Ein Anruf, weiter nichts.« Er ließ sich am Küchentisch nieder und starrte auf seinen leeren Teller, leer wie sein Magen, wollte ihm scheinen. »Hast du noch was von der Suppe?«

»Hast du noch was von der Suppe? Hast du noch was von der Suppe? Furzen wirst du wie ein Feuerwerk!«

»Liebschen«, schmeichelte Schmitz und erinnerte sich seiner kölschen Seele, »du machst die beste Supp von janz Kölle. Hab dich nicht so und tu mir noch'n Porzjönschen.«

»Schmitz!«, erscholl es ungeduldig aus dem Flur.

»Du wirst gebraucht!«, trällerte seine Frau und vertiefte sich in den Abwasch.

Schmitz sprang auf, gestattete sich einen leisen Fluch und stürzte in die Halle. Von Barneck stand über die Balustrade gebeugt.

»Einen Cognac, bitte. Den Otard, ich meine, dass ich ihn im Speisezimmer gesehen habe.«

»Den Otard, gewiss!«, hechelte Schmitz und lief an die Bar im großen Wohnraum, weil er besser wusste, wo was stand. Sekunden später trug er das Gewünschte ins Arbeitszimmer, wo von Barneck immer noch telefonierte. Schmitz hörte weg, wie es sich für einen Butler ziemt, das heißt, er hörte zu.

»…hat damals keiner gewusst«, sagte von Barneck. »Max, du machst dir zu viel Sorgen. Sie haben dich für mich gehalten, wie es auch geplant war. Mailand liegt drei Jahre zurück, wen sollte das heute noch interessieren?« Er schüttelte energisch den Kopf. »Nein, jemand hält dich zum Narren, und wenn du mich fragst, solltest du diese dubiose Verabredung einfach vergessen. Und dein Notizbuch auch.«

Schmitz wusste, wann es Zeit war, sich zurückzuziehen. Würdevoll platzierte er den Cognac auf dem Schreibtisch und verließ gedämpften Schrittes das Zimmer. Als er in der Halle war, klingelte dort das Telefon. Er klemmte das Tablett unter den Arm und lief los.

»Hier bei von…«

»Schmitz, ich stelle Max zu Ihnen durch. Er hat eine Anweisung.«

Es knackte. »He, da bin ich wieder«, ließ sich Hartmann vernehmen. »Muss mich beeilen, also hören Sie genau zu. Tun Sie mir einen Gefallen, und suchen Sie im Haus nach einem schwarzen Notizbuch. Auf der Innenseite steht mein Name. Es ist wichtig!«

Oben flog die Tür des Arbeitszimmers auf, und er sah von Barneck die Treppe herunterschlendern.

»Wo soll ich suchen?«, stammelte Schmitz.

»Es ist wichtig!«, wiederholte Hartmann. »Danke. Ich muss Schluss machen. Bis später.«

»Bis später«, murmelte Schmitz und legte auf.

»Ich bin im Kaminzimmer, Schmitz! Habe keine Ruhe zum Arbeiten.«

»Natürlich, Herr von Barneck.«

»Halten Sie sich zur Verfügung.«

»Gewiss.«

Er hatte irgendwie gehetzt geklungen, der arme Hartmann. Schmitz beschloss, ihn in Zukunft ganz besonders zuvorkommend zu behandeln. Dann fiel ihm die Erbsensuppe wieder ein, und er vergaß von Barneck und Hartmann und alles andere und eilte in die Küche.

Auf halbem Weg erstarrte er. Der Kommissar! Ihm war doch noch etwas eingefallen, aber war es wichtig?

Der Mann hatte ihm seine Privatnummer gegeben. Dann war alles wichtig.

Zumindest wichtiger als Erbsensuppe.


Cüpper hatte im *Rosebud*, Kölns schönster Bar, diverse Leute kennen gelernt und sich die Bitternis des späten Abends mit so viel Caipirinha versüßt, dass er es eben noch schaffte, aufrecht nach Hause zu marschieren. Die Innentasche seines Anzugs war ausgebeult von beschriebenen Bierdeckeln, von denen einer ihm einen frisch renovierten Jaguar für dreizehntausend Mark verhieß, wenn er es nur schaffte, am Samstagmorgen um halb zehn bei einem gewissen Fred zu erscheinen. Cüpper erinnerte sich dunkel eines mittelgroßen Mannes in Begleitung gut gelaunter Damen, der nicht müde wurde, von Oldtimern zu erzählen, bis Cüpper nicht mehr konnte und ihn bat, ihm wenigstens eine der Frauen abzugeben. Zu seinem Schrecken stellte dieses Ansinnen überhaupt kein Problem dar, so dass ihm nur die Flucht blieb und er, von renovierten englischen Autos träumend, in seine Wohnung polterte, wie er es seit Jahren nicht mehr getan hatte.

Sein Anrufbeantworter blinkte ihm freundlich zu. Zwei Menschen hatten sich erbarmt. Na, immerhin.

Er drückte die Play-Taste.

»Hallo, Romanus.«

Es war Marion. Schlagartig war er wieder nüchtern.

»Romanus... der Tiger... ich hab ihn so geliebt. Er war so stark, ich dachte, wenn es irgendetwas in der Welt gibt, das alles überdauert, das stärker ist als alles andere, dann der Tiger! Und jetzt ist er tot. Eine blödsinnige Magenverstimmung, wir nehmen da ein paar Tabletten und fertig. Aber er ist tot!«

Lange Zeit hörte Cüpper nichts als gleichmäßiges Rauschen. Dann war ihre Stimme wieder da.

»Sie sind der Einzige, der mir jemals etwas über sich erzählt hat. Romanus, ich... ich glaube, ich hab... ich wünschte so sehr, Sie könnten hier sein!«

Wieder das Rauschen. Von ganz weit weg mischte sich so etwas wie Musik mit hinein.

»Gute Nacht, Romanus«, sagte sie sanft. Klick.

Rauschen. Piep.

»Herr Kommissar, entschuldigen Sie die späte Störung. Ich nehme Bezug auf Ihr freundliches Angebot, Sie auch privatim zu kontaktieren. Wissen Sie, ich bin nicht sicher, ob es irgendeine Rolle spielt, aber mir ist da noch was eingefallen, wie man Herrn von Barneck von Herrn Hartmann unterscheiden kann.« Schmitz lachte nervös. »Ach Gott, ich glaube, es ist albern, Sie deswegen anzurufen. Wie auch immer! Also, der Herr Hartmann, der ist nämlich... also, ich weiß wirklich nicht, ob das jetzt wichtig ist. Sie müssen schon entschuldigen! Linkshänder ist er! Gute Nacht, Herr Cüpper. Schlafen Sie gut.«

# Dritter Tag

# Der Morgen

Toni wälzte sich auf den Beifahrersitz und begann, am Gürtel ihrer Jeans herumzufingern.

»Nicht«, gluckste sie.

»Wieso, eyh? Dafür sind wir extra hergefahren von der blöden Fete.«

»Nicht im Auto, Mensch.« Sie packte seinen Zopf und küsste ihn hart und stürmisch auf den Mund. Tonis Hände waren überall, während er versuchte, sich an ihren Namen zu erinnern.

»In die Büsche?«, grinste er.

Es war kurz vor Sonnenaufgang. Weit und breit kein Mensch zu sehen. Der Grüngürtel dämmerte einem weiteren grauen Tag entgegen. Jungfräuliche Natur, dachte Toni und musste lachen. Schnell zog er sein verwühltes T-Shirt aus und sprang aus dem Wagen.

»Man kann dein Auto von der Straße sehen«, kicherte sie und reckte sich in der klaren Morgenluft. Übermütig schnippte sie den Joint ins Unterholz und tänzelte auf den Mittelstreifen der Militärringstraße.

»Lass den Scheiß!«, rief Toni. »Du hast keine Bluse mehr an.«

»Komm, wir machen's hier.«

»Bist du blöde? Denkst du, ich will beim Ficken untern Laster kommen?«

»Allgemeine Verkehrskontrolle!«, kreischte sie. »Wer hatte heute noch keinen Verkehr?«

»Komm jetzt, eyh.«

Keckernd wie die Gänse schlugen sie sich seitlich auf eine winzige Lichtung und rollten durchs klamme Gras. Alles war aufgeweicht vom Regen, kleine Äste stempelten ihre nackten Oberkörper mit verräterischen Malen. Toni roch Erde, spürte ihre Zunge zwischen seinen Zähnen und grunzte entzückt. Wieder versuchte er, sie der Jeans zu entledigen, diesmal heftiger. Sie versteifte sich.

»Was ist denn jetzt schon wieder?«, drang seine Stimme dumpf aus ihrer Halsbeuge.

»Ich... ich hab 'n bisschen Angst.«

Er warf den Kopf zurück und funkelte sie aus schwarzen Augen an.

»Komm, sag jetzt bloß, du hast noch nie!«

»Kannst ja 'n bisschen zärtlich sein«, maulte sie.

Toni dachte nach, so weit sein Zustand das erlaubte. Er hatte nichts gegen Zärtlichkeiten. Überhaupt nicht. Er wusste nur nicht, wie man so was machte. Ärgerlich und betreten stemmte er sich hoch.

»Wo willst'n hin?«, fragte sie.

»Nirgendwohin.« Sein Blick erwanderte die Rundungen ihres Körpers wie ein Spaziergänger eine Steilküste, der plötzlich feststellt, dass er nicht schwindelfrei ist. Irgendeine Entschuldigung war fällig, oder er würde dastehen wie der größte Trottel aller Zeiten.

»Muss mal pinkeln«, sagte er schnell. Das schien Akzeptanz zu finden. Sie schenkte ihm ein zuckersüßes Lächeln und rollte sich träge auf die Seite. Ihr Hosenbund saß tief, allzu tief. Toni registrierte Grübchen oberhalb der Pobacken, wie geschaffen, um die Daumen hineinzulegen, wenn sie erst vor ihm knien würde, das Hinterteil ihm zugewandt. Ein Gedanke, der Pinkeln ins physikalische Abseits verdammte. Egal! Er musste wenigstens so tun. Schwitzend vor Furcht und Begierde, verschwand er hinter einem Baum und suchte den Nippel seines Reißverschlusses. Klemmte. Toni fluchte unterdrückt und begann daran zu zerren. Klemmte immer noch. Ratlos starrte er zu Boden.

Jemand starrte zurück.

Kurz war ihm, als verwandle sich sein Blut in etwas Marmeladenartiges. Er entließ ein Geräusch zwischen Ächzen und Zwitschern, verdrehte die Augen, schaffte es eben noch, seinen Hosenstall zu öffnen, und fiel paralysiert in die Brennnesseln.

»Toni?«

Schwach versuchte er, sich zu bewegen, ohne Erfolg. Seine Nasenspitze war nur wenige Millimeter vom Ohr des Unbekannten entfernt. Ein metallischer Geruch stach in seine Nase, süß und übelkeiterregend, bis er glaubte, daran ersticken zu müssen. Mit schrecklicher Deutlichkeit gewahrte er die Rundungen der Ohrmuschel, schraubte seinen Blick entlang des knorpeligen Reliefs über den Teppich feiner Härchen bis an den Rand der Höhle, die ins Innere des Schädels führte.

»Toni?« Ihre Stimme schmeichelte sich keck heran. Er hörte ihre Schritte im Gras, registrierte jeden Halm, der von ihren nackten Füßen niedergetreten wurde auf ihrem zögerlichen Weg zu ihm.

»Ich will jetzt, Toni.«

Etwas Schwarzes bewegte sich in dem Ohr. Winzige, zitternde Beinchen. Langsam krabbelte ein fingerdicker Käfer hervor, ließ einen Augenblick die Fühler spielen und verschwand hinter einem Büschel Haare.

»Toni.«

Er versuchte etwas zu sagen, aber es wurde nur ein gequetschtes Gurgeln daraus.

»Toni, Süßer, pack ihn aus. Ich komme!«


Vor sieben Jahren hatte Cüpper einen Pistolenknauf gegen den Schädel bekommen. Als er Wochen später die Uniklinik verließ, war er stolzer Besitzer einer kleinen Plastikplatte, die den Knochen gleich über dem linken Ohr ersetzte. Seitdem war reichlich Haar über die Sache gewachsen und nichts zurückgeblieben außer einer allerdings umso verblüffenderen Eigenschaft. Cüpper konnte trinken, so viel er wollte – es stellte sich kein Kater ein, nicht mal der Hauch eines Katzenjammers. Man wies ihn scherzhaft darauf hin, er habe sich in einen Japaner verwandelt, deren allnächtliche Dienstbesäufnisse nur deshalb keinen schädlichen Einfluss auf Nippons Bruttosozialprodukt nehmen, weil ihnen ein ganz bestimmtes Enzym fehlt. Cüpper, der nicht die mindeste Ahnung hatte, wie ein Enzym im Verlauf einer Schädeloperation einfach entwischen konnte, dachte natürlich nicht im Traum daran, es zurückzufordern. Genau genommen war er glücklicher denn je, weil er infolge seiner Unempfindlichkeit nun auch weniger Schlaf brauchte. Während also die Caipirinhas aus dem *Rosebud* jedem anderen einen bösen Tribut abgefordert hätten, saß Cüpper ausgeruht beim Frühstück, als das Telefon schellte. Schnell stippte er den letzten Streifen Toast ins weich gekochte Ei und hastete an den Apparat.

Es war Rabenhorst.

»Was machen Sie gerade?«, fragte er unschuldig.

»Vive la liberté«, erwiderte Cüpper kauend. »Ich esse Eier auf ungewöhnliche Weise.«

»Sitzen Sie?«

»Im Augenblick nicht. Rabenhorst, stellen Sie sich vor, wir haben einen Linkshänder! Gestern rief mich…«

»Dann setzen Sie sich mal.«

Cüpper zog die Stirn in Falten und sah sich um. »Meinen Sie, ich verkrafte es stehend? Ich leide seit kurzem unter einem gewissen Defizit an Mobiliar.«

»Von Barneck ist tot.«

»Was???«

»Ein vollgekifftes Liebespärchen hat ihn vor einer Dreiviertelstunde gefunden. Er liegt im Grüngürtel, nicht sonderlich gut versteckt. Nähe Aachener.«

»Mein Gott! Wie hat es ihn erwischt?«

»Mecki Messer war wieder am Werk. Stich von hinten ins Herz. Dann das Messer rausgezogen und der Leiche in die Hände gelegt, also, das ist schon eine Unverschämtheit.«

Cüpper schnaubte. »Wenn wir den Mörder haben, dürfen Sie ihn wegen Irreführung der Polizei verknacken. Fingerabdrücke?«

»Diesmal nicht. Aber es wird noch alles abgesucht, die Leiche liegt im Grünen wie gehabt, Sie sollten also schnellstens herkommen.«

»Wo sind Sie eigentlich, Rabenhorst?«

»Am Tatort.«

»Wie bitte?«, explodierte Cüpper. »Sie sind einfach hingefahren und haben mir nicht Bescheid gegeben?«

»Die Jungs vom SB 1 waren nicht sicher, ob es wirklich von Barneck ist. Einer der Streifenführer meinte, ihn aus der Zeitung zu kennen. Ein Anruf ging an Sie und einer an mich, aber wahrscheinlich haben Sie zu laut geduscht.«

»Sie hätten es weiter versuchen sollen.«

»Ja, und dann wär's eine Falschmeldung gewesen, und Sie hätten mir bis ans Ende meiner Tage in den Ohren gelegen, dass ich Sie beim Eieressen gestört habe.«

Auch wieder wahr, dachte Cüpper. Schnell zog er sich an, schwang sich in den Wagen und bretterte auf die Innere Kanalstraße. Kurz vor der Unterführung traf ihn der Blitz der Erkenntnis in Gestalt des Starenkastens. Verdammt! Den hatte er komplett vergessen! Achselzuckend trat er noch mal aufs Gas und näherte sich dem Grüngürtel mit dem Temperament einer Cruise Missile.

Es wimmelte von Polizisten. Er suchte Rabenhorst zwischen Farnen und Birken, wurde von demselben erspäht und an den Rand einer kleinen Lichtung gezogen.

Von Barneck lag mittlerweile etwas anders, als Toni und sein Mädchen ihn gefunden hatten. Der Pathologe vom Dienst hatte die Leiche flüchtig untersucht und die Todesursache diagnostiziert. Der Stoß war von hinten geführt worden, allem Anschein nach mit großer Kraft. Die Klinge war tief zwischen den Rippen eingedrungen und musste von Barneck auf der Stelle getötet haben. Die Tat lag einige Stunden zurück. Mehr ließ sich im Augenblick nicht sagen.

Cüpper ging in die Hocke, während seine Augen den leblosen Körper Zentimeter für Zentimeter abtasteten.

»Was ist mit dem Pärchen?«, fragte er beiläufig. »Sind die zwei noch da?«

»Nur das Mädchen«, sagte Rabenhorst. »Sie ist ziemlich cool geblieben bei der ganzen Angelegenheit. Hat ihren Freund liegen lassen und ist gleich zur nächsten Telefonzelle gebraust.«

»Wieso liegen lassen?«, wunderte sich Cüpper.

»Der Junge hat den Schock seines Lebens erlitten.«

»Falsche Ernährung. Haben die beiden irgendwas gesehen? Weglaufende Mörder oder so.«

»Nichts.«

Cüpper nickte und machte sich daran, das Gras ringsum zu studieren, bevor Krüger und sein Team eintrafen. Er brauchte nicht lange, um Spuren aufgerissenen Erdreichs zu entdecken. Sie führten zu dem Kiesweg, den auch Toni genommen hatte, allerdings weiter hinten, wo man das Sträßchen vom Militärring aus nicht einsehen konnte. Der Kies war noch nass vom nächtlichen Gewitterregen, trotzdem sah man, wo die Spuren endeten. Direkt daneben hatte offenbar ein Wagen gestanden.

»Rabenhorst!«

»Hier!«

»Das gibt schon wieder alles keinen Sinn.« Cüpper deutete auf die Furchen. »Was glauben Sie, was das ist?«

Rabenhorst legte die Stirn in Falten. »Schleifspuren, würde ich sagen.«

»Richtig. Der Mörder hat von Barneck ins Gebüsch geschleift. Aber wozu? Wenn er ihn hier auf dem Weg erstochen hat, was wir fürs Erste annehmen wollen, warum macht er sich dann die Mühe und schleppt ihn lausige zehn Meter weiter zwischen die Bäume, wo nur wenige Schritte entfernt ein Spazierweg vorbeiführt?«

»Ein etwas unbeholfener Versuch, ihn zu verstecken«, mutmaßte Rabenhorst.

»Aber zu welchem Zweck? Dieser Teil Wegs ist gegen die Straße geschützt. Ob die Leiche nun hier liegt oder da, macht keinen Unterschied, weil's keiner sieht.«

»Wer sagt denn«, wandte Rabenhorst mit pfiffigem Gesicht ein, »dass von Barneck nicht erst hinten im Gebüsch erstochen wurde.«

»Das da.« Cüpper zog Rabenhorst ein Stück herunter und deutete auf rostige Verfärbungen im Kies. »Der Regen hat das meiste weggewaschen, aber ich will die Königin von Saba fressen samt Sezierbesteck, wenn das kein Blut ist.« Cüpper begab sich wieder in die Vertikale. »Wir könnten natürlich eine andere Theorie aufstellen, wonach der Mörder von Barneck tiefer in die Wildnis zerren und sogar vergraben wollte, aber dabei gestört wurde.«

»Nein«, sagte Rabenhorst, »das ergibt erst recht kein

Bild. Von Barneck lag auf dem Rücken. Man hatte ihm die Hände vor der Brust zusammengelegt und das Messer dazwischengesteckt. Die Klinge wies nach unten. Er sah aus wie König Artus auf dem Totenlager. Das war eine Inszenierung. So was macht keiner, der gestört wird.«

»Sie haben recht. Was soll das also?«

Rabenhorst ließ viel sagend den Zeigefinger an seiner Schläfe kreisen.

»Glaub ich nicht«, widersprach Cüpper. »Er oder sie hat einen makabren Sinn für Spielereien, aber verrückt ist unser Killer nicht. Ich tippe eher darauf, dass er uns einfach verarschen will. Ebenso gut hätte er die Leiche in den nächsten Baum hängen können.«

»Vielleicht wollte er nur den Zeitpunkt hinauszögern, an dem man von Barneck findet.«

Nein, da ist noch etwas anderes, dachte Cüpper. Eine merkwürdige Logik...

Er sah, dass der Wagen des Leichenfuhrwesens vorgefahren war, und ging hinüber. Sie legten von Barneck in einen Zinksarg. Plötzlich tat ihm der Millionär leid. Wer würde jetzt den ganzen schönen Whisky trinken?

Er beugte sich über den offenen Sarg und betrachtete den Mann, dessen Macht ihm am Ende ebenso wenig geholfen hatte wie der Reichtum seiner Frau. Sie hatten ihm nicht mal die Augen geschlossen.

Cüpper stutzte. Dann schaute er genauer hin.

»Das kann nicht wahr sein«, zischte er.

»Haben Sie was gesagt, Herr Kommissar?«, fragte einer der Männer vom Bestattungsdienst.

Cüpper vollführte eine Geste, als wollte er den Lauf der Zeit abschneiden. Rabenhorst war neben ihn getreten.

»Irgendwas gefunden, Chef?«

Statt einer Antwort streckte Cüpper die Hand aus, packte in den dicken, weißen Schopf und zog daran. Es ging viel schwerer, als er gedacht hatte. Dann löste sich die Perücke und glitt vom Schädel. Kurzgeschnittenes, braunes Haar kam zum Vorschein.

»Wer ist denn das?«, entrang es sich Rabenhorst.

»Es war nie meine Neigung, Männern tief in die Augen zu schauen«, sagte Cüpper, »aber beizeiten ist es der einzige Weg zur Wahrheit. Darf ich vorstellen: Max Hartmann.«

# Revier

Rabenhorst zückte den Filzstift und machte einen dicken schwarzen Strich.

»Was tun Sie da?«, wollte Cüpper vom Schreibtisch her wissen.

»Ich streiche Hartmanns Namen aus.«

»Das ist verfrüht, bloß weil er tot ist. Er kann trotzdem Inkas Mörder sein.«

»Ein ermordeter Mörder?«

Cüpper stützte das Kinn in die Hände. »Gestern Abend hagelte es Enthüllungen, Rabenhorst. Der arme Max war Linkshänder, und Inka wurde von einem Linkshänder umgebracht. Ich will nicht ausschließen, dass die Vereinigung militanter Linkshänder über Armeen zu allem entschlossener Lumpen gebietet, aber augenblicklich haben wir nur den einen.«

»Samt Alibi.«

»Sagt Eva Feldkamp. Nehmen wir an, sie lügt. Es kommt nämlich noch viel besser. Wissen Sie, wem von Barnecks Imperium in Wirklichkeit gehört?«

Rabenhorst horchte auf.

»Der Mafia?«

»Hätte ich auch geantwortet, wenn ich's nicht besser wüsste. Nein, es gehörte alles seiner liebenden Gattin. Das hat der gute Fritz bis jetzt verschwiegen.«

»Sie meinen, er ...«

»Ich meine, es gibt ad hoc zwei Möglichkeiten. Von Barneck ermordet seine Frau, während Hartmann den Komplizen auf der Party macht. Oder Hartmann schwang das Messer. So oder so hat Eva Feldkamp ihn gedeckt, indem sie behauptete, er sei bei ihr gewesen. Was also tut von Barneck? Er killt Hartmann. Die Millionen sind sein, der viel zu einflussreich gewordene Doppelgänger kann ihm nicht mehr gefährlich werden, alles in Butter.«

»Um alles zu buttern, müsste er auch Eva Feldkamp töten.«

»Ich gebe zu, da ist ein Haar in der Suppe.«

»Außerdem wissen wir nicht, wo von Barneck letzte Nacht gewesen ist.«

»Doch. Angeblich war er den Abend über in der Philharmonie. Man gab die Symphonie mit dem Paukenschlag.«

Rabenhorst runzelte verwirrt die Stirn. »Nie gehört.«

»Ist mir klar.«

»Eine ganze Symphonie, und es wird nur einmal auf die Pauke gehauen?«

»Ja, aber so laut, dass sogar Sie davon wach würden. Rabenhorst, wissen Sie was? Wir tun mal was für Ihre Bildung! Sie prüfen nach, ob er wirklich dort war, dann haben Sie es immerhin bis ins Foyer geschafft.«

Rabenhorst hob die Hände. »Langsam. Es gibt noch eine andere Möglichkeit. Der Mörder hielt Hartmann für von Barneck.« Er warf den Kopf zurück. »Außerdem war ich schon ein paar Mal in der Philharmonie.«

»Und? Sind Sie wieder rausgegangen, als kein Kellner kam?«

»Ich…«

»Ist ja gut, Sie haben recht. Es wäre denkbar.«

»Es ist sogar wahrscheinlich!«, rief Rabenhorst. »Wozu hatte von Barneck denn einen Doppelgänger, he? Als Double, wenn es brenzlig wurde. Und wurde es brenzlig? Oft genug! Mafia, Entführung, Eigelstein.« Seine Faust knallte im Takt der Worte auf Cüppers Tischplatte.

Cüpper öffnete den Mund, beschloss zu schweigen und lehnte sich zurück.

»Auch wenn er Ihnen erzählt hat, der Sicherheitsaspekt spiele keine Rolle mehr«, fuhr Rabenhorst fort, »kann es letzte Nacht exakt zu der Situation gekommen sein, die von Barneck immer befürchtet hat. Also hat er Hartmann wissentlich geopfert.«

»Hartmann kannte das Risiko.«

»Wie auch immer.« Rabenhorst war schwer in Fahrt. »Nächster Punkt, Italien, ja? Von Barneck gibt selber zu, Kontakte zur Mafia gehabt zu haben. Zwangsläufig, wie er sagt. Na schön. Weiß einer, was da wirklich abgelaufen ist? Vielleicht gab's Krieg. Die Mafia ist in Köln gut vertreten. Außerdem haben wir einen Italiener auf der Fahndungsliste. Ich gebe zu, dass von Barneck befürchten musste, seine Frau würde ihm die ganze schöne Kohle wieder wegnehmen, selbst dass ihm Hartmann lästig wurde, mag zutreffen. Aber nennen Sie mir einen einzigen Grund, warum Hartmann in von Barnecks Maske ermordet wurde. Einen einzigen außer dem, dass er zu einem Treffen ging, bei dem eigentlich sein Boss erwartet wurde.« Rabenhorst zögerte. »Übrigens, am Rande, woran haben Sie den armen Max erkannt?«

Cüpper grinste. Er beugte sich vor und flüsterte geheimnisvoll: »Daran, dass er ohne Brille blind war wie ein Bienenstich. Wenn Sie verstehen, was ich meine.«

»Wie ein Bienenstich?«, echote Rabenhorst.

»Ganz richtig. Hartmann trug Kontaktlinsen, wenn er von Barneck doubelte. So einfach ist das.«

»Wie ein…« Rabenhorst schüttelte den Kopf. »Meinetwegen. Welcher Theorie geben wir also den Vorzug?«

»Nicht so hastig. Wenn wir das ganze Affentheater mit den liebevoll drapierten Waffen mal beiseitelassen, was ist beiden Morden dann gemeinsam?«

»Kaltblütigkeit.«

»Durchaus. Und sonst? Ich meine, warum töten Menschen andere Menschen?«

»Hass. Habgier. Selbstverteidigung.«

»Und so weiter. Wenn die Briten ihre Ehefrauen quitt werden wollen, versenken sie sie im Moor. Ehemänner wiederum sind verschiedentlich in Salzsäure aufgelöst oder portionsweise eingefroren worden. Manch einem ist daran gelegen, sein Opfer spurlos verschwinden zu lassen, so dass nie geklärt werden kann, ob es nicht doch noch lebt.«

»Verstehe. Und es gibt welche, die lassen Leichen einfach liegen.«

»Zerren sie in die Nähe von Spazierwegen. Machen die Tür nicht hinter sich zu.«

In Rabenhorsts Blick stahl sich der Funke des Begreifens. »Sie haben recht. Unser spezieller Freund scheint es regelrecht darauf angelegt zu haben, dass man Inka von Barneck und Max Hartmann so schnell wie möglich findet. Aber warum schleift er sie zu allem Überfluss noch durch die Gegend, lässt die Waffe da, ich meine, das gibt doch alles keinen Sinn.«

»Soll es auch nicht. Er spielt Theater«, sagte Cüpper. »Inszeniert Ablenkungsmanöver, tut scheinbar unlogische Dinge. Aber sie ergeben Sinn, wenn man bedenkt, wie viel Zeit die blöde Polizei darauf verwenden muss, sich mit ihnen zu beschäftigen.«

»Er hätte Hartmann tatsächlich an den nächsten Baum hängen können, was?«

»Ja, und mit Lametta dekorieren. Hauptsache, beide Leichen wurden schnell gefunden.«

»Es war eben doch richtig, dass ich Hartmann von der Liste gestrichen habe«, bemerkte Rabenhorst nicht ohne Häme.

»Durchaus. Es war nur nicht richtig, dass Sie hinterher erst angefangen haben, drüber nachzudenken. Egal.« Cüpper legte die Fingerspitzen aufeinander. »Beide Opfer gehen auf dasselbe Konto. Sie sind zwingender Bestandteil seines Plans.«

»Am Ende solcher Pläne steht im Allgemeinen Geld«, meinte Rabenhorst. »Was wieder auf von Barneck deuten würde.«

»Oder auf den Italiener.«

»Wieso gerade auf den?«

»Was braucht ein gedungener Killer, um an seine Prämie zu kommen?«

»Einen Beweis für seine Auftraggeber. Ach so.«

»Wissen Sie, was mir dabei durch den Kopf geht? Dieser ominöse Italiener hat sich prall und breit vor den Bazaar gestellt und mehrere Leute unverblümt nach Inka von Barneck gefragt. Alle können ihn beschreiben. Astrid Hasling kam er sogar bekannt vor. Finden Sie das nicht auch ein bisschen seltsam?«

»Alles an diesen Morden ist ein bisschen seltsam.«

Cüpper verzog das Gesicht. Ihm missfiel die Konsequenz aus seinen Überlegungen. Jemand spielte Katz und Maus mit ihnen.

»Okay, wir werden einiges zu tun bekommen«, sagte er. »Ich setze von Barneck ins Bild, falls er es – oh Wunder! – nicht schon weiß. Sie schnappen sich ein Team und stellen Hartmanns Wohnung auf den Kopf. Es muss eine Verbindung zwischen ihm und Inka geben.«

»Augenblickchen.« Rabenhorst lächelte klug. »Darf ich erst noch einen Namen von der Liste streichen?«

»Wenn Sie es begründen können.«

Astrid Hasling verschwand unter dem Schwarz des Filzstifts.

»Wissen Sie, Rabenhorst«, sagte Cüpper, »im Grunde sind Sie doch ein verdammt fähiger Kriminalist.«

Rabenhorst senkte bescheiden den Blick.

»Was könnten Sie erst für ein Kerl sein, wenn Sie wüssten, dass man Beethoven mit drei e schreibt!«

Rabenhorst musste husten.

»Wieso mit drei? Ich dachte…«, begann er und biss sich auf die Zunge. Zu spät.

»War mir klar«, seufzte Cüpper und verschwand hinter einem Rosinenteilchen.

# Philharmonie

Dummerweise hatte Rabenhorst gelogen und war sein Lebtag nicht in der Philharmonie gewesen. Zur Strafe schickte ihn das Schicksal dreimal um das komplette Museum Ludwig, bis er endlich den Haupteingang fand.

Das Personal vom Vorabend hatte frei, bis auf eine farblose Frau, die missmutig Programmhefte sortierte. Die Adressen ihrer Kollegen kannte sie nicht, vergrätzte Rabenhorst aber mit dem vagen Hinweis, wonach einer in Immekeppel wohne und ein anderer noch weiter draußen. Das war ärgerlich. Es bestand nämlich kaum Anlass zu erwarten, dass irgendetwas bei der Befragung rauskommen würde. Wenn man eine Karte abreißt, schaut man einem selten ins Gesicht.

Aber Rabenhorst hatte Glück. Die Expedition ins Bergische erledigte sich, als er mutlos mit von Barnecks Foto wedelte und plötzlich einen Blick wie aus Flammenwerfern erntete. Was, der?! Ja, der sei da gewesen! Und wie der da gewesen sei!

Rabenhorst freute sich und hakte nach. Die Frau war inzwischen rot angelaufen und ließ einen Schwall von Worten auf ihn niedergehen. Demzufolge war von Barneck der Kartenabriss nicht schnell genug gegangen. Als er endlich an die Reihe kam – wohlgemerkt um fünf vor acht! –, hatte er das Personal mit den Namen einiger in

Köln nicht heimischer Tierarten bedacht und nach dem Direktorium geschrien. Das philharmonische Konsortium sei ein Sauhaufen. Er versprach lange und blumige Briefe an gewisse Verantwortliche, hielt längere Zeit den Verkehr auf und ließ sich endlich murrend dazu bewegen hineinzugehen. Ja, dieser Herr sei da gewesen, aber so was wie dieser Herr, das sei noch niemals da gewesen!

Rabenhorst dankte den Göttern, dass er nicht nach Immekeppel musste.

»Darf ich«, säuselte er galant, »die Gelegenheit wahrnehmen, mich für diesen Herrn zu entschuldigen?«

»Nein«, sagte die Frau und fuhr fort, ihre Programme zu sortieren.

Rabenhorst schwieg. Er dachte kurz über den Sinn und Zweck einer Philharmonie nach, verstand ihn nicht und ging.

# Cüpper

Etwa zur gleichen Zeit stapfte Cüpper durch den Lehm von Rösrath. Er hatte gehofft, von Barneck zu Hause anzutreffen, dort aber nur die Köchin vorgefunden, die nichts wusste, dafür umso ausgiebiger über ihren Mann herzog. Mit einigem Geschick gelang es Cüpper schließlich, von Barnecks Aufenthaltsort in Erfahrung zu bringen. Er sei in Rösrath auf der Baustelle, und ihr Mann sei gar kein richtiger Butler, sondern ein Schafskopf. Cüpper bedankte sich eilig und ergriff die Flucht.

Leider hatte sie ihm nicht verraten, dass die Baustelle ein riesiger künstlicher Hügel und vom Regen bis in beträchtliche Tiefen aufgeweicht war. Cüppers elegante Herrenschuhe versanken bei jedem Schritt im Matsch, und seine Laune sank entsprechend mit.

Auf der Anhöhe vor ihm zeichneten sich die Umrisse einer Frau gegen den verhangenen Himmel ab.

»Gehen Sie vorsichtig!« rief Eva Feldkamp.

Cüpper hob die Hand und geriet vollends aus dem Gleichgewicht. Einzig der Umstand, dass sein Absatz sich in einer Wurzel verkeilte, bewahrte ihn davor, der Länge nach in den Dreck zu fallen.

»Ein paar Meter weiter rechts sind Bretter!«

Cüpper schaute sich um, entdeckte die Planken und latschte unbeholfen auf festeren Grund. Die schwarzen

Lackschuhe wiesen schmutzig braune Kappen auf. Wie eine Mischung aus Al Capone und einem Ferkel, schoss es ihm durch den Kopf. Er fluchte, beschleunigte seinen Schritt – endlich war er oben! Vor ihm erstreckte sich eine Hochebene, gesäumt von Containerbauten und Maschinen. Wolken zogen durch Pfützen, deren Oberfläche sich fein kräuselte, sobald der schwülwarme Wind über sie hinwegstrich. Weiter hinten stieg das Gelände an bis zum Waldrand. Ein Bagger kroch sauriergleich auf die schwarzen Wipfel zu. Langsam kam eine Gruppe Leute von dort herüber. Allen voran leuchtete von Barnecks weißer Schopf.

Es war trostlos und beeindruckend zugleich. Der richtige Ort für eine Hiobsbotschaft.

»Was bauen sie hier?«, fragte Cüpper und gab sich Mühe, Eva Feldkamp nicht anzustarren. Sie trug ein elegantes, weinrotes Kostüm mit gepolsterten Schultern, schwarze Nylons und militarygrüne Gummistiefel.

»Nichts Wesentliches«, erwiderte sie vergnügt. »Nur ein kleines Einkaufszentrum.«

»Warum auf einem Hügel?«

»Warum nicht? Übrigens, haben Sie sich mal an meiner Tarte versucht?«

Cüpper sah an sich herunter und hielt es nicht länger aus. Er bat um ein Papiertaschentuch und rieb notdürftig seine Schuhe sauber.

»Nein«, sagte er. »Aber wenn ich eine backe, lade ich Sie ein. Versprochen.«

»Ich brenne darauf!«

257

Da war es wieder, ihr Lächeln, und mit ihm erschienen die beiden Grübchen wie gut gelaunte Freunde. Cüpper fühlte sich elend.

»Ich habe schlechte Nachrichten für Sie«, sagte er leise. »Sehr schlechte.«

Das Lächeln verschwand.

»Bin ich verhaftet?«

»Schlimmer. Max Hartmann ist ermordet worden.«

Er hatte sich ausgemalt, wie sie reagieren würde. Aber zuerst reagierte sie überhaupt nicht. Sie schien nur vollkommen erstarrt zu sein. Wie immer in solchen Momenten spürte Cüpper, wie ein Teil von ihm sich abspaltete. Ein distanzierter Beobachter, freundlich interessiert, aber ohne wirkliche Regungen, der jede Einzelheit seiner Umgebung archivierte, einen Haufen Banalitäten, um den wahren Schrecken aufzuwiegen.

»Es tut mir leid«, sagte er aufrichtig.

»Was ist geschehen?« In ihrer Stimme schwang etwas mit, als streiche eine Säge über Violinsaiten.

»Er wurde erstochen. Er…« Cüpper zögerte. »Er trug die Verkleidung Fritz von Barnecks.«

Ihre Kinnlade bebte. Sie steht kurz davor, die Nerven zu verlieren, dachte er. Ihr Schutz vor der Wirklichkeit gerät ins Wanken. Das Gefühl, in einem Film zu sein, sich selbst zu inszenieren, das Repertoire der Gefühle souverän zu beherrschen, alles verschwindet in einem bodenlosen Schacht.

»Würden Sie mich eine Weile entschuldigen«, sagte sie leise.

Cüpper nickte wortlos. Langsam wandte sie sich ab und ging hinüber zu den Baracken. Nach ein paar Schritten knickte sie ein, fing sich wieder und setzte ihren Weg fort. Cüpper sah, wie sie die herankommende Gruppe passierte und von Barneck sie ansprach. Offenbar blieb sie die Antwort schuldig. Er versuchte es ein zweites Mal, erfolglos, und schaute dann sichtlich verwirrt in Cüppers Richtung. Gestikulierend sagte er etwas zu den anderen, und die Gruppe löste sich auf. Plötzlich hatte er es sehr eilig. Die letzten Schritte lief er fast, während Cüpper ihm entgegenschritt.

»Was zum Teufel haben Sie ihr erzählt?«

»Wir müssen reden«, sagte Cüpper.

»Reden, Sie wollen immer nur reden!« Von Barneck bleckte die Zähne. »Warum machen Sie nicht einfach Ihren Job?«

»Gerade mache ich ihn. Mehr, als Ihnen lieb sein wird.«

Der Millionär fuhr sich mürrisch durch die Haare und warf einen Blick auf die Gruppe, die inzwischen einen anderen Weg eingeschlagen hatte und am Rand des Hügels Messungen vornahm.

»Schon gut, tut mir leid. Ich bin im Stress. Nichts läuft. Augenblicklich kümmere ich mich hier um alles im Alleingang.«

»Ich fürchte, das wird so bleiben.«

Von Barneck erstarrte mitten in seinen Bewegungen. Seine Augen richteten sich aus wie zwei Gewehre.

»Was wollen Sie damit andeuten?«

Cüpper fühlte sich so gut wie erschossen.

»Nichts. Ich muss Ihnen die traurige Mitteilung machen, dass Ihr bester Freund ermordet wurde.«

»Mein… Freund?«, echote von Barneck verblüfft.

»Max Hartmann. Er war doch Ihr Freund?«

Einen Moment lang wirkte von Barneck völlig hilflos. Seine Mimik geriet auf fatale Weise in Unordnung. Er trat einen Schritt zurück und blickte hinüber zu der Baubaracke, in der Eva Feldkamp verschwunden war. Dann erlangte er seine Beherrschung zurück, nur, dass seine Stimme plötzlich jede Modulation verloren hatte.

»Was ist passiert?«

»Das, was passieren musste, nehme ich an. Er war schließlich in Ihre Rolle geschlüpft, als man ihn ermordete.«

»Was???«

»Sie haben nichts davon gewusst?«, fragte Cüpper überrascht.

»Nein, ich… Max hatte keinen Auftrag.« Die Brust des Maklers hob und senkte sich ein paar Mal, als pumpe er Sauerstoffreserven in sich hinein, um das alles durchzustehen. Eigentümlich, dachte Cüpper, er reagiert anders als auf den Tod seiner Frau.

»Wann haben Sie ihn das letzte Mal gesehen?«, forschte er.

»Gesehen? Vorgestern!«

»Und gesprochen?«

»Gestern Abend. Das kann nicht wahr sein! Er rief mich an, es muss um halb elf gewesen sein, vielleicht auch früher. Er sagte… großer Gott. Er hatte recht!« Von

Barneck ging unentschlossen ein paar Schritte auf und ab und blieb dann dicht vor Cüpper stehen.

»Sagen Sie mir, was passiert ist.«

»Er hatte recht? Womit?«

»Hat man ihn…« Von Barneck rang nach Worten. »Was haben die mit ihm gemacht?«

»Wer sind die?«

»Keine Ahnung, verdammt noch mal!«

Cüpper sah ihn scharf an. »Sind Sie sicher? Überhaupt keine Vorstellung, wer es gewesen sein könnte?«

»Nein, zum Teufel!«

»Es war immerhin sein Job, notfalls für Sie zu sterben.«

Von Barneck schüttelte den Kopf und sah an ihm vorbei.

»Erzählen Sie schon, was passiert ist.«

»Er wurde erstochen. Vermutlich draußen am Stadtrand. Wir fanden seine Leiche in einem Gebüsch nahe der Militärringstraße.«

»Entsetzlich«, flüsterte von Barneck.

»Warum so sentimental?«, sagte Cüpper hart. »Sie mussten doch damit rechnen. Was überrascht Sie so, dass es jetzt geschehen ist?«

»Weil… das können Sie nicht verstehen. Wenn man sich jahrelang kennt, ändern sich die Parameter.«

»Sie haben also eine Hälfte Ihres Ich verloren.«

Von Barneck schwieg.

»Oder könnte man sagen, Sie haben sich von ihm befreit?«

Es war, als hätte er auf den falschen Knopf gedrückt.

Blitzschnell schoss die Hand seines Gegenübers auf ihn zu und stoppte kurz vor seinem Gesicht, den Zeigefinger starr erhoben. Es war so rasch gegangen, dass Cüpper nicht mal hatte zurückzucken können.

»Sie gehen mir auf die Nerven, Mann!«, knirschte von Barneck. »Sie gehen mir schrecklich auf die Nerven.«

Verblüffend. Hatte er von Barneck so tief getroffen? Oder war alles nur Theater?

Fritz ist eine Maschine, hatte Eva gesagt. Das mochte stimmen, aber wenn, bezog es sich nicht alleine auf von Barnecks Innenleben. Seine ganze Motorik hatte etwas beängstigend Präzises, als steuere ein Programm jede seiner Bewegungen.

Cüpper schob den ausgestreckten Arm zur Seite.

»Ich mache meinen Job«, sagte er lapidar. »Genau das, was Sie wollten.«

»Ihr Job kann nicht darin bestehen, mich jeder erdenklichen Schandtat zu verdächtigen.«

»Ich habe nicht gesagt, dass ich Sie verdächtige. Andererseits, warum haben Sie mir nicht gesagt, dass Sie ohne Ihre Frau ein armer Schlucker wären?«

Von Barneck starrte ihn an. »Was ist das denn für ein Quatsch?«

»Kein Quatsch. Wir haben uns ein bisschen schlau gemacht. Sie selber sind nie reich gewesen. Das Geld kam von Inka. Ihr gehörte alles, was Sie jetzt besitzen, stimmt's? Das Haus, die Firma. Kaum auszudenken, wenn sie sich hätte scheiden lassen.«

»Sie mieser, kleiner…«

262

»Sagen Sie's ruhig. Schnüffler? Ich bin ganz froh, einer zu sein. Es hält die Straßen sauber. Nun, Sie können die unpassende Wortwahl wettmachen, indem Sie mir für gestern ein glaubwürdiges Alibi liefern. Es liegt ganz bei Ihnen – miteinander oder gegeneinander.«

Von Barneck entspannte sich. Plötzlich wirkte er müde. Beinahe menschlich. »Vergessen Sie's. Ich war zu Hause.«

»Unter Zeugen?«

»Natürlich. Schmitz erzählte mir heute Morgen, ich sei kurz vor Mitternacht in der Bibliothek eingeschlafen. Gegen zwei hat er mich geweckt, weil er meinte, ich sei im Bett bequemer aufgehoben.« Von Barneck versuchte sich an einem Grinsen, aber es wurde eine verzerrte Fratze daraus. »Womit er recht behielt.«

»Was hat Hartmann gesagt, als er Sie anrief?«

Von Barneck schaute mit zusammengekniffenen Augen in den Himmel. »Er war beunruhigt«, sagte er.

»Weshalb?«

»Da war ein Treffen. Jemand hatte ihn angerufen und behauptet, ein Bekannter aus Mailand zu sein. Im Prinzip unmöglich, weil niemand aus dieser Zeit Max' Verbleib kennen, geschweige denn wissen kann, dass er mich doubelt. Wir hatten alle seine Spuren gründlich verwischt. Nachdem er für mich arbeitete, gab es quasi keinen Max mehr. Aber ebendarauf spielte die Person an. Sie behauptete, Hartmann von einer Konferenz her zu kennen, auf der er in meiner Maske aufgetreten war. Es ging um einen Abschluss. Ich erinnere mich an das Geschäft. Es lief glatt über die Bühne, kein Mensch kann etwas gemerkt haben.«

»Was waren das für Geschäftspartner?«

»Sagen wir mal, ehrenwerte Leute. Mit dem üblichen verschwommenen Hintergrund, bei dem man es besser belässt.«

»Wo sollte das Treffen zwischen Max und dem Anrufer stattfinden?«

»Im Foyer des Domhotels. Ich sagte Max, geh da nicht hin, vergiss es. Dann bat er mich, nach einem schwarzen Notizbuch zu suchen, das er glaubte, bei mir liegengelassen zu haben.« Von Barneck machte eine Pause und schüttelte den Kopf. »Ich kann einfach nicht glauben, dass sie ihm etwas angetan haben.«

»Wer sind sie, von Barneck?«, drängte Cüpper.

»Das ist doch jetzt unerheblich. Wenn ich es wüsste, würde ich selber Maßnahmen in die Wege leiten.«

»Und das Notizbuch?«

»Nicht gefunden. Max meinte, es stünde etwas Wichtiges darin, was ihm bei dem Treffen nützen könnte. Nicht, dass er wirklich Angst hatte. Er hielt das Ganze für ein Missverständnis.«

Cüpper gewahrte eine Bewegung weiter hinten und hob den Kopf.

Eva Feldkamp hatte die Baracke verlassen und kam zurück. Etwas in der Art, wie sie ging, erregte Cüppers Aufmerksamkeit. Steif, eine Hand hinter dem Rücken, lange Schritte.

»Wir bekommen Besuch«, sagte er.

Von Barneck runzelte die Stirn. »Oh, Eva. Wie hat sie es aufgenommen? Als ich fragte, was los sei, schien sie völlig weggetreten. Keine Reaktion.«

»Ja. Es muss sie fürch…«

Weiter kam er nicht. Eva Feldkamp war bei ihnen angelangt. Ohne in ihrem Schritt innezuhalten, schwang sie den verborgen gehaltenen Arm nach oben. Cüpper sah etwas aufblitzen, registrierte, wie von Barneck eine schnelle Drehung vollführte, während das dünne, glänzende Ding heruntersauste, und sprang vor. Im nächsten Moment hatte er ihren Arm gepackt und nach hinten gedreht. Sie schrie auf und sank in die Knie. Ein Schraubenzieher von mörderischer Größe entglitt ihren Fingern und blieb im Schlamm stecken.

Von Barneck blickte ungläubig auf sie hinunter.

»Bist du wahnsinnig?«, keuchte er.

Cüpper lockerte den Griff, aber sie machte keine Anstalten aufzustehen. Ihr ganzer Körper zitterte. Dann richtete sie ihre Augen langsam auf von Barneck.

»Du hast ihn umgebracht«, sagte sie leise.

»Was?«

»Du hast ihn umgebracht. Du hast ihn umgebracht. Du hast ihn umgebracht!!!«

# Spichernstraße

»Wer hat ihn umgebracht?«, fragte der Mann im weißen Overall.

Rabenhorst schreckte hoch und klappte hastig das Kochbuch zu. »Zweihundert Gramm Kartoffeln«, sagte er.

»So? Wie ungewöhnlich.«

»Entschuldigung, ich hatte gerade… ich war…« Er legte das Buch weg und setzte die Miene des professionellen Skeptikers auf. »Haben Sie schon das Bad durchsucht? Bestimmt haben Sie noch nicht das Bad durchsucht.«

»Wir sind dabei. Ihr könntet uns ruhig mal was erzählen. Wir von der Spurensicherung kriechen in die Unterhosen fremder Leute, verhören jede Teppichfaser, und das war's dann.«

»Jaja! Ich weiß nicht, wer ihn umgebracht hat.« Wie peinlich, dass man ihn dabei ertappt hatte, Hartmanns Kochbücher zu studieren, anstatt in der Mikrowelle nach Leichenteilen zu suchen. Aber die Versuchung war zu groß gewesen.

Er räusperte sich.

»Was von Bedeutung gefunden?«

»Woher soll ich das wissen? Ihr erzählt uns ja nichts über den Fall, da kann alles von Bedeutung sein.«

»Unterhosen sind nicht von Bedeutung«, ereiferte sich Rabenhorst.

»Aber das hier.« Krüger lehnte im Türrahmen und winkte mit einem Stapel Fotos. Hinter ihm demontierten seine Leute fleißig Hartmanns Interieur. »Und«, fuhr er fort, »das.« In seiner anderen Hand tauchte etwas Schwarzes auf.

Rabenhorst sah genauer hin. »Ein Notizbuch? Meinetwegen. Was ist auf den Bildern?«

Krüger grinste.

»Das verbindende Glied zwischen Inka von Barneck und Max Hartmann.«

»Donnerwetter! Und das wäre welches?«

Krüger reichte ihm die Fotos.

»Seines«, sagte er.

# Cüpper

Sie saßen vor ihm wie die zwei Affen, nachdem der dritte gestorben war. Eleonore Schmitz wischte sich immer wieder die Augen, während der Butler verschleierte Blicke in die Runde warf.

»Ach, is dat furchbar«, lamentierte sie und zog sehr undamenhaft einen größeren Posten Rotz hoch. Sie sagte es zum fünften oder sechsten Mal. Cüpper versuchte es bei ihrem Mann.

»Herr von Barneck wartete also auf sein Taxi?«

»So ist es.« Schmitz versuchte, seiner Stimme Festigkeit zu verleihen. »Herr von Barneck fuhr in die Philharmonie und kam um Viertel nach zehn zurück. Das kann ich verlässlich sagen. Ja, ich weiß ganz genau, dass es Viertel nach zehn war und nicht später oder früher.«

»Woher denn?«, fuhr ihn seine Frau an. »Du warst doch eingeschlafen!«

»Ich habe auf die Uhr gesehen«, bemerkte Schmitz pikiert. »Ich sehe oft auf die Uhr, es ist wichtig, dass man immer wieder auf die Uhr sieht. Eine Eigenschaft, die du in über vierzig Jahren Ehe nicht ansatzweise entwickelt hast.«

»Wir sind nie zu spät gekommen irgendwo!«

»Ja. Weil ich auf die Uhr gesehen habe!«

»Und weiter?«, fragte Cüpper.

»Er äußerte sich abfällig über die künstlerische Qualität des Abends und wollte im Folgenden nicht gestört werden. Zwecks dessen zog er sich ins Arbeitszimmer zurück. Aber schon fünf Minuten später schellte das Telefon. Es war Herr Hartmann...«

»Ach, is dat furchbar!«, heulte die Köchin.

»Eleonore, bitte.«

»Schön, es war Hartmann«, seufzte Cüpper. »Und was wollte er?«

»Er bat mich, ihn mit Herrn von Barneck zu verbinden, was ich selbstverständlich tat. Danach ging ich zurück in die Küche zu besagter Suppe, über der ich, wie meine Frau bemerkte, wohl nicht ganz von ungefähr eingeschlafen war...«

Eleonore Schmitz pumpte ihren ohnehin gewaltigen Busen zu solcher Größe auf, dass Cüpper versucht war, in Deckung zu gehen. Die erwartete Doppeldetonation blieb aus.

»Das ist ja wohl die Höhe. Die beste Erbsensuppe von ganz Köln, und du erfrechst dich vor dem Kommissar...«

»Ich bin sicher«, warf Cüpper eilig ein, »dass es die Suppe aller Suppen ist, gnädige Frau. Wenn Sie indes so freundlich wären, mich weiterhin über den gestrigen Abend ins Bild zu setzen.«

»Siehst du«, triumphierte Schmitz. »Er findet deine Suppe wenig hilfreich.«

»Quatsch nicht. Kochen Sie, Herr Kommissar?«

»Mit Leidenschaft.«

»Dann geh ich grad mal in die Küche«, sagte sie unter Tränen, »wegen dem Rezept.«

»Später«, bat Cüpper verzweifelt. »Wir wollen bitte bei Herrn Hartmann bleiben.«

Wieder wurden ihre Atemwege von einem gewaltigen Sog heimgesucht. Cüpper hielt sich unwillkürlich an der Sessellehne fest, um nicht für immer in den höhlenartigen Nasenlöchern zu verschwinden. Sie riss die Augen auf, öffnete den Mund und stand ganz offensichtlich im Begriff, etwas von ungeheurer Tragweite auszuspeien.

Schmitz und Cüpper starrten sie erwartungsvoll an.

»Ach, is dat furchbar!!!«

»Eleonore!«

Cüpper fasste einen Entschluss. »Passen Sie auf, Frau Schmitz. Ich brenne darauf, Ihre Suppe nachzukochen. Rufen Sie mich an, und geben Sie mir das Rezept. Dafür sagen Sie in den nächsten fünf Minuten gar nichts mehr. Ist das ein Deal?«

»Was ist ein Diehl!?«, fragte sie kleinlaut.

»Ein Deal ist… egal. Herr Schmitz, die Fortsetzung.«

Schmitz reckte das Kinn. »Nun, Herr von Barneck rief nach einem Cognac. Das tut er oft. Ich brachte ihm einen Otard, wobei ich kurze Fetzen seines Telefongesprächs sozusagen zwangsweise… äh…«

»Sozusagen.«

»Er erwähnte Mailand und eine Verabredung. Jemand hält dich zum Narren, sagte er. Geh nicht hin. Das alles liegt Jahre zurück. So in der Art hat er sich ausgedrückt.« Der Butler ließ ein trockenes Husten hören. Frau Schmitz sah Cüpper viel sagend an und machte mit der rechten Hand imaginäre Rauchbewegungen. »Jedenfalls,

Herr von Barneck stellte das Gespräch wieder zurück in die Halle, wo ich kurz mit Herrn Hartmann sprach. Ich sollte nach einem schwarzen Notizbuch suchen. Währenddessen sah ich Herrn von Barneck ins Wohnzimmer gehen. Später wechselte er in die Bibliothek, wo er einschlief. Lange nach Mitternacht ging er dann zu Bett.«

»Wann genau?«, hakte Cüpper nach.

»Eine gute Frage. Ich bedaure, mich in diesem Fall mit einer Schätzung begnügen zu müssen. Zwei, halb drei.«

Frau Schmitz machte eine wegwerfende Handbewegung und zwinkerte Cüpper zu.

»Und dann?«

»Ich suchte weiterhin nach dem Notizbuch, konnte es jedoch – mit Verlaub – nicht finden.«

»Weil du nicht richtig nachgesehen hast«, platzte seine Frau heraus.

»Frau Schmitz, Sie wollten brav sein«, fuhr Cüpper dazwischen, aber es war zu spät. Schmitz bedachte seine Frau mit einem Blick voller Verachtung. »Ich habe selbstverständlich überall nachgesehen. An Stellen, die du gar nicht kennst.«

»Ich kenne jede Stelle hier im Haus!«

»So? Aber sie kennen dich nicht, wenigstens nicht deinen Schrubber.«

»Wie willst du das beurteilen, du blinder alter Kacker? Er zieht seine Brille nämlich nur zum Autofahren auf, Herr Kommissar, der eitle Furz!«

»Wozu auch sonst? Ich käme ja täglich in den zweifelhaften Genuss deiner Physiognomie!«

Cüpper gab es auf und massierte sich die Schläfen. Mit einem Mal wurde es mucksmäuschenstill. Als er wieder hochsah, schaute er in zwei schuldbewusste Gesichter.

»Es ist nur, weil…«, begann Schmitz und kratzte sich verlegen. »Weil…«

»Ach, is dat furchbar!!!«

Nachdem feststand, dass von Barneck ein lückenloses Alibi vorweisen konnte, fuhr Cüpper in die Pathologie. Die Königin von Saba stand über einen geöffneten Körper gebeugt und wühlte darin herum.

»Na?«, sagte Cüpper.

»Warte einen Augenblick.«

»Was tust du da?«

»Sie muss hier irgendwo sein«, knirschte die Königin, ohne auf seine Frage einzugehen. »Es macht mich wahnsinnig.«

»Suchst du nach einer Kugel?«

»Wichtiger.«

Ein flatschendes Geräusch drang aus dem Brustkorb.

»Mist! Da ist sie auch nicht!«

»Hm.« Cüpper fixierte seine Fingernägel. »Ich weiß, du hast zu tun. Wir müssen trotzdem kurz über Max Hartmann sprechen.«

»Eine Sekunde noch!«, schrie die Königin. »Ich glaube… Ha! Da ist sie ja!« Er zog etwas Glänzendes, Verschmiertes ans Tageslicht und wedelte Cüpper damit vor der Nase rum. »Siehst du, in einem ordentlichen Haus geht nichts verloren.«

»Was ist das?«, fragte Cüpper angewidert.

»Meine Brille. War mir reingefallen. Hast du mal ein Tüchlein?«

»Augenblick. Hier.«

»Danke.« Brauner ging zum Tisch daneben und zog das Laken weg. Hartmann bot keinen schönen Anblick. »Um es kurz zu machen: Messerstich von hinten, absolut tödlich. Attraktives Kerlchen übrigens. Nur – guck mal da!« Er zeigte auf den linken Oberarm.

»Was?«

»Siehst du nicht? Iiih! Eine Tätowierung!«

Cüpper sah genauer hin. Der kleine Skorpion. Wie Schmitz gesagt hatte.

»Na und?«

»Also bitte! Ich bin Ästhet.«

»Du bist von gestern. Was ist mit der Todeszeit?«

»Zwischen 21 Uhr und 23 Uhr. Vielleicht 23.30 Uhr.«

»Sonst was Erwähnenswertes?«

»Ja. Schau dir die Handgelenke an.«

»Wieso? Schon wieder Tätowierungen?«

»Sieh genau hin.«

Cüpper ergriff Hartmanns Hände und untersuchte sie eingehend. In Höhe der Gelenke zeichneten sich Verfärbungen ab, kaum sichtbar.

»Druckstellen?«, fragte er.

»Ja, wenngleich sehr schwache. Trotzdem, ich glaube, dass man ihn gefesselt hat. Professionell, wahrscheinlich mit Tüchern unterlegt. Aber irgendwo muss was verrutscht sein. Das Bräunliche da ist eine Abschürfung, ich hab Faserreste von Kordel drin gefunden. Da es keinen Sinn ergibt, jemanden zu fesseln, der schon tot ist, vermute ich, er wurde zuerst kampfunfähig gemacht und dann erstochen.« Er zeigte auf weitere, winzige Wunden. »Das ist von der Schleiferei. Dein Mörder ist kräftig, Cüpper.«

»Deutet auf einen Mann hin.«

»Oh, es gibt starke Frauen, ahnungsloser Bengel! Wusstest du das nicht?«

Plötzlich dachte Cüpper an den Zoo.

»Doch«, sagte er.

Später, als er wieder im Wagen saß, hatte er große Lust, sie zu besuchen. Er hätte nicht einfach so verschwinden sollen. Schon sonderbar! Ständig liefen sie voreinander weg. Warum eigentlich?

Dann entschied er sich dagegen. Stattdessen fuhr er in die Klinik zu Astrid Hasling. Ihr Zustand war unverändert. Sie starrte an ihm vorbei, das Gesicht weiß wie ein Laken, nur dass die schwarzen Ringe verschwunden waren. Merkwürdigerweise sah sie jünger und hübscher aus, fast, als wollte sie jede Sekunde zwinkern und ins Leben zurückkehren.

»Es ist kein Koma«, sagte der Professor. Sie gingen den Flur entlang. »Sondern ein Zustand, den wir als katatonische Starre bezeichnen.«

»Was ist mit der Epilepsie?«

»Hat nichts damit zu tun. Möglicherweise diente die Epilepsie als Auslöser oder Verstärker. Katatonische Starre ist kein Resultat epileptischer Anfälle, sondern eine Art

Trauma. Wenn ich ehrlich bin, würde ich sie lieber in die Psychiatrie überweisen.«

»Was geschieht im Augenblick mit ihr?«

Der Professor wiegte den Kopf. »Im Allgemeinen fallen Leute in den Zustand der Katatonie, wenn das Quantum ihrer Erfahrungen das Vermögen der Kompensation übersteigt. Auf deutsch, sie machen zu. Sie verschließen sich gegen jeden äußeren Impuls, den ihr Gehirn zusätzlich verarbeiten müsste, und reisen zurück in die Vergangenheit. Dann leben sie alles noch mal durch und haken es gewissermaßen ab, schön der Reihe nach. Die Katharsis tritt ein, wenn sie dort angelangt sind, wo sie seinerzeit in Paralyse fielen.«

»Und dann wachen sie auf?«

»Nicht immer. Aber es sind etliche Fälle bekannt. Sie sind plötzlich wieder da und knüpfen nahtlos an den letzten Augenblick ihres bewussten Erlebens an, als wäre keine Zeit vergangen. Ein mir bekannter Arzt erzählte kürzlich von so einem Fall. Einer seiner Patienten war Zeuge des Mordes an seiner Frau geworden, scheußliche Sache. Er fiel in Katatonie. Als er erwachte, war er voller Trauer. Aber er hatte es verkraftet!«

»Und wie lange war er weg gewesen?«, fragte Cüpper. »Einen Tag? Eine Woche?«

Der Professor blieb stehen und schenkte ihm ein fast entschuldigendes Lächeln. »Nein. Dreißig Jahre.«

Mittlerweile lagen die Ergebnisse der kriminaltechnischen Untersuchung aus Wiesbaden vor. Inka von Barnecks Wohnung stellte nicht gerade eine Fundgrube dar. Allerdings hatte man im Wohnzimmer Haare gefunden, die nicht ihr gehörten. Einige davon entstammten dem unteren Körperbereich und wurden zusammen mit anderen Fakten als Beweis gewertet, dass Inka es kurz vor ihrem Tod auf dem Teppich getrieben hatte. Der Liebhaber war demnach blond – und trug Paillettenkleider.

Cüpper warf einen Blick auf den zweiten Bericht. Aus dem Grüngürtel wurde gemeldet, dass der Mord tatsächlich auf dem Kiesweg stattgefunden hatte. Man untersuchte noch die Spuren eines Wagens, was sich wegen der Regenfälle als schwierig erwies. Fingerabdrücke gab es keine, auch nicht auf dem Messer. Unterm Strich enttäuschend. Zwischen alldem eine Notiz, wonach Inka von Barnecks Leiche zur Bestattung freigegeben war. Sie sollte eingeäschert werden.

Cüpper schaffte mit einer Armbewegung Platz auf seinem Schreibtisch und ging daran, eine neue Liste mit Verdächtigen aufzustellen.

Seine Gedanken wanderten zu Eva Feldkamp. Er hatte versucht, sie zu beruhigen, während von Barneck bebend vor Wut von der Baustelle gestürmt war, beschämt durch ihre Vorwürfe, vor allem aber, nachdem ihm klar geworden war, in welcher Beziehung sie zu Max gestanden hatte.

Cüpper erklärte ihr geduldig, dass von Barneck zum Zeitpunkt des Mordes in der Villa gewesen war. Sie brach in Tränen aus, wiederholte die Beschuldigungen. Von Barneck war für sie der Mörder, weil er Hartmanns Tod in Kauf genommen hatte. Seine Mordschuld war moralischer Natur. Dass Hartmann den Job aus freien Stücken und in Kenntnis aller Risiken angenommen hatte, wollte sie nicht hören.

Schließlich musste Cüpper sie daran erinnern, dass sie diesen Zustand selber jahrelang geduldet hatte. Allmählich brachte er sie zur Besinnung. Schließlich willigte sie ein, sich mit von Barneck auszusprechen. Sie versprach, kein zweites Mal mehr die Kontrolle zu verlieren. Er versicherte im Gegenzug, von einer Festnahme wegen versuchter Körperverletzung abzusehen.

Etwas in ihr war zerbrochen. Als er ging, erkannte er die strahlende Schönheit nicht mehr, sondern sah nur eine Hülle.

Wie sehr musste sie Max geliebt haben.

Traurig dachte Cüpper, dass sie recht hatte. Jemanden zu bezahlen für die Möglichkeit, getötet zu werden, war kein Mord. Aber es war Schuld.

Erst auf der Zoobrücke wurde ihm bewusst, dass er soeben für von Barnecks Unschuld eingetreten war.

Und plötzlich überkam ihn das Gefühl, als hätte er die ganze vorangegangene Szene auf einem Fernsehschirm erlebt, zweidimensional und seltsam unwirklich, die Farben zu grell, der Ton zu laut.

# Fundsachen

Um die Mittagszeit kam Rabenhorst in sein Büro und pfiff wie ein Teekessel. Offensichtlich war er bester Laune.

Cüpper brachte ihn mit knappen Worten auf den letzten Stand.

»Alles kalter Kaffee«, sagte Rabenhorst und setzte sich.

»Warum?«

»Darum.« Er griff in seine Jacke und legte Cüpper einen Stapel Fotos vor die Nase.

»Was ist das?«

»Haben wir in Hartmanns Wohnung gefunden.«

Cüpper nahm die Fotos, betrachtete sie der Reihe nach, starrte Rabenhorst an, betrachtete sie ein zweites und ein drittes Mal und pfiff leise durch die Zähne. »Mann!«

»So was in der Art habe ich auch gesagt«, nickte Rabenhorst.

Die Bilder zeigten ein geschmackvoll eingerichtetes Schlafzimmer, immer aus derselben Perspektive aufgenommen. Auf dem Bett ein Mann und eine Frau, nackt und in eindeutigem Miteinander befasst. Beide waren klar zu erkennen.

»Da hätten wir ja unsere Verbindung«, sagte Cüpper.

»Sieht so aus.«

»Inka und Max! Verdammich! Haben Sie eine Ahnung, wie alt die Fotos sind?«

»Tja. Die Negative hat die Katz gefressen. Aber da vorne auf dem Stuhl liegt eine Illustrierte, sehen Sie?« Rabenhorsts Finger umrundete einen verwaschenen Fleck. »Krüger hat einen langen Blick darauf geworfen und behauptet, dass es sich um eine Ausgabe von *Moda di Milano* handelt. Woraus wir folgern wollen, dass Max und Inka in Italien was miteinander angefangen haben. So, und hier«, der Finger wanderte die Bettkante entlang, »sehen wir Hartmanns linken Arm. Er stützt sich gegen das Kopfteil des Bettes ab, an sich nichts Ungewöhnliches bei dieser Stellung. Nur, dann ist da noch dieses Foto. – Und dann das. – Auf dem da liegen sie quer. – Hier sie auf ihm. – Da ganz was Akrobatisches! – Und wo ist Hartmanns Hand?«

Cüpper räusperte sich. »Er drückt sie immer gegen dieselbe Stelle.«

»Aber wozu?«

»Fernauslöser.«

»Glaube ich auch. Hartmann hat die Fotos selbst geschossen. Wir haben aber noch ein paar gefunden.« Er reichte Cüpper einen weiteren Stapel. Auf dem ersten Abzug war ein Stadtpark im Zwielicht zu sehen. Ob Sonnenaufgang oder Sonnenuntergang, ließ sich nicht bestimmen. Im Hintergrund eine Kirche zwischen kastenförmigen Häuserreihen.

»Mailand?«, fragte Cüpper.

»Möglich. Bleibt zu überprüfen.«

Die nächsten Bilder waren gezoomt. Gestalten unter Bäumen. Inka von Barneck, außerdem ein dunkelhaariger, schlanker Mann mit Schnurrbart und überflüssiger Sonnenbrille, was die Tageszeit betraf.

Cüpper runzelte die Stirn. Hastig sah er den Stapel durch: Inka und der Unbekannte eng umschlungen. Küsse, leidenschaftlich! Seine Hand unter ihrer Bluse. Ihre in seiner Hose. Eine ganze Serie, beinahe ein Film.

»Interessant, nicht wahr?« Rabenhorst verschränkte die Arme hinter dem Kopf und grinste. »Hier ein Skandälchen, da ein Affärchen. Unsere Inka.«

Cüpper schwieg. Mit spitzen Fingern fischte er vier der Fotos heraus und legte sie in eine Reihe.

»Sieh mal einer an«, murmelte er.

»Was denn?« Rabenhorst rückte neugierig näher. »Ach, das da. Ja, sie greift ihm an die...« Er sah genauer hin. »Nein, verdammt, das tut sie nicht!«

»Warten Sie. Wir nehmen das Ganze mal unter die Lupe.«

Unter dem Vergrößerungsglas sahen sie eine bizarre szenische Abfolge. Wie sie ihn küsste, zu sich heranzog und dabei den Reißverschluss seiner Hose öffnete. Auf dem folgenden Bild war ihre Hand darin verschwunden. Dann, auf dem dritten, zog sie sie wieder hervor – und außerdem noch etwas, weiß und winzig, und ließ es zwischen die Falten ihres Kleides gleiten, auf dem letzten Foto.

»Rabenhorst«, sagte Cüpper. »Ich lasse mich prügeln und aufs Rad spannen, wenn das...«

»...kein Stoff ist!«

»Übergabe mit Lustgewinn. Eva Feldkamp sagte, Inka

hätte sich den Schädel vollgekokst. Irgendwie muss sie an das Zeug ja rangekommen sein.«

»Koks für Sex? Wozu? Sie hatte genug Geld, um den ganzen Kerl gleich mitzukaufen.«

»Ja, aber es hätte ihr wahrscheinlich keinen Spaß gemacht.«

Rabenhorst nickte. »Ob diese Bilder auch von Hartmann stammen?«

»Anzunehmen. Habt ihr sonst noch was gefunden?«

»Hier.«

»Das schwarze Notizbuch!«, rief Cüpper.

»War hinter einen Schrank gerutscht. Kein Wunder, dass Hartmann es nicht finden konnte. Machen Sie sich gar nicht erst die Mühe reinzuschauen. Es ist voller Zahlenreihen.«

»Zahlen?«

»Krüger meint, Max hat sämtliche Eintragungen codiert.«

»Du lieber Himmel! Kann denn nichts, aber auch gar nichts einfach sein an diesem Fall? Gut, wir könnten uns ein kleines, logisches Gebäude zimmern, Rabenhorst. Inka und Max haben eine Affäre. Max weiß, dass Inka sprunghaft ist und schnell die Nase von ihm voll haben wird. Boshaft, wie sie ist, würde sie nicht mal zögern, ihn vor von Barneck bloßzustellen, was ihn mindestens seinen Job kosten würde. Gleichzeitig aber lässt sie sich auf einen Flirt mit der Drogenmafia ein. Max, nicht dumm, spioniert ihr nach und fotografiert die Übergabe. Jetzt hat er Inka in der Hand.«

»Und den Drogenmann dazu. Vielleicht war Hartmann dumm genug, ihn zu erpressen.«

»Möglich.«

»Dann hätten wir ja alle beisammen. Inka, Max, den
Italiener, ein Motiv.«

»Was will man mehr?«

»Ergibt Sinn.«

»Tja.«

Eine Weile hingen sie ihren Gedanken nach.

»Glauben Sie dran?«, fragte Cüpper schließlich.

»Und Sie?«

Wieder wurde es still im Raum.

# Notariat

Päffgen griff mit vergilbten Fingern zur Zigarettenschachtel und fand sie leer. Sein ohnehin lippenloser Mund zog sich zusammen, bis er einer schlecht gelaunten Spardose glich.

»Frau Sechser!«, rief er scharf.

Aus dem Nebenzimmer kam seine Sekretärin hereingeeilt und rückte das falsche Stirnband auf dem falschen Haar zurecht. Sie trug die Perücke mit dem verschossenen Streifen Stoff nun schon, seit Päffgen sie eingestellt hatte, und das war vor fünfunddreißig Jahren gewesen. Mittlerweile litt er unter dem manischen Drang, sie ihr vom Kopf zu reißen und in eine Waschmaschine zu stecken, aber er fürchtete sich zu sehr vor dem, was dann zum Vorschein käme. Außerdem konnte es sich ein angesehener Notar nicht leisten, mit so einem Blödsinn womöglich in der Presse zu landen.

»Frau Sechser«, befand er ungnädig, »Sie wissen jenau, dass ich ohne Zijaretten nicht arbeiten kann.«

»Ist die Packung leer?«, erschrak sie.

»Leer is jar kein Ausdruck. Seiense mal so opportun und holense 'n paar Päckchen.«

»Meinen Sie nicht, Ihre Gesundheit…«

»Ich habe Sie nicht einjestellt, um mir medizinische Vorträje zu halten. Hier ist Jeld.«

»Drei Schachteln an einem Vormittag!«

»Besser, als ne Flachmann in der Schublad. Einstweilen darf ich dann mal um den Vorjang von Barneck bitten.«

Sie stakste beleidigt in ihr Reich und klapperte Dutzende von Hängeordnern durch, bis sie den richtigen gefunden hatte. Geziert legte sie ihm die Akte auf den Schreibtisch, nahm den Hunderter und rauschte mit vorgerecktem Kinn hinaus.

Päffgen sichtete die Unterlagen und wählte eine Nummer. Am anderen Ende wurde abgehoben.

»Herr von Barneck? Juten Tach. Päffgen, Notar zu Köln.«

»Was kann ich für Sie tun?«

»Es jeht um Ihre Frau.«

Eine kurze Pause entstand.

»Meine Frau ist tot.«

»Ich darf Ihnen mein Bedauern zur Kenntnis jeben und einen Termin zur Testamentseröffnung jleich dazu.«

» –! –!«

»Hallo? Sind Sie noch da?«

»Zur was???«

Päffgen blinzelte irritiert. »Na, Ihre Frau hat doch ein Testament hinterlassen!«

»Sie hat… ach ja, sicher. Natürlich.«

»Wussten Sie das nicht?«

»Doch, doch! Wann?«

»Wenn et Ihnen passt, morjen um drei in meinem Büro.«

»Augenblick… ja, geht in Ordnung.« Päffgen gab ihm

die Adresse, beendete das Gespräch und schüttelte den Kopf. Seltsam! Nachdenklich griff er zur Zigarettenpackung.

Leer.

»Frau...!«

Ach so. Die war ja welche holen. Er wählte die nächste Nummer. Ried, Marion.

# Billard

»Kann es sein«, fragte Rabenhorst, »dass Sie von Barneck einfach nicht mögen?«

»Hm«, machte Cüpper.

»Aber Sie verdächtigen ihn. Vielleicht zu Unrecht.«

»Weiß nicht, ob ich ihn wirklich noch verdächtige.« Rabenhorst griff nach der neuen Liste. Sie war kürzer als die erste, aber alles andere als aufschlussreich.

1. FRITZ VON BARNECK

Motiv für den Mord an Inka von Barneck:

*a) Geld.*

*b) Rache für Untreue.*

Alibi:  *Die Party.*

Allerdings:  *a) ... könnte Hartmann der Gastgeber gewesen sein.*

*b) ... könnte er Hartmann für den Mord bezahlt haben.*

*c) ... könnte er einen Killer engagiert haben, siehe Punkt 2.*

Motiv für den Mord an Max Hartmann:

*a) Beseitung eines Mitwissers, der entweder für ihn mordete oder ihn deckte.*

*b) Rache für Untreue.*

*c) Hartmann war zu mächtig gewor-*
*den.*

Alibi: *Philharmonie.*

Allerdings: *...könnte er einen Killer engagiert haben, siehe Punkt 2.*

## 2. DER ITALIENER
Motiv für beide Morde:

*a) Killer im Auftrag von Barnecks.*

*b) Killer im Auftrag der Mafia, um*

*b1)... Inka von Barneck und Max Hartmann zu töten.*

*b2)... Inka von Barneck und Fritz von Barneck zu töten.*

»b2 würde immerhin erklären, warum Hartmann von Barnecks Outfit trug«, sagte Rabenhorst.

»Ja«, stimmte Cüpper zu. »Vielleicht hat Eva Feldkamp recht, und von Barneck wusste, welche Gefahr ihm drohte. Also schickte er Hartmann. Falls er selber aber diesen Italiener angeheuert hat, musste er Hartmann irgendwie dazu bewegen, ihn zu treffen. Das konnte er am besten unter dem Vorwand eines Doppelgängerjobs. Erklärungen gibt es genug.«

»Wir dürfen trotz allem nie vergessen, dass von Barneck unschuldig sein kann. Der Anschlag könnte ihm gegolten haben, ohne dass er etwas davon wusste.«

»Was wiederum nicht erklärt, warum Hartmann dann in seiner Rolle auftrat.«

»Hartmann könnte ein eigenes, undurchschaubares Spiel gespielt haben. Sagen wir, er hat sich mit von Barnecks italienischen Feinden verbündet, um der Liaison schließlich selbst zum Opfer zu fallen.«

»Weiter, Rabenhorst. Ich komme mir vor wie einer, der im Moor versinkt.«

»Auf jeden Fall spielt dieser Italiener eine entscheidende Rolle.«

Cüpper dachte an Astrid Hasling.

»Dreißig Jahre«, murmelte er.

»Was?«

»Es ist zu blöde! Wir zerbrechen uns den Kopf über diesen Italiener, und der Schlüssel zu dem ganzen Fall liegt im Koma.«

»Astrid Hasling? Naja. Sie ist zumindest nicht mehr auf der Liste. Übrigens, die Alibis von Holger Renz und Ulrich Stoerer haben sich als lückenlos erwiesen. Es gibt kaum einen Grund anzunehmen, dass sie etwas mit Hartmanns Tod zu tun haben.«

»Bleiben wir also in der Familie«, seufzte Cüpper.


3. MARION RIED

Motiv für beide Morde:

        *a) Geld.*

        *b) Hass.*

Alibi:       *Im Fall Inka von Barneck Kino, keine Zeugen. Im Fall Max Hartmann noch nicht nachgeprüft.*

## 4. EVA FELDKAMP

Motiv: *Rache. Sie hatte herausgefunden, dass Max und Inka ein Verhältnis hatten.*

Alibi: *Im Fall Inka von Barneck angeblich mit Max zusammen.*

»Wo war sie denn gestern Abend?«, fragte Rabenhorst.

»Zu Hause«, erwiderte Cüpper. »Behauptet sie jedenfalls. Wieder keine Zeugen.«

»Halten Sie sie für fähig, Max zu töten?«

»Nein«, sagte Cüpper, ohne zu zögern. »Aber das muss nichts heißen.«

»Dann bleiben uns nur noch zwei.«


## 5. INKA VON BARNECKS LETZTER LIEBHABER

Identität, Motiv und Alibi: Unbekannt.


## 6. DIE PAILLETTE

Identität, Motiv und Alibi: Unbekannt.


»Womöglich derselbe«, knurrte Cüpper.

»Oder dieselbe«, meinte Rabenhorst. »Vielleicht sollten wir mal die Kleiderschränke unserer weiblichen Verdächtigen unter die Lupe nehmen.«

»Drei Durchsuchungsbefehle? Die werden uns was husten.«

»Wir sind keinen Schritt weiter.« Rabenhorst wirkte entmutigt. »Eher im Gegenteil.«

Cüpper zog eine Grimasse. Rabenhorst hatte recht.

Mit jeder neuen Spur wurde alles nur noch rätselhafter. Er stand auf, durchmaß das Büro mit langen Schritten und schlug mit der Faust gegen die Wand. »Da ist einfach von allem zu viel, Rabenhorst! Inszenierte Morde. Mafia. Mysteriöse Notizbücher. Fotos von Drogengeschäften. Sex! Geld! Hass!«

Er umrundete seinen Schreibtisch, gab dem Drehstuhl einen Tritt und ließ sich wütend gegen die Wand fallen.

»Ah«, sagte Rabenhorst. »Der Stuhl war's.«

»Reden Sie was Schlaues für Ihr Geld!«

»Reden Sie was Schlaueres. Sie verdienen mehr als ich.«

»Mir fällt nichts ein.« Cüpper stapfte zum Fenster und brütete vor sich hin, während er hinaus in den Regen starrte. Zäh verstrich die Zeit.

»Billard«, sagte er leise.

Rabenhorst hob träge den Kopf. »Sprechen Sie nicht immerzu in Rätseln.«

Cüpper ging zurück zu seinem Schreibtisch und legte imaginäre Kugeln in die Mitte, bis er ein gutes Dutzend beisammen hatte.

»War's zu viel die letzten Wochen?«, fragte Rabenhorst voller Mitleid.

»Käsekuchen! Was tun Verbrecher? Sie laufen weg. Schützen sich, verstellen sich. Hinterlassen irgendwelche Spuren. Sagen wir mal, unser Mörder ist eine Kugel. Welche, wissen wir nicht.«

Er nahm eine der unsichtbaren Kugeln und hielt sie hoch über die anderen. Dann ließ er sie fallen.

»Sie wissen, was passiert? Die Formation wird gesprengt. Alle Kugeln rollen gleichzeitig in unterschiedliche Richtungen, bewegen sich voneinander weg. Fliehen, wenn Sie so wollen. Welcher laufen Sie nach?«

Rabenhorst überlegte.

»Schwierig«, sagte er schließlich. »Laufe ich einer nach, entwischen mir die anderen. Solange ich die richtige Kugel nicht kenne, müsste ich jeder folgen.«

»Wie lösen Sie das Problem?«

»Ich nehme mir genug Leute, bis ich jeder Kugel folgen kann.«

»Gut. Das bedeutet?«

»Aufwand. Zeit und Geld. Worauf wollen Sie eigentlich hinaus?«

»Auf den Mörder. Welche Kugel ist der Mörder?«

»Keine Ahnung. Ich muss ja erst mal allen hinterher, dann muss ich sie fangen und einbuchten, verhören und so weiter.«

Cüpper lächelte dünn. »Sehen Sie, das ist die Crux. Unser Mörder ist nämlich gar nicht weggelaufen. Er ist die Kugel, die ich habe fallen lassen. Er liegt seelenruhig auf dem Tisch und hat ein Dutzend falscher Fährten gelegt. Keine führt zum Ziel, aber Sie rennen jeder hinterher. Und genauso kommt mir das hier vor.«

Rabenhorst betrachtete den Tisch, als lägen dort tatsächlich viele bunte Kugeln wild durcheinander.

»Mit anderen Worten, wir folgen Phantomen.«

»Ja. Eine Kugel rollt in die bizarre Ecke – ein Irrer, der seine Tatwaffe nicht mitnimmt. Eine zweite rollt nach Mailand. Plötzlich haben wir die Mafia im Spiel. Wieder eine rollt in den Abgrund der Gefühle, wo sich Hass und Liebe gegenseitig in den Arsch treten. Eine rollt zu einem unlesbaren Notizbuch, eine andere zu der weißen Perücke, mit der aus Hartmann von Barneck wurde. Und so weiter und so fort. Wissen Sie, was ich allmählich glaube?«

»Raus damit!«

»Dass nichts davon irgendeine Bedeutung hat. Alles Theater! Die Wahrheit liegt direkt vor unserer Nase. Sie ist so offensichtlich, dass wir sie übersehen.«

»Wer sagt Ihnen das?«

»Mein Gefühl.«

Rabenhorst ließ das einen Augenblick auf sich wirken.

»Dann sagen Sie Ihrem Gefühl, das reicht nicht.«

Cüpper seufzte.

»Das weiß es selber.«

# Klinik

Mittag.

Der Professor war essen. Verschiedene Ärzte mit ihm. Andere gingen ihren Pflichten nach. Im Umkreis einiger Dutzend Meter war die Station unbesetzt bis auf zwei Krankenschwestern, die Karten spielten. Sie saßen in einem kleinen, nüchtern getünchten Raum und wünschten sich nichts sehnlicher als schlafende Patienten.

Aber etwas in der Station schlief nicht länger. Es trieb empor an die Oberfläche des Bewusstseins, versuchte seinem Gefängnis zu entfliehen.

»Karo-Ass«, sagte die Schwester mit dem etwas ordinären Mund, wegen der so viele Männer klingelten, auch wenn gar nichts war.

»Passe«, kam es missmutig von der anderen.

Jenseits ihrer nüchternen Enklave erstreckte sich der Hauptgang, ein Korridor mit schäbigem Linoleum, lindgrün und altweiß, an dessen Ende jeglicher Lebenswille zu ersterben schien. Nur in einem der hinteren Zimmer, kurz vor der alles begrenzenden Wand, wurde er stärker und stärker.

# Revier

»Telefon«, sagte Rabenhorst.

Cüpper warf ihm einen undefinierbaren Blick zu, rückte seine Krawatte zurecht und ging ran.

»Hier Schmitz«, tönte es kraftvoll aus der Leitung.

»Frau Schmitz!« Cüpper verdrehte die Augen, so dass Rabenhorst wider Willen lachen musste. »Wie nett. Wie ausgesprochen nett.«

»Ich wollte Ihnen doch noch das Rezept geben, erinnern Sie sich?«

»Aber ja. War's Erbsensuppe?«

»Ganz genau! Wissen Sie, mein Mann, der hat ja überhaupt keinen Draht zum Kochen. Haben Sie bestimmt gemerkt. Er ist ja auch ein bisschen senil geworden mit den Jahren, gerade in den letzten zwei, das kann ich Ihnen sagen! Nicht, dass ich ihm was Böses will, um Himmels willen! Aber seinerzeit, als wir geheiratet haben, war der ganz anders. Auch viel jünger!«

»Frau Schmitz, das ist alles hochinteressant.«

»Versteh schon, das Rezept. Sie brauchen Erbsen.«

»Wer hätte das gedacht!«

»Kartoffeln reichlich, mehr als Erbsen. Mehlig kochend! Lauch und Möhren, Sellerie, kein Wasser! 'n schöner Hühnerfond, das ist was Feines. Gelbe Rüben, Petersilie…«

Cüpper versuchte angestrengt, ihrem Tempo zu folgen. Sein Stift raste über das Papier. Es war das unstrukturierteste Rezept, das ihm jemals untergekommen war, aber er nahm sich grimmig vor, es nachzukochen.

»…mit Majoran abschmecken«, endete der Kochkurs. »Mein Mann kann einen ganzen Kessel davon essen. Ich sag dann immer, tu das doch nicht! Du weißt doch, dass du dann nicht schlafen kannst. Letztes Mal hab ich noch gesacht, ich sach, Heinz, sach ich. Aber denken Sie, der Mann hört zu?«

»Es war jedenfalls sehr nett von Ihnen, dass…«

»Der hat halt keinen Biss mehr, wie auch, ohne Zähne! Hört er natürlich gar nicht gern! Aber das ist sogar schon Herrn von Barneck aufgefallen. Da fährt der dann halt mit dem Taxi in die Philharmonie, man muss sich schämen. Ich sach zu meinem Mann, setz dich doch durch!«

»Wie recht Sie haben.«

»Ich sach, du bist Chauffeur. Warst immer pünktlich. Bist doch zuverlässiger als jeder Taxifahrer. Ich meine, da will man ins Konzert, Punkt acht geht's los, da kommt das Taxi erst um zehn vor acht, wie soll der Mensch das schaffen?«

Cüpper erstarrte.

»Was sagen Sie?«, flüsterte er.

»Wie?« Frau Schmitz war verwirrt. »Was soll ich denn gesagt haben?«

»Das Taxi für Herrn von Barneck kam um zehn vor acht? Wissen Sie das genau?«

»Ja, sicher! Ich guck ja auch mal auf die Uhr, nicht, wie

mein Mann behauptet, dass ich das nicht täte. Ich weiß schon, was die Stunde schlägt. Das Taxi kam um zehn vor acht. Da soll mich einer Lügen strafen!«

»Rabenhorst«, sagte Cüpper und hielt die Muschel zu, »die alte Wachtel hat soeben von Barnecks Alibi demontiert.«

Rabenhorst streckte sich und gähnte.

»Fein. Endlich mal was Erfreuliches.«

# Klinik

Die Schwester mit dem ordinären Mund las in einem Buch, die andere hatte zu häkeln begonnen. Das Leben war langweilig in dem kleinen Raum.

Weiter hinten, wo der Gang endete, kehrte es hingegen zurück, gereinigt und ungeduldig, von dem bewegungslos dasitzenden Körper wieder Besitz zu ergreifen, ihn zu steuern und zu kontrollieren. Mit einem Willen auszustatten und mit Sprache.

Fast war sie abgeschlossen, die Katharsis.

Fast.

Astrid Haslings Augenlider begannen zu flattern.

# Revier

Zehn vor acht!

Cüpper hätte sich ohrfeigen können, dass er nicht gleich auf die Idee gekommen war, nach der Ankunftszeit des Taxis zu fragen. Von Marienburg bis zur Philharmonie brauchte man mindestens eine Viertelstunde. Selbst mit einem Düsentriebwerk hätte von Barneck niemals fünf Minuten später im Foyer sein können, um Krach zu schlagen wegen des schleppenden Kartenabrisses.

Zehn vor acht!

Rabenhorst stürmte zurück in Cüppers Büro und knallte einen Zettel vor ihn hin.

»Sie fallen auf den Arsch, wenn Sie das hören«, sagte er.

Cüpper setzte sich vorsorglich.

»Und?«

»Wir haben es über die Taxizentrale rausgekriegt wie bei der Hasling. Von Barneck hat einen Teufel getan, in die Philharmonie zu fahren. Der Taxifahrer hat ihn ganz woanders abgeliefert.«

»Wo, zum Donnerwetter?«

Rabenhorst grinste so breit, dass sein Kopf auseinanderzufallen drohte. »Na, in der Südstadt! Bei Eva Feldkamp.«

»Sieh mal an!«, entfuhr es Cüpper.

»Der Taxifahrer meint, es muss so zehn nach acht gewesen sein, als von Barneck in der Karl-Korn-Straße aussstieg.«

»Dann hat er einen Fehler begangen. Fast enttäuschend dumm. Warum fährt er Taxi?«

»Auf Schmitz konnte er nicht zurückgreifen.«

»Nein, aber er hätte selber fahren können. Komisch. Gut, wir wissen jetzt auf jeden Fall, wo Hartmann war, und dass von Barneck ihm den Auftrag gab, dieses Lamento wegen der Karten anzustimmen, damit wir Blödmänner glauben, er sei tatsächlich in der Philharmonie gewesen.«

»Hartmann hat Eva geliebt! Und deckt von Barneck für ein Schäferstündchen?«

»Kaum. Wenn von Barneck ein solches Ablenkungsmanöver inszeniert, wird sein Besuch bei Eva mehr gewesen sein als backe backe Kuchen.«

Sie überlegten eine Weile, stellten tausend Theorien auf und warfen alle wieder über den Haufen.

Schließlich sagte Cüpper: »Nehmen wir an, sie haben alle drei gelogen. Max liebt nicht Eva, Eva liebt nicht Max. Aber vielleicht liebt Eva Fritz und umgekehrt. Wer steht im Weg?«

»Die gute alte Inka.«

»Richtig. Also gilt es, Inka zu beseitigen, weil sie von Barneck sicherlich das ganze schöne Geld wegnehmen wird, wenn er sich zu Eva bekennt. Max macht nach wie vor nur seinen Job. Da sie einen Komplizen brauchen, nehmen sie ihn mit ins Boot und erfinden die Liebesgeschichte zwischen ihm und Eva, damit von Barneck gar nicht erst in den Verdacht gerät, ein Interesse an ihr zu haben. Max deckt von Barneck, der zieht los und tötet Inka. Eva wiederum deckt Max. So weit läuft alles nach Plan, aber da wird Max ein bisschen unverschämt und beginnt, die beiden zu erpressen. Also beschließen Fritz und Eva, sich nun auch seiner zu entledigen, streng logisch gesehen ein unterstützenswertes Vorhaben.«

»Alles prima«, sagte Rabenhorst. »Nur, jetzt beginnt es kompliziert zu werden. Sagen wir, von Barneck ködert Max mit einem fingierten Auftrag. Er soll statt seiner in die Philharmonie. Es bliebe nachzuprüfen, ob er auch den ganzen Abend über dort war, aber gehen wir erst mal davon aus. Anschließend fährt er allerdings zu einem Treffen, einer mysteriösen Verabredung…«

»Die von Barneck hintenrum in die Wege geleitet haben kann.«

»Sicher. Und wen trifft er da? Klar, seinen Mörder. Aber von Barneck kann es nicht gewesen sein. Sein Alibi ist wasserdichter als der Rheinufer-Tunnel. Er war bereits zu Hause, als Max noch lebte, und hat die Villa in der Nacht nicht mehr verlassen.«

»Bleibt Eva.«

»Ja, um mit ihm zum Grüngürtel zu fahren. Das muss ihr aber erst mal gelingen. Max ist doch nicht blöde, er weiß, dass man versuchen wird, ihn auszuschalten. Überdies ist er vor seinem Tod gefesselt worden, war das Eva?«

Cüpper lächelte säuerlich. »Mann, Rabenhorst. Wie sie mich verarscht hat! Dieser theatralische Angriff mit dem Schraubenzieher. Die dünnen Mordbeschuldigungen, viele eher dazu angetan, von Barneck in meinen Augen zu entlasten.«

»Langsam, Chef. Noch ist alles graue Theorie.«

»Es gab schon grauere.« Er betrachtete seine Fingernägel. »Allerdings lässt sich der Italiener nicht wegdiskutieren. Astrid Hasling meinte ihn zu kennen. Glaubt man den Beschreibungen, könnte er der Dealer von den Fotos sein. Und ausgerechnet dieser Bursche gibt das Vorspiel zu Inkas Ermordung. Bisschen viel für einen Zufall.«

Cüpper stand auf und reckte sich. »Jaja. So ist das mit den großen Theorien. Die Relativitätstheorie will ums Verrecken nicht zur Quantenmechanik passen, wie soll es uns da besser gehen.«

»Guter Vergleich«, spottete Rabenhorst. »Cüpper löst Kölner Mordfall und bekommt Nobelpreis.«

»Das haben Sie schön gesagt. Dafür dürfen Sie noch mal in die Philharmonie fahren und auskundschaften, ob jemand vorzeitig gegangen ist.«

»Und was tun Sie?«

»Ich versuche, meine Katzenallergie loszuwerden.«

Als Rabenhorst gegangen war, rief Cüpper im Zoo an. Es dauerte eine Ewigkeit, bis Marion an den Apparat kam, aber sie war außer Atem und hatte sich offenbar beeilt.

Cüpper erzählte ihr in kurzen Zügen, was passiert war.

»Kannten Sie Hartmann?«, fragte er.

»Kaum. Hab ihn öfter gesehen. Dachte immer, es wär Fritz.«

»Konnten Sie die beiden unterscheiden?«

»Nein.«

Eine Weile herrschte Schweigen.

»Jetzt wollen Sie natürlich wissen, wo ich gestern Abend war«, sagte sie schließlich, aber es klang nicht aggressiv.

»Natürlich«, sagte Cüpper.

»Ist mir klar. Wissen Sie was? Ich möchte Ihren Job nicht machen, ehrlich nicht.«

»Nennen Sie mir einfach einen Zeugen.«

»Wollen Sie mich etwa von der Liste streichen?«

»Was ich will, spielt keine Rolle.«

»Und abgesehen davon, dass es keine Rolle spielt?«

Cüpper schmunzelte und ließ sie einige Sekunden zappeln.

»Ja«, sagte er. »Ich will Sie streichen.«

»Dann tun Sie es. Ich war den ganzen Abend im *Stadtgarten*. Ulli hatte einen Auftritt.«

»Heavy Metal?«

»Swing. Wenn er will, kann er alles.« Pause. »Auf der Bühne«, fügte sie hinzu.

»Gut. Zeugen?«

»Rund ein Dutzend, die mich kennen.«

Cüpper lehnte sich zurück und atmete auf.

»Hey, Cüpper!«

»Mhm?«

»Was machen Sie heute Abend?«

Er überlegte. »Nichts.«

»Dann machen Sie jetzt was. Wir treffen uns.«

»Wir müssen uns nicht treffen«, sagte er zögerlich.

»Mein Kollege wird mich steinigen, aber ich habe Sie soeben aus dem erlauchten Kreis der potenziellen Missetäter ausgeschlossen.«

»Dann erst recht.«

Warum eigentlich nicht, dachte Cüpper. Was zierst du dich? Hast du das nicht sowieso gewollt?

»Meinetwegen«, willigte er ein. »Aber kein Streit, kein voreinander Weglaufen, keine Mauern.«

»Keine Mauern. Seien Sie um neun im *Stadtgarten*. Ich muss Ulli zwischendurch ein bisschen helfen, er spielt ja wieder.«

»Nein«, sagte Cüpper entschieden.

»Wie, nein?«

»Wir können später hingehen. Sagen Sie Ulli, er soll seine Gitarre alleine auf die Bühne schleppen. Sie sind mit mir verabredet, haben Sie das vergessen?«

»Sie wollen wirklich…?«

»Was denn sonst?«

Er glaubte, sie lächeln zu sehen.

»Okay«, sagte sie leise.

»Gut. Treffen wir uns vor dem Zoo. Ich hole Sie ab.«

Als er den Hörer auf die Gabel legte, fühlte er sich plötzlich stark wie tausend Affen. Es kam ihm gerade recht, dass er von Barneck in die Mangel nehmen musste.

Aber von Barneck war nicht da, als er in der Villa anrief. Schmitz sagte ihm, er sei geschäftlich nach Frankfurt geflogen. Er hatte seinen Chef vor einer Stunde zum Flughafen gebracht und erwartete ihn nicht vor zehn zurück. Zehn Uhr am folgenden Morgen, wohlgemerkt.

Erstaunlicherweise, oder auch nicht, war Eva Feldkamp mitgeflogen. Das trieb das Tempo der Ermittlungen gegen Null.

Auch gut. Also würde er einen Nachmittag lang Zeit haben, die große vereinheitlichende Theorie zu suchen.

Falls es sie überhaupt gab.

# Marion Ried

Cüpper hatte es geschafft, einen Tisch im *Le Moissonnier* zu ergattern, an sich ein hoffnungsloses Unterfangen, wenn man nicht mindestens zwei Wochen vorher auf die Idee kam, dort essen zu wollen. Sie saßen eng gedrängt zwischen lärmenden Menschen und schafften es beinahe den ganzen Abend über, weder die Morde noch ihre und seine Vergangenheit zu berühren.

Marion hatte nicht erwartet, dass sie essen gehen würden, und etwas hilflos auf ihre Jeans verwiesen, die augenscheinlich nur von einem höheren Willen zusammengehalten wurden. Cüpper überzeugte sie, dass Jeans zu den bedeutenderen Errungenschaften der Menschheit gehörten und es eher das Problem der Gastronomen gewesen sei, sich nicht an sie gewöhnen zu können – vor etwa zwanzig Jahren.

»Aber Sie selber«, sagte sie irgendwann zwischen zwei Schlucken 86er Mas de Daumas Gassac, »tragen Anzug, weißes Hemd, Krawatte. Warum?«

»Es hilft mir, mich auf meinen Dienst zu konzentrieren«, meinte er scherzhaft.

»Oh. So wie jetzt?«

»Nein«, lächelte Cüpper. »Jetzt ist es einfach nur ein Anzug. Ich mag dunkle Anzüge und dezent gemusterte Krawatten.«

Sie sah ihm in die Augen und lächelte zurück.

»Vielleicht mag ich sie ja auch. Ein bisschen.«

Plötzlich fand Cüpper, dass sie die schönste Frau war, der er je begegnet war. Versonnen nippte er an seinem Glas und wünschte sich, er sei ein Tiger.

»Übrigens«, sagte sie, als sie nach Dessert und Käseplatte prall in den Stühlen hingen, »morgen kommt die Stunde der Wahrheit.«

»Nämlich?«

»Inka hat ein Testament gemacht.«

Cüpper stellte seinen Marc de Champagne ab, schlagartig ernüchtert. Offenbar war es unmöglich, dem Fall zu entfliehen.

»Keine Sorge«, sagte er. »Was immer für Sie rausspringt, Sie stehen nicht mehr auf meiner Liste.«

»Das ist es nicht.« Ihre Hand glitt über den Tisch, ein krabbelndes Wesen auf der Suche nach etwas Unbestimmtem. Er fühlte, wie ihre Fingerspitzen die seinen streiften und sich sofort wieder zurückzogen, aber es war, als wäre Starkstrom geflossen. »Inka war nicht der Typ, der Testamente macht. Sie glaubte, das Leben gepachtet zu haben.«

»Sie wussten wirklich nichts von einem Testament?«

»Nein. Sie hat oft genug gesagt, dass sie keines machen wird. Na, morgen ist Eröffnung.«

Ihr Blick schweifte ab.

»Leben Ihre Eltern noch?«, fragte sie, mehr ins Leere.

»Ja.«

»Gesund? Zufrieden?«

»Beides. Sie haben ein Haus in Lindenthal, mit Garten hintendran. Wir sehen uns nicht oft, aber es ist okay.«

Einen Moment lang drohte die Stimmung in Melancholie umzuschlagen. Plötzlich schlug Marion mit der flachen Hand auf den Tisch und grinste ihn breit an.

»Wir gehen jetzt in den *Stadtgarten* und machen Ulli eine lange Nase!« Sie kicherte.

Cüpper merkte, wie eine miese Stimmung in ihm hochstieg. Entschlossen kämpfte er sie nieder.

War er etwa eifersüchtig?

Dann wollte er zahlen, und sie wollte zahlen. Minutenlang stritten sie herum, steckten schließlich beide ihr Portemonnaie in den Hosengürtel und klärten die Sache nach Art der Revolverhelden. Cüpper zog schneller. Sie lachte, die grünen Augen funkelten vor Vergnügen –

– und Cüpper stellte fest, dass es passiert war.

Einfach passiert.

Ergeben fügte er sich in sein Schicksal, akzeptierte Ulli Stoerer und tröstete sich damit, dass er sie verlor, ohne sie gehabt zu haben.


Im *Stadtgarten* war es brechend voll. Ulrich Stoerer stand an der Bar, als sie hereinkamen, und trank Brandy.

»Alkohol?«, raunte Cüpper Marion zu, als Ulli sich mit einem Hüftschwung von der Theke löste und herüberkam. »Was ist mit seinem Karma? Haben die Außerirdischen nicht jede Art von Drogen verboten?«

»Es sind neue Außerirdische gekommen, die waren anderer Meinung.« Marion krauste die Nase. »Bei uns landen die Außerirdischen immer so, wie es Ulli gerade passt.«

»He!« Der Musiker legte den Arm um ihre Schultern und blinzelte Cüpper übermütig an. »Sie ermitteln aber reichlich spät.«

»Ich habe nicht ermittelt«, sagte Cüpper bemüht freundlich.

»Was, ehrlich? Oh Mann, ich dachte immer, ihr von der Polizei seid permanent im Dienst. Mit der Mütze auf die Welt gekommen!« Er lachte laut und tippte Cüpper mit dem ausgestreckten Zeigefinger auf die Brust. »Jedenfalls klasse, dass Sie da sind. Marion muss Ihnen irre viel erzählt haben. Ist absolut hip, was wir hier machen, der pure Astrojazz! Wussten Sie, dass Musik unter dem Einfluss gebündelter kosmischer Strahlung entsteht?«

»Du redest Scheiße«, sagte Marion trocken.

»Klar, wir reden alle Scheiße. Das Universum ist ein Haufen Scheiße.« Er bleckte die Zähne und drückte Marion fester an sich, während er unverwandt den Blick auf Cüpper gerichtet hielt. »Aber meine Musik ist keine Scheiße. Stimmt's, Baby?«

»Stimmt.« Sie löste sich aus seiner Umarmung und tätschelte ihm die Wange wie einem kleinen Jungen. »Musst du nicht bald auftreten?«

Ulli schien irritiert. Er stürzte seinen Brandy herunter und sah von Cüpper zu Marion.

»Ja. In ein paar Minuten.«

»Wir wollen uns aber doch noch umziehen.«

»Sicher.«

Sie wies auf Cüpper. »Romanus ist ziemlich scharf darauf, dich spielen zu hören.«

Ulli warf Cüpper einen Blick zu, der erhebliche Zweifel daran erkennen ließ. Dann zuckte er die Achseln und ließ ein Grinsen klaffen.

»Ich werd's euch schon besorgen!«, rief er und verschwand hinter der Theke, wo es zu den Räumen jenseits der kleinen Bühne ging.

Cüpper biss sich auf die Lippen. Dann entschied er sich für Offenheit.

»Marion, ich habe Sie schon mal gefragt – wie halten Sie das aus?«

Er rechnete mit einer patzigen Antwort, die alles, was sich im Verlauf des Abends zwischen ihnen aufgebaut hatte, wieder einreißen würde. Stattdessen legte sie den Kopf an seine Schulter und sagte: »Ich weiß es nicht.«

Es klang schlicht und endgültig.

Eine Zeitlang standen sie so da. Cüpper wagte nicht, sich zu bewegen.

»Trinken Sie was?«, fragte sie.

»Kölsch.«

Sie nickte und ging zur Bar. Als sie zurückkam, stiegen gerade die Musiker auf die Bühne.

»Ulli ist ein großer Junge, der mich liebt. Er klebt an mir. Ich denke manchmal, dass wir Schluss machen sollten, aber dann überlege ich, was aus ihm wird. Wenn er mich etwas weniger lieben würde, wäre alles sehr viel einfacher.« Sie stieß ihr Glas an seines. »Im Übrigen – Prost.«

»Sie wissen, dass Mitleid der falsche Weg ist.«

»Ja.« Sie schaute ihn an. »Und welche Fehler haben Sie gemacht?«

Er sah zu, wie der Schaum auf seinem Bier verschwand. »Gewohnheiten gepflegt.«

»Wie lange?«

In diesem Augenblick betrat Ulli die Bühne, hängte sich die Gitarre um und strahlte in die Runde. Er hatte sich tatsächlich umgezogen und trug nun einen weiten, glitzernden schwarzen Anzug.

»Zu lange.«

Die Band begann zu spielen.

Ulli ist ausgezeichnet, stellte Cüpper fest. Das Kindische, Übertriebene schien er in den hinteren Räumen gelassen zu haben. Konzentriert und selbstbewusst. Jemand, der weiß, was er kann. Mit jeder Bewegung funkelte sein Anzug, funkelte wie die Musik. Funkelte grün und rot im Licht der Scheinwerfer.

Funkelte...

Plötzlich traf es Cüpper wie ein Peitschenhieb.

Er wartete, bis Ulli das letzte Stück ankündigte, beugte sich zu Marion und sagte: »Entschuldigen Sie mich einen Augenblick. Mir war gerade, als hätte ich jemanden hinter der Bühne verschwinden sehen, den ich kenne.«

»Wen?«

»Er hat früher hier die Bar gemacht. Halten Sie die Stellung, ja? Ich bin in fünf Minuten wieder da.«

»Alles klar.«

»Ach, und Marion.« Er nahm ihr Kinn sanft zwischen Daumen und Zeigefinger. »Laufen Sie bloß nicht weg.«

Sie lächelte. »Bestimmt nicht.«

Cüpper schob sich durch die Menschenreihen dorthin, wo der Durchgang zu den Künstlergarderoben lag, ging hinein und wartete. Im Saal verklang ein episch angelegter Schlußakkord. Der Applaus war angemessen, und Cüpper musste sich gedulden, bis Ulli und die anderen Musiker die Garderobe betraten. Cüpper trat vor und nahm ihn beim Arm.

»Hey, Kommissar, was …?«

»Ich muss mit Ihnen reden. Wo sind wir ungestört?«

»Um Himmels willen! Ist ja wie bei Derrick.« Er löste sich aus Cüppers Griff und öffnete eine Tür.

»Zufrieden mit dem Proberaum?«

Cüpper nickte, schob ihn hinein und machte hinter ihnen zu. Der Raum war fast zur Gänze kahl, bis auf ein altes Schlagzeug ohne Becken. Der ideale Ort für ein paar klärende Worte. Ulli musterte ihn misstrauisch. Mit einem Mal wirkte er nicht mehr sonderlich kosmisch und astral.

»Sie sind einer der besten Gitarristen, die ich je gehört habe.«

Ullis Kinnlade fiel ein Stück herunter und wurde rechtzeitig vor dem Aufprall wieder hochgehievt. Er ist nervös, dachte Cüpper. Gut so.

»Das wollten Sie mir sagen?«

»Sicher.«

»Danke. Na, dann will ich mal wieder …«

»Nein, Sie werden gar nichts. Abgesehen davon sind Sie nämlich ein ausgemachtes Arschloch.«

»Was?«, schnaubte Ulli. »Hören Sie mal, Sie aufgeblasener Bulle, das muss ich mir nicht bieten lassen. Sie machen mit meiner Freundin rum, haben die Frechheit, Marion vor meinen Augen anzugrapschen, und jetzt das!«

Cüpper lehnte sich an die Tür und verschränkte gelassen die Arme.

»Schöner Anzug, Ulli.«

»Gehen Sie mir aus dem Weg!«

»Klar doch.« Cüpper trat bereitwillig ein Stück zur Seite. »Dann holen Sie halt meine Leute. Und ich garantiere Ihnen, dass das weitaus unangenehmer für Sie wird.«

Ulrich Stoerer verharrte mitten in der Bewegung.

»Wie meinen Sie das?«

»Ich meine, dass es nicht viele Männer gibt, die schwarze Paillettenanzüge tragen.«

»Na und?«

»Und dann eine Paillette verlieren, wo kurze Zeit darauf ein Mord geschieht. Wie peinlich, Ulli.«

Langsam aber sicher wich alle Farbe aus Ullis Gesicht. Seine Hände zitterten.

»Was reden Sie für einen Blödsinn?«

Cüpper ließ jede Diplomatie fahren. Er trat vor, packte Ulli am Kragen und drückte ihn gegen das Schlagzeug. Der Musiker machte keine Anstalten, sich zu wehren. Er war kreidebleich.

»Ich meine«, knurrte Cüpper, »dass es keine gute Idee war, Marions Mutter flachzulegen.«

»Das … das ist nicht wahr!«

»Nein? Pass auf, mein Sohn. Wir können das auch anders regeln. Erstens: Falschaussage. Von wegen *Max Stark*.«

»Ich habe einen Zeugen!«

»Ja, deinen Kumpel. Sollen wir den mal richtig zwischennehmen? Wie lange bleibt der wohl bei seiner Aussage, was meinst du?«

Ulli wandte den Kopf ab. Er zitterte am ganzen Leib.

»Zweitens: Mord an Inka von Barneck.«

»Nein!« Ulli versuchte sich loszureißen. Cüpper drückte ihn gegen die Kante der Snaredrum. »Bitte! Ich war's nicht. Ich hab Inka nichts getan, ich schwör's!«

»So? Du schwörst? Es haben schon ganz andere geschworen.«

»Ich war's nicht!«

»Erst hast du's mit ihr getrieben, dann hast du ihr die Kehle durchgeschnitten. Hattest wahrscheinlich Angst, sie steckt es ihrer Tochter. War's nicht so?«

»Nein!«

»Doch. Wenn ich will, dass es so war, dann war es so.«

»Bitte.« Ullis Unterkiefer bebte. Cüpper ließ ihn los. »Bitte nicht. Ja, es stimmt, ich hatte was mit Marions Mutter. Sie kam mal zu einem der Konzerte. Marion musste vorzeitig weg, da hat sie mich angebaggert, was sollte ich denn machen?«

»Du armer Kerl.«

Ulli funkelte ihn an. In seinem Blick mischten sich Angst und Hass. »Sie wissen doch gar nicht, wie die war! Sie hätten der genauso wenig widerstanden. Was Inka wollte, das hat sie bekommen. Und sie wollte den Freund ihrer Tochter, na und?«

»Auf Mord steht lebenslänglich, Ulli.«

»Ich – war's – nicht!«, heulte Ulli. »Wir waren für halb acht in ihrer Wohnung verabredet. Dann hat sie mich zur *Vintage* geschleift, wo sie jeder kennt, verdammt! Ich wollte nicht, ich hab gesagt, du spinnst, am Ende sieht uns einer, aber das war ihr scheißegal, der alten Hexe! Die stand drauf. Das Risiko, entdeckt zu werden, geil war die auf so was! Und mich als Hündchen an der Seite, jeden Mist hab ich mitgemacht, bloß um mit ihr in die Kiste zu dürfen, ich schwöre, dass es so war. Dann sind wir zurück, vielleicht neun Uhr, ich weiß nicht mehr, wir haben's im Wohnzimmer gemacht, auf dem Boden, ich hatte diese Jacke an, extra für sie, aber dann war sie irgendwie gelangweilt und hat mich rausgeworfen, das war um zehn oder so. Da käm noch einer, sagte sie. Da käm noch einer, der war's! Checken Sie das? Nicht ich! Ich war's nicht, ich war's nicht, ich war's nicht!«

Cüpper blickte auf das Häufchen Elend zu seinen Füßen und schüttelte den Kopf.

»Mensch, Ulli«, sagte er leise. »Was wird Marion dazu sagen?«

Ullis Augen weiteten sich entsetzt. Er rutschte auf den Knien heran und reckte die Hände. »Bitte nicht! Das dürfen Sie ihr nicht sagen!«

»Liebst du sie so sehr?«

»Ach, ich…« Unvermittelt glomm ein Funken List in seinen Augen auf. »Verstehen Sie doch. Ich habe große Pläne. Ich schreibe ein Musical, ich will auf Tournee. Und Marion wird vielleicht viel Geld bekommen. Ich meine, klar, ich liebe sie, ich liebe sie mehr als mich selbst, ich…«

Cüpper ging in die Hocke und legte Ulli sanft seine Rechte auf die Schulter.

»Ich verstehe dich«, sagte er freundlich. »Vollkommen. Im Übrigen weiß ich, dass du sie nicht umgebracht hast.«

»Danke«, stammelte Ulli kaum hörbar.

»Du bist zu blöde, jemanden umzubringen. Aber Marion ist nicht blöde. Sie ist nur ein viel zu feiner Kerl. Sie braucht dich ungefähr so sehr wie ein Magengeschwür, aber sie trägt dich mit sich herum, weil sie allen Ernstes denkt, das Geschwür kann ohne sie nicht leben. Darum nimmt sie auch keine Medizin dagegen. Was mich betrifft, ich denke da ganz anders. Ich hab kein Mitleid mit Geschwüren.«

Cüpper erhob sich.

»Du wirst irgendwann in den nächsten Tagen mit ihr Schluss machen. Lass dir was einfallen. Sag ihr, du hättest dich anderweitig verschossen.«

»Aber …«

»Solltest du das nicht tun, und erhalte ich binnen einer Woche keine entsprechende Rückmeldung, wäre ich gezwungen, Marion reinen Wein einzuschenken. Gut möglich, dass sie dann auf die Idee kommt, ihren Katzen Abwechslung zu bieten. Musiker im eigenen Angstschweiß. Außerdem bringe ich dich vor den Kadi wegen Falschaussage.« Er zwinkerte Ulli zu und lächelte. »Vielleicht überlege ich es mir sogar und halte dich doch nicht für zu blöde, einen Mord zu begehen.«

Was in Ullis Gesicht vorging, war kaum zu beschreiben.

»In Ordnung«, krächzte er.

Cüpper drehte sich angewidert um und ging zur Tür.

»Cüpper!«

»Was denn noch?«

»Sie sind auch nicht besser als ich.«

Er dachte darüber nach.

»Möglich, Ulli. Aber klüger.«


»Wo waren Sie die ganze Zeit?«, rief Marion, als er gut gelaunt zurückkam.

»Tut mir leid. Hab mich verplaudert.«

»Ah«, grinste sie. »Und worüber?«

»Och. Über die Liebe. Was man halt so redet.«

»Hier. Für Sie.«

Sie hielt ihm eine Rose vors Gesicht. Cüpper glaubte, nicht richtig zu sehen.

»Für mich?«

»Mir tun die Verkäufer mit den Blumen immer leid, die keiner haben will. Außerdem finde ich, dass sie zu Ihnen passt.«

Cüpper nahm sein Geschenk entgegen und fühlte sich seltsam hilflos.

»Mir hat noch nie jemand eine Rose geschenkt.«

»Nein?« Marion boxte ihn zart auf die Nase. »Dann wurd's ja höchste Zeit.«


Er brachte sie bis zu ihrer Haustür. Eine Weile standen sie verlegen da.

»Also dann«, sagte Marion. »War ein schöner Abend. Danke.«

»Danke für die Rose.«

»Ich rufe an, sobald ich weiß, was in dem Testament steht.«

»Ja. Tun Sie das.«

Wieder Stille. Sie hingen darin wie Mücken in einem transparenten Briefbeschwerer.

Das war's dann, dachte Cüpper.

Er hätte schreien mögen.

Im nächsten Moment hatte er sie in den Armen, fühlte ihr Herz schlagen und seines noch viel mehr.

»Ich will keine Katze mehr sein«, flüsterte sie.

Er hielt sie schweigend.

Nach einer Weile löste sie sich und sah ihm in die Augen.

»Beschützt du mich?«

»Wenn du dich beschützen lässt.«

»Mal sehen.«

Schnell beugte sie sich vor, küsste ihn auf den Mund und war im Dunkel des Flurs verschwunden, als hätte es sie nie gegeben. Das Klick der Haustür schnitt Cüpper endgültig von ihr ab.

Achselzuckend machte er sich auf den Heimweg.

Aber ihr Duft, ihre Berührung, ihre Stimme waren noch bei ihm, als er in seine eigene, leere Behausung zurückkehrte.

Und auf einmal fand er sie gar nicht mehr so leer.

# Vierter Tag

# Arrival

Am Morgen wartete Schmitz vor dem Gate und sah immer wieder auf die Uhr. Von Barnecks Maschine war planmäßig gelandet. Es war zehn nach zehn. Beziehungsweise gerade gewesen. Mittlerweile musste es eine Minute später sein. Oder zwei.

Schmitz sah wieder auf die Uhr.

Er wusste, dass er seine Frau damit zum Wahnsinn trieb, aber er konnte nicht aus seiner Haut. Manchmal bezweifelte er selber Sinn und Zweck seiner leidigen Angewohnheit. Wessen wollte er sich vergewissern? Dass die Uhr noch da war? Lächerlich. Aber er liebte die Präzision. Und er liebte seine Uhr.

Zur Vorsicht warf er schnell noch einen Blick darauf.

Die Türen des Gate schwangen auseinander und entließen Geschäftsleute mit billigen Krawatten und schlechtsitzenden Hosen. Die hochgewachsene Gestalt im tadellosen Armani war dagegen eine Wohltat. Schmitz straffte sich und eilte seinem Chef entgegen. Er war wie immer stolz und wusste nur nicht genau, ob eher auf von Barneck oder auf den besten Butler Deutschlands.

»Wie war der Flug?«, fragte er und nahm von Barnecks Handgepäck.

»Rappelig.« Der Millionär gähnte und strich sich durch die Mähne. »Warme und kalte Luftschichten im Clinch.«

»Bedauerlich. Der Wagen steht nicht weit von hier.«

»Anstrengend, das Meeting gestern Abend. Wenig geschlafen. Seien Sie so freundlich, und sorgen Sie gleich für ein kräftiges Frühstück.«

»Selbstverständlich. Eier mit Speck?«

»Ich fürchte, nein«, sagte eine Stimme. Zwei Männer verstellten ihnen den Weg und zückten Dienstmarken.

»Was erlauben Sie sich!«, trompetete Schmitz. Dann erkannte er den einen wieder. »Sind Sie nicht…«

»Rabenhorst, Kriminalpolizei. Herr von Barneck, ich muss Sie bitten, mich aufs Revier zu begleiten.«

Schmitz blickte schockiert von den Polizisten zu seinem Chef und bemühte sich, die Fassung zu wahren. Der Millionär verzog keine Miene.

»Bin ich verhaftet?«

»Nein«, sagte Rabenhorst, »aber es gibt ein paar Unklarheiten zu besprechen. Bitte machen Sie uns keine Schwierigkeiten.«

»Ich werde keine Schwierigkeiten machen. Alles in Ordnung, Schmitz. Fahren Sie schon in die Villa, ich komme später.«

»Ja«, sagte Schmitz und schluckte schwer.

»Dann wollen wir mal, meine Herren.«

Schmitz sah ihnen nach und wusste einen Augenblick lang nicht, wohin mit sich. Was war das nur für eine schreckliche Geschichte!

Stöhnend sah er auf die Uhr.

# Klinik

Es brach sich Bahn.

Das Leben kehrte in Astrid Hasling zurück und veranlasste sie, die Augen zu öffnen.

Sie wusste nicht, wo sie war.

Das Letzte, woran sie sich erinnerte, war eine banale Kleinigkeit, ein Italiener, der sie nach Inka gefragt hatte. Sie hatte den Mann schon mal gesehen.

Und plötzlich wusste sie auch, wo.

Alles fiel ihr wieder ein.

Sie begann zu rufen.

# Das Rätsel

Cüpper betrachtete seine Rose, als wären es drei Dutzend. Er war durchs halbe Präsidium gelaufen, um eine Vase aufzutreiben. In seiner Wohnung hatte er keine mehr gefunden. Offenbar hatten ihr auch sämtliche Vasen, Krüge und Übertöpfe gehört.

Schließlich erbarmte sich eine der Kantinenköchinnen. Nun ragte die Rose aus einem transparenten Messbecher und adelte Cüppers Schreibtisch.

»Herr Rabenhorst und Herr von Barneck sind da!«, schnarrte es aus der Gegensprechanlage.

»Rein mit ihnen.«

Cüpper war gespannt. Rabenhorsts Nachforschungen in der Philharmonie hatten wenig erbracht. Durchaus möglich, dass jemand vorzeitig gegangen war. So was passierte. Konkret erinnerte sich niemand.

Von Barneck wirkte nicht sonderlich beunruhigt. Er nickte Cüpper kurz zu und setzte sich, ohne eine entsprechende Aufforderung abzuwarten.

»Kaffee?«, fragte Cüpper.

»Lassen Sie die Formalitäten und kommen Sie zur Sache. Ich muss zum Notar.«

»Schön. Wo waren Sie vorgestern Abend?«

»Das wissen Sie doch. Warum muss ich immer alles hundertmal erzählen?«

»Weil ich hundertmal frage. Was wollten Sie bei Frau Feldkamp?«

Ertappt, sagte von Barnecks Gesichtsausdruck. Es folgten in schneller Reihenfolge Wut, Nachdenklichkeit und Einsicht. Cüpper hatte sich nicht getäuscht. Der Millionär war zu klug, um auf stur zu schalten.

»Eva und ich haben ...«

»Ein Verhältnis?«, fragte Rabenhorst.

»Ihre Ausdrucksweise ist ein bisschen billig.« Von Barneck lächelte. Der Mann sieht müde aus, dachte Cüpper. Beinahe, als sei er froh, dass wir ihm auf die Schliche gekommen sind.

»Wusste Ihre Frau davon?«, fragte er.

»Nein. Inka durfte nichts erfahren. Sie kennen ja die finanziellen Hintergründe.«

»Offen gesagt, Ihre Frau war auch nicht unbedingt ein Engel. Hätte sie Ihrem Klüngel wirklich so viel Bedeutung beigemessen, dass es zu einer Scheidung gekommen wäre?«

Von Barneck schüttelte den Kopf. »Sie verstehen nicht. Die Scheidung wollte ich. Ich möchte Eva heiraten. Ich liebe sie.« Die Worte kamen zögerlich, unwillig. Es schien den Makler Überwindung zu kosten, über Gefühle zu reden.

Cüpper und Rabenhorst tauschten einen schnellen Blick.

»Ich weiß, das prädestiniert mich dazu, Inka umgebracht zu haben«, fuhr von Barneck fort. »Aber so war es nicht. Ich habe fieberhaft nach einer Lösung gesucht, der sie zustimmt.« Sein Blick war ins Leere gerichtet. »Inka hatte nicht dieselben Interessen wie andere Leute. Ihr war alles gleich. Sie brach mit jedem, sobald er ihr langweilig wurde, und das geschah im Allgemeinen schnell. Aber es gab eines, das sie nicht ertragen konnte.«

»Wenn jemand anderer den ersten Schritt tat«, mutmaßte Cüpper.

»Sie sind ein kluger Bursche. Sehen Sie, ich wusste, was passiert, wenn ich um die Scheidung bitte. Sie hätte mich ruiniert, einfach aus Wut und Rachsucht.« Er stützte das Kinn in die Hände. »Hätte ich nicht gewusst, dass sie ihr Vergnügen aus dem Elend anderer zog, wäre ich versucht gewesen, sie zu bedauern.«

Cüpper betrachtete ihn prüfend. »Warum haben Sie sie überhaupt geheiratet?«

Von Barneck zuckte die Achseln. »Sie dürfen sich Inka nicht als kaltschnäuzige Zicke vorstellen. Sie besaß durchaus Anziehungskraft. Wenn sie wollte, war sie der liebevollste Mensch der Welt. Inka konnte sich und andere begeistern. Damals begeisterte sie sich plötzlich für die Idee der Ehe. So, wie sie sich Jahre zuvor fürs Kinderkriegen begeistert hatte. Dann kam Marion, und Inka verlor das Interesse. Ich selber hatte wenig Zeit, mich um das Mädchen zu kümmern.«

»Und wohl auch wenig Lust?«

»Ja. Was soll ich da beschönigen? Vielleicht hätte ich Lust entwickelt, aber Marion zog aus und wollte nichts mehr mit uns zu tun haben. Ich kann's ihr nicht verdenken. Inka überprüfte derweil ihre Interessen und beschloss, dass ich ebenso uninteressant geworden sei wie ihre Tochter.«

»Dann kam Eva?«

Von Barneck nickte düster. »Dann kam Eva. Ich bin Geschäftsmann, Cüpper. Geld interessiert mich sehr. Ich müsste lügen, wollte ich behaupten, dass es bei meiner Heirat mit Inka keine Rolle spielte. Aber plötzlich stand ich vor der Alternative, mich für Eva zu entscheiden oder für das Geld. Ich habe schlaflose Nächte zugebracht, Auswege gesucht.« Er stockte und sah Cüpper an. »Ich habe natürlich auch darüber nachgedacht, Inka aus der Welt zu schaffen. Kein Mensch ist frei von solchen Gedanken. Wenn Sie all die lieben, toleranten und aufrechten Menschen um uns herum wegen ihrer Gedanken verhaften dürften, kämen Sie mit den Gefängnissen nicht mehr nach.«

Cüpper musste grinsen.

»Die könnten Sie ja bauen.«

Von Barneck grinste zurück. »Sie würden selbst in einer Zelle landen, Cüpper.«

»Anzunehmen. Wollen Sie jetzt einen Kaffee?«

»Sehr gerne.«

Cüpper langte zur Gegensprechanlage, um Kaffee zu ordern. Seine Hand streifte den Messbecher mit der Rose. Sachte kippte er über die Schreibtischkante, hing dort einen Augenblick wie eingefroren, während Cüpper seine Reflexe sortierte, fiel und –

– wurde aufgefangen.

Cüpper sah, wie sich von Barnecks Finger um den Becher schlossen und ihn mit einer geschmeidigen Bewegung wieder auf den Schreibtisch stellten. Er wollte etwas sagen. Stattdessen verharrte er, die Hand immer noch ausgestreckt, und starrte seine Rose an.

Ihm war, als habe er soeben die Antwort auf alle Fragen gesehen, ohne sie zu verstehen.

»He.«

Der Becher mit der Rose. Ein Bilderrätsel.

»He, Chef!«

Cüpper zuckte zusammen und sah Rabenhorst an.

»Ist Ihnen nicht gut?«

»Was? Doch, natürlich.« Sein Blick wanderte zu von Barneck. »Danke fürs Fangen. Rabenhorst, machen Sie sich beliebt und holen Sie Kaffee.« Rabenhorst verzog das Gesicht, atmete tief durch und verließ das Büro.

»Also«, sagte Cüpper nach einer kurzen Pause. »Warum das Theater mit der Philharmonie?«

»Nach dem Mord mussten wir uns erst recht verstecken, Eva und ich. Wie hätte das denn ausgesehen, Inka stirbt, und kaum ein Tag vergeht, da sind wir plötzlich himmelhoch verliebt. Vielleicht waren die Vorsichtsmaßnahmen übertrieben, aber Leute wie Sie hätten sich einen Reim darauf gemacht, und zwar den falschen.«

»Auf der Baustelle haben Sie mir auch Theater vorgespielt.«

»Nicht ganz. Wir waren wirklich schockiert. Natürlich hatte ich Max an meiner Stelle in die Philharmonie geschickt, aber das war ein harmloser Routineauftrag.«

»Und die Sache mit dem Schraubenzieher?«

»War Eva spontan eingefallen. Halten Sie sie deshalb nicht für herzlos. Sie hat ihre Sinne beieinander, das ist alles.«

»Hm. Ein bisschen viel Theater, wenn Sie mich fragen. Sie hätten tausend Möglichkeiten gehabt, sich mit Frau Feldkamp zu treffen, ohne dass es jemandem aufgefallen wäre.«

»Sagen wir, ich habe überreagiert. Passiert Ihnen das nicht manchmal auch?«

»Ja.«

Cüpper war nicht bei der Sache. Er hatte den Eindruck, als ob von Barneck ihm entglitt. Ihm geisterte das Bild der fallenden Rose durch den Kopf. Eine Rose, die fiel. Ein Becher mit einer Rose. Was zum Teufel …!

Er wurde jäh unterbrochen. Rabenhorst knallte die Tür an die Wand und kam hereingestürmt, als seien tausend Klone seiner Mutter hinter ihm her.

»Wo ist der Kaffee?«, fragte Cüpper.

»Kaffee, Kaffee!« Rabenhorst rang nach Luft. »Gerade kam ein Anruf aus dem Krankenhaus. Die Hasling ist wieder aufgewacht.«

»Mann!«, rief Cüpper. »Hören Sie, Rabenhorst …«

»Wissen Sie, was ihre ersten Worte waren? ›Der Italiener‹, sagte sie! ›Ich kenne den Italiener‹.«

»Rabenhorst …«

»›Und er sieht aus wie‹…«

»Rabenhorst!«

»…›die Sekretärin Fritz von Barnecks‹.«

Von Barnecks Augen weiteten sich. »Was soll das heißen?«, fragte er und deutete auf Rabenhorst. »Wovon redet der?«

Cüpper sank in die trostspendende Umarmung seines Polstersessels.

»Rabenhorst«, seufzte er. »Oh, Rabenhorst. Womit hat die Welt Sie bloß verdient?«

Eine Zeitlang sprach keiner ein Wort. Cüpper saß verbissen hinter dem Steuer und gab alles andere als einen vorbildlichen Verkehrsteilnehmer ab. In besinnlicher Stimmung versägten sie mehrere Ampeln und bretterten Richtung Krankenhaus.

»Dilettant!«, schimpfte Cüpper schließlich.

Rabenhorst biss sich kleinlaut auf die Lippen.

»Kommen reingeplatzt und plaudern alles entscheidende Neuigkeiten aus, während einer der Hauptverdächtigen zuhört. Warum haben Sie's nicht gleich in die Zeitung gesetzt?«

»Ich dachte, er sei eigentlich nicht mehr ganz so verdächtig«, murmelte Rabenhorst und sah aus dem Fenster.

»Sie dachten«, knirschte Cüpper.

Er hielt mit qualmenden Reifen vor dem Haupteingang und stürmte zornentbrannt die Stufen hoch. Rabenhorst hampelte verlegen hinterher.

»Sie können hier nicht…«, begann ein Pförtner.

»Kripo. Ich kann.«

»Er… äh, kann«, sagte Rabenhorst entschuldigend und mühte sich, Cüppers Tempo mitzuhalten.

»Warum sind Sie überhaupt hier?«, Cüpper stand unter

Dampf wie eine Lokomotive. »Sie könnten mittlerweile Eva verhaften.«

»Das geht nicht, und das wissen Sie«, keuchte Rabenhorst. »Von Barneck hat gesagt, sie ist noch einen Tag in Frankfurt. Vor morgen kommt sie nicht zurück.«

»Ach, Scheiße!«

»Verdammt!« Rabenhorst griff nach Cüppers Arm und hielt ihn fest. »Ich habe einen Fehler gemacht, okay. Ist das ein Grund, mir bis in alle Ewigkeit die Zähne zu zeigen?«

»Ja!«

»Was soll ich machen? Auf die Knie fallen?«

»Mindestens.«

»Na schön, es kommt nicht wieder vor. Was soll ich tun? Ich kaufe Ihnen ein Restaurant!«

»Grmpf.«

»Eines mit Sternen.«

»Pfft.«

»Ein kölsches Brauhaus.«

Cüpper blieb stehen. Er versuchte grimmig auszusehen, dann musste er plötzlich lachen.

»Schlagen Sie was im Rahmen Ihrer Möglichkeiten vor.«

»Na schön. Ich lade Sie zum Sauerbraten ein.«

»Wie bitte?«

»Ja!« Rabenhorst nickte eifrig. »Ich koche. Sagen Sie, wann.«

Cüpper betrachtete ihn, als hätte sein Assistent den Verstand verloren.

»Sie stehen da und laden mich zum Sauerbraten ein«, sagte er. »Ich muss komplett bescheuert sein. Aber ich sage zu.«

»Der Himmel sei gepriesen«, seufzte Rabenhorst, und sie marschierten Schulter an Schulter den Gang zu Astrids Zimmer hinab.

# Notariat

Päffgen sortierte seine Unterlagen von rechts nach links. Seine Brille rutschte den Nasenrücken entlang. Er schob sie hoch. Sie rutschte wieder runter.

Vor ihm saß dieser von Barneck. Reicher Mann, wie man wusste. Päffgen gefiel das. Reiche Männer waren gute Männer.

Er drückte seine Zigarette aus und zog eine neue aus der Packung.

Daneben Inka von Barnecks Tochter. Korrekterweise Tochter von Inka Ried, Marion Ried mit Namen.

Sonst niemand.

Er riss den Umschlag auf und zog den handbeschriebenen Bogen Papier hervor, unterzeichnet von Inka von Barneck.

»Ich verlese den letzten Willen«, sagte er. »Er ist rechtsjültig und nicht anfechtbar. Will jemand vorher etwas sagen?«

Es blieb still. Päffgen schob seine Brille hoch. Sie rutschte runter. Er zog eine Zigarette aus der Packung, zündete sie an, nahm einen tiefen Zug und legte sie in den Aschenbecher. Verblüfft stellte er fest, dass da schon eine vor sich hin qualmte.

Woher kam …? Ach so.

»›Ich, Inka von Barneck‹«, las er vor, »»vermache meinen jesamten Besitz... ‹« Er stutzte, rückte die Brille hoch, »›meiner Tochter Marion. Sorry, Fritz.‹«

Beide, Fritz von Barneck und Marion Ried, starrten ihn fassungslos an.

»›Sorry, Fritz‹, dat steht da«, sagte Päffgen. »Hab ich mir nit ausjedacht.«

Er griff nach seiner Zigarettenpackung.

»Jezeichnet«, schloss er, »Inka von Barneck!«

# Falsche Fährten

Astrid Hasling wirkte ausgeruht und lebenshungrig. Sie konnte sich an nichts erinnern, was während der letzten Tage und Nächte in ihrem Innern vorgegangen war, entwickelte einen ungeheuren Appetit und trank literweise Wasser. Offenbar hatte sie nicht nur eine knappe Woche aufzuholen, sondern Jahre, endlich befreit von ihrer übermächtigen Rivalin.

Inka war tot. Astrid begann zu leben.

Cüpper fragte nach dem Italiener. Sie erzählte, Inka habe sie kurz vor dem Bruch zu einem Neujahrsbrunch in die Villa eingeladen. Eva Feldkamp hatte damals das Buffet eröffnet und eine kurze Rede gehalten, mehr eine Parodie auf eine Rede, pointiert und voller Anspielungen. Sie hatte die Frau bewundert. Cüpper wollte wissen, ob sie damals mit Eva Feldkamp gesprochen hatte, was Astrid verneinte. Eva habe sie überhaupt nicht wahrgenommen.

Jetzt war sie aus der Katatonie zurückgekehrt mit der sicheren Gewissheit, ihr begegnet zu sein. Der Italiener trug ihre Züge.

Sie bestellten einen Phantomzeichner ins Krankenhaus. Was auf dem Papier Konturen gewann, zeigte einen Mann, der durchaus Eva sein konnte, wenn man den Schnurrbart wegließ und sich statt der schwarzen Perücke langes, brünettes Haar vorstellte.

Rabenhorst befragte sie zu der Nacht, in der Inka ermordet wurde. Sie gab bereitwillig Auskunft. Nahezu alles deckte sich mit Cüppers Theorie.

Als sie schließlich das Krankenhaus verließen, fühlte Cüpper sich erleichtert, als hätte er eine Schuld abgetragen. Dafür beunruhigte ihn etwas anderes, und er überlegte, ob er Rabenhorst davon berichten sollte. Aber was hätte Rabenhorst Solides sagen sollen über die Geheimnisse einer langstieligen roten Rose in einem Messbecher aus transparentem Plastik, von einer Schreibtischkante stürzend, aufgefangen und zurückgestellt?

»Also hat Eva alles ausgeheckt«, sinnierte Rabenhorst. Sie saßen in Cüppers Büro, tranken zu viel Kaffee und strickten an der großen vereinheitlichenden Theorie.

»Von Barneck war ebenso ein Opfer wie alle anderen«, spann Cüpper den Faden weiter.

»Ja. Damals beschloss sie, seine Frau zu werden. Inka musste verschwinden. Den Plan bereitete Eva von langer Hand vor, wozu auch gehörte, uns auf möglichst viele falsche Fährten zu führen.«

»Was ihr verdammt noch mal gelungen ist! Die Spur nach Mailand war perfekt. Max als Komplizen zu gewinnen wird ihr erster Schritt gewesen sein. Er hatte mit Inka ein Verhältnis, das sich für verfängliche Fotos nutzen ließ.«

»Die wir natürlich finden sollten.«

»Ja, das war geplant. Nur hat Eva dem guten Max verschwiegen, dass dafür sein Tod erforderlich sein würde.«

»Max und Inka, falsche Fährte Nummer eins.«

»Dann war da Inkas Dealer. Eva und Max fanden heraus, wo und wann der Stoff übergeben wurde, und dass Inka mit dem Typ was hatte. Einer von beiden schlich Inka nach und schoss die Fotos im Park.«

»Inka und die Drogenmafia, falsche Fährte Nummer zwei.«

»Max beendet das Verhältnis mit Inka und hält ihr die Fotos unter die Nase. Inka ist zwar rachsüchtig, aber nicht dumm. Sie vereinbaren, sich gegenseitig nicht hochgehen zu lassen. Da kommt Eva die Idee, den Dealer später in Köln wieder auftauchen zu lassen, um das Maß der Verwirrung vollzumachen. Sie spielt ihn selber und gibt sich alle Mühe, gesehen zu werden.«

»Falsche Fährte zweieinhalb: Inka und der Dealer.«

»Genial.« Cüpper konnte sich ein Gefühl der Anerkennung nicht verkneifen. »Womit sie allerdings nicht rechnet, ist, dass ihr ausgerechnet Astrid Hasling über den Weg läuft.«

»Der berühmte Fehler im System«, nickte Rabenhorst.

»Ja, aber der macht sich erst mal nicht bemerkbar. Max tötet Inka. Evas Weg zu von Barneck ist frei, der Plan aufgegangen. Nur einer stört noch.«

»Max.«

»Genau. Dem hat sie wahrscheinlich weisgemacht, sie würde Fritz nach der Hochzeit um die Ecke bringen und die fette Erbschaft mit ihm teilen.«

»Also fingiert sie eine dubiose Verabredung am Grüngürtel, fährt Max dorthin und bringt ihn um. Vorher hat sie von Barneck überredet, die kleine Schau auf der Baustelle abzuziehen.«

»Max, der Engel, Fritz, das Schwein.« Cüpper stieß ein hartes Lachen aus. »Falsche Fährte Nummer drei. Eva konnte den Verdacht problemlos auf von Barneck lenken. Er hatte für jeden der beiden Abende ein Alibi.«

Rabenhorst sah unzufrieden drein.

»Trotzdem – das kann alles stimmen, aber warum war Max gefesselt? Ihn von hinten zu erstechen traue ich ihr zu, aber ihn zu fesseln!? Ein Meter neunzig Lebendgewicht, durchtrainiert und alles andere als dumm und unvorsichtig.«

Cüpper sah auf seine Schuhspitzen. Da war was dran. Plötzlich kam ihm ein Gedanke.

»Wenn sie ihn nun betäubt hat?«, sagte er.

»Wann? Wo?«

»In ihrer Wohnung, kurz nachdem von Barneck weg war. Max kam ja aus der Philharmonie, wollte zu ihr, damit sie ihn zu seiner Verabredung fährt. Sie tut ihm was in die Limonade, fesselt ihn für den Fall, dass er vorzeitig wach wird, lädt ihn ins Auto, fährt ihn an den Stadtrand und macht ihm den Garaus.«

Rabenhorst zog eine Grimasse. »Betäubungsmittel? Hören Sie auf! Und dann in den Wagen schleppen!«

Cüpper schwieg. Rabenhorst hatte recht. Das war ein bisschen konstruiert.

»Wir müssen sie auf jeden Fall verhaften.«

»Von Barneck hat gesagt, ihre Maschine landet morgen Mittag.«

»Ja. Da fangen wir sie ab.«

»Und legen den Fall ad acta.«

Cüpper kickte mit dem Zeigefinger einen Radiergummi weg und sah aus dem Fenster.

Eine Rose in einem Becher, fallend…

# Südstadt

Eva Feldkamp griff nach ihrem Glas. Sie verfehlte es.

»Orientierung verloren?«, fragte jemand und lachte.

Blackout. Blitze hinter ihren Augen.

Wo war sie?

Ach ja, in ihrer Wohnung. War reingekommen, und da wartete eine Flasche Champagner auf sie und zwei Gläser und…

»Ich fühle mich nicht gut«, lallte sie. Seltsam, wie schwer ihre Zunge plötzlich war.

»Kein Wunder«, sagte die Stimme.

Sie kniff die Augen zusammen. Der wabernde Schatten vor ihr verwandelte sich wieder in einen Mann. Hochgewachsen, wallendes weißes Haar, lächelnd.

»Ich musste dir was ins Glas tun«, sagte er freundlich. »Du weißt, wir haben das Zeug schon mal benutzt.«

Die Erkenntnis kam wie ein Tritt in die Magengrube. Sie war in die Falle gegangen. Entsetzt versuchte sie, sich aufzurichten.

»W… was hast du…?«

»Ruhig, mein Schatz. Ganz ruhig.«

Kraftlos sank sie zurück.

»Du warst eine gute Helferin, aber jede Rolle hat mal einen Vorhang. Sei nicht eitel. Du hast deinen Applaus gehabt.«

Sie schluckte. »Das... kannst du nicht... wirklich...«

Er stand auf und trat hinter sie. Jetzt hörte sie nur noch seine Stimme.

»Es hat Schwierigkeiten gegeben. Dieser Cüpper, gar nicht dumm! Stell dir vor, er hat den Trick mit der Philharmonie durchschaut.«

Seine Schritte machten weiche Geräusche auf dem Teppichboden. Wupp. Wupp. Was immer an ihr Ohr drang, schien sich bis zur Unendlichkeit zu dehnen, ein expandierendes Universum, das ihr Bewusstsein mit sich forttrug. Die Droge wirkte immer schneller.

»Aber was noch schlimmer ist, sie haben deine Tarnung aufgedeckt. Sie wissen, dass du der Italiener warst. Das ist natürlich dumm. Jetzt kommen sie und nehmen dich in die Mangel, und du wirst nach einem Stündchen Standhaftigkeit brav den Mund aufmachen und ihnen alles erzählen, was sie hören wollen. Du warst immer schon ein bisschen sentimental.«

Seine Worte türmten sich zu Gebirgen.

Wupp. Wupp.

»Ich habe ihnen gesagt, du bist noch einen Tag in Frankfurt. Das haben sie geglaubt.«

Er machte eine Pause.

Sonnen explodierten hinter ihren Lidern.

Sie zwang sich, die Augen zu öffnen.

Wupp! Wupp!

»Wie ich Cüpper kenne, wird er trotzdem bei dir vorbeischauen. Aber er wird einige Zeit brauchen, bis er handfeste Beweise gegen dich in der Hand hat. Solange brauchst du wenigstens keine Angst zu haben, dass sie dir die teure Wohnung aufbrechen.«

Er kam wieder in ihr Blickfeld. War er gewachsen, angeschwollen? Ein Ballon mit weißer Krone?

»Wwww...«, sagte sie.

»Aber weißt du, was das Dümmste ist?«

Sein Gesicht schoss auf sie zu, eine wabernde Masse, in der Augen, Nasenlöcher und Zähne einen Tanz vollführten.

»Inka hat ein Testament gemacht. Sie, die nie eines machen wollte. Das wäre ja so weit noch zu verkraften, aber dieses Biest hat sich post mortem eine bilderbuchreife Schweinerei einfallen lassen.« Er lachte. »Sie hat alles Marion vermacht. Alles, verstehst du? Jeden Pfennig!«

Sie schloss die Augen, verbannte sein Bild aus ihrem Kopf. Worauf hatte sie sich eingelassen? Warum hatte sie ihm geholfen?

Warum liebte sie ihn so sehr?

»Ist das nicht schrecklich? Jetzt wird es wieder einen Toten geben. Eine Tote, um genau zu sein. Ich werde morgen in den Zoo gehen und die arme Marion erdolchen müssen. Sie werden einen gebrochenen Stiefvater neben der Leiche finden, der jemanden weglaufen sah um Hilfe schreiend, der arme Mann! Einen Unglücklichen, der sich zeitlebens Vorwürfe machen wird, dass er den Mord an seiner Tochter nicht verhindern konnte.«

Was er sagte, klang so absurd, dass sich die Wirkung der Droge für einen Augenblick verlangsamte. Eva ballte die Fäuste.

»Damit kommsss Uu… nicht… duurrr…«

»Sie müssen mich fürs Erste gehen lassen«, fuhr er fort, »auch wenn sie Zweifel haben. Doch dann erreicht die Tragödie ihren Höhepunkt! In der Südstadt wird sich eine Frau aus der sechsten Etage in den Tod stürzen, nur wenige Stunden später! Sie wird einen Abschiedsbrief hinterlassen. Wie sie erst Inka von Barneck hat ermorden lassen, um dann den Mörder umzubringen, einen gewissen Max. Wie sie hoffte, durch die Heirat mit dem nunmehr millionenschweren Fritz von Barneck reich und glücklich zu werden. Und dann das Testament! Aus der Traum vom Reichtum! Wie sie also auch das Mädchen ermordete und plötzlich nicht mehr leben konnte mit der Schuld!« Seine Stimme sank zu einem Flüstern. »Wie sie Schluss mit allem machte.«

Sie verbrannte.

Sie erfror.

Sie war weit weg.

»Der Brief steckt in deiner alten Schreibmaschine. Ich war so frei. Leider hast du vergessen, ihn zu unterschreiben. Na, kommt vor. Und während alle um deine Leiche herumstehen, wird niemand bemerken, dass ich verschwinde, so unauffällig, wie ich gekommen bin. Der Fall wird abgeschlossen sein. Der Fall von Barneck, aus dem plötzlich der Fall Eva Feldkamp wurde. Wie das Leben halt so spielt.«

Schweben.

»Bis dahin werde ich dich gut verstauen, dass dich auch keiner findet. Du wirst nichts sagen und dich nicht bewegen können.«

Dunkel.

Seine Stimme war weit weg, kaum mehr ein Wispern.

»Schlaf gut, mein Liebling. Morgen werde ich dir zu einem phänomenalen letzten Auftritt verhelfen. Dein Ruhm wird die Zeitungen füllen. Du wirst unsterblich sein. Das tue ich für dich.«

»Du hast gesagt, du wirst mich immer lieben«, hörte sie ihre eigene Stimme erstaunlich klar.

»Sicher! Aber ich habe nicht gesagt, dass du es überleben wirst.«...

Überleben wirst, überleben wirst...

Leiser...

Überleben wirst...

Leiser, weiter weg....

Überleben wirst...

Schwarz.

# Revier

Eine Rose in einem Becher, fallend. Eine Rose in einem Becher, fallend. Eine…

»Was?«

Cüpper schreckte hoch.

»Was heißt, was?«

»Sie sagten: ›Eine Rose in einem Becher, fallend.‹«

»Oh«, machte Cüpper.

Rabenhorst runzelte die Stirn. »Was meinen Sie damit?«

Cüpper wies wortlos auf die Rose in ihrem Becher.

»Fallend?«, hakte Rabenhorst nach.

»Vergessen Sie's.«

# Der Anruf

Am späten Nachmittag wurde der Regen heftiger, während die Luft zu kochen schien. Die Gewitter der letzten Tage hatten kaum Abkühlung gebracht. Marion fühlte sich wie in einem Hexenkessel. Sie kroch durch die Käfige im Raubtierhaus und fragte sich, welcher Wahn eine Millionenerbin dazu trieb, Wände und Böden von angetrockneten Fleischresten zu säubern.

Was hinderte sie, alles hinzuschmeißen?

Seltsamerweise fand sie diese Vorstellung noch absurder als den Umstand, Inkas Vermögen geerbt zu haben. Erschöpft hockte sie sich mit dem Rücken gegen die Wand der Zelle und legte die Wange an den kühlen Stein. Durch die Gitter konnte sie hinaus aufs Freigelände sehen. Wo der Wassergraben die strenge Uferlinie durchbrach und einen kleinen, fast natürlich anmutenden Teich bildete, waren lange, flache Felsen aufgeschichtet. Gleich dahinter lag ein großer, toter Baum, dessen oberes Ende auf zwei Aststumpfen ruhte und so mehrere Meter über den Erdboden ragte. Eine der Löwinnen hatte sich darunter ausgestreckt. Ihre Schwanzspitze hob sich von Zeit zu Zeit wie ein eigenes Wesen mit der Aufgabe, die Gegend zu inspizieren und dem mächtigen Körper Bericht zu erstatten, um ihn vor unnötiger Bewegung zu bewahren. Alles schien wahrscheinlicher, als dass die Katze es fertigbringen würde aufzustehen, geschweige denn zu laufen. Sie war der Augenschein von Faulheit.

Und tödlich für jeden, der sich davon täuschen ließ.

Marion lächelte.

Sie überlegte, ob sie Cüpper anrufen sollte. Ihm erzählen, was geschehen war. Einfach nur seine Stimme hören. Aber sie brauchte Zeit. Es gab zu vieles zu ordnen, die Morde, das Testament, den Riss in der Festung, hinter der sie sich verschanzt hatte.

Sie wollte noch einmal ganz mit sich allein sein.

Hinten im Gang schellte das Telefon. Marions Muskeln spannten sich. Sie sprang behände aus dem Käfig. Mit einem Satz war sie am Apparat und nahm ab.

»Ein Gespräch für Sie«, sagte die Frau aus dem Verwaltungsbau.

Cüpper, dachte sie. Er will wissen, was mit der Erbschaft ist.

»Ried«, sagte sie atemlos.

»Hallo, Marion.«

Sie stutzte. Das war von Barnecks Stimme.

»Fritz?«

»Ja. Ich dachte, wir sollten uns mal unterhalten. Du bist jetzt immerhin meine Partnerin.«

»Ich bin Inkas Erbin«, gab sie kühl zurück.

»Natürlich. Aber du bist auch meine ... nun, ich denke, wir haben einiges nachzuholen. Was ist uns schließlich geblieben nach Inkas Tod? Nur Geld.« Er zögerte. Dann sagte er: »Weißt du, ich dachte, wir könnten uns wieder ein bisschen näherkommen, du und ich.«

»Weil du leer ausgegangen bist? Meinst du das?«

»Du kannst in die Geschäfte einsteigen.«

»Ich verstehe nichts von deinen Geschäften.«

»Es liegt bei dir.«

Das kam überraschend. Marion biss sich auf die Lippen und überlegte, was sie darauf erwidern sollte.

»Du musst nichts überstürzen«, setzte er eilig nach. »Ich will vor allem, dass wir Freunde werden.«

Sie lachte bitter. »Der Gedanke kommt dir reichlich spät.«

»Ich weiß. Ich habe viel gutzumachen. Lass es mich einfach versuchen.«

Ein Vater, ganz plötzlich? Marion fühlte Misstrauen in sich aufsteigen.

»Dafür ist es zu spät«, sagte sie, aber es klang lahm und unentschieden. Sie wünschte sich so sehr, jemandem trauen zu können.

»Es ist nicht zu spät! Marion, pass auf, ich muss für einige Tage verreisen. Wenn du morgen im Zoo bist, würde ich dich gerne besuchen.«

»Das geht nicht«, sagte sie hastig. »Ich hab den ganzen Tag zu tun und ...«

»Gegen acht. Bevor die Besucher kommen.«

»Da ist Fütterung! Das ist zu früh!«

»Später bin ich weg! Marion, wir müssen einen Anfang finden. Bitte!«

Seine Stimme klang aufrichtig.

»Gut«, seufzte sie. »Ich sag vorne Bescheid, dass sie dich durchlassen.«

»Danke. Ich freue mich.«

»Bis morgen, Fritz.«

»Ja. Bis morgen.«

Sie hängte ein und ging hinaus in den Regen. Am Fuß der Treppe, die zum großen Weiher hinaufführte, thronten die beiden Bronzelöwen, starr, blind und gleichgültig. Früher hatte sie oft das Bedürfnis gehabt, sich einfach neben sie zu legen und für alle Zeiten dort liegen zu bleiben. Jetzt war etwas in ihr erwacht, das wilder war als die Katzen.

Und es gierte nach Leben.

Gopper kam die Stufen herunter und grinste ihr zu.

»Na, du reiche Göre?«

»Pass bloß auf!«, lachte sie. »Am Ende musst du mich heiraten.«

»Der Himmel bewahre mich vor zickigen Millionärinnen!«

»Du, Gopper.«

»Was denn?«

»Mein Vater ... ich meine, Fritz hat angerufen.«

Gopper stellte den Eimer mit Fischen ab, den er getragen hatte, und zog die Kapuze seines Anoraks über den kahlen Schädel. Marion sah, dass er trotz der Hitze fröstelte. »Was sagt er denn?«

»Er will Frieden schließen.«

»Gut.«

»Gut? Sonst nichts?«

Er zuckte die Achseln. »Was soll ich dazu sagen? Frieden ist immer gut.«

Sie betrachtete ihn, wie er vor ihr stand, unschlüssig und gebeugt. Dann ging sie zu ihm hinüber und kniff ihn in die Nase. »He. Wir bleiben doch Freunde.« Er richtete sich langsam auf und entblößte zwei Reihen gelber Zähne.

»Sicher bleiben wir Freunde«, nickte er. »Schau ihn dir gut an. Wenn du meinst, dass er es ehrlich meint, solltest du ihm ordentlich was abgeben.«

»Von dem Geld? Na klar!«

»Nein. Von dir.«

# Zweifel

»Ei, Ei«, murmelte Rabenhorst.

Er stand in seiner kleinen Küche, den Hals zum Kochbuch hin verrenkt. Ein Griff, ein Schlag. Die Schale knackte auseinander. Neugierig sah er zu, wie Eiweiß und Dotter das Gemisch aus geriebenen Kartoffeln, Mehl und Zwiebeln überzogen, nahm den Salzstreuer zur Hand und zögerte.

Wie viel Salz?

Weiß ich auch nicht, pflegte seine Mutter auf entsprechende Anfragen zu erklären. So was hat man im Gefühl.

Rabenhorst hatte eher im Gefühl, dass einer, der nicht kochen kann, das Maul nicht so weit aufreißen sollte. Aber jetzt gab es kein Zurück mehr. Cüpper hatte für kommende Woche zugesagt. So lag der Sauerbraten zwar noch nicht in Essig, ihm aber umso mehr im Magen.

Probier was Leichtes für den Anfang, hörte er seine Mutter sagen.

Leicht? Was ist das?

Reibekuchen, hatte sie gemeint. Macht lediglich viel Arbeit. Also hatte Rabenhorst Kartoffeln gekauft und eine Reibe. Und sich fast die Finger abgerieben.

Er sah auf die Uhr. Viertel nach acht.

Der Nachmittag hatte sich ergebnislos hingezogen, überdies waren sie durch Bagatellen unterbrochen worden. Messerstecherei in der Südstadt. Einbruch auf der Hohe Straße. Egal. Bevor Eva Feldkamp zurückkehrte, konnten sie ohnehin nichts tun als warten.

Rabenhorst streckte sich und widmete sich wieder dem Rezept. Wie es aussah, hatten sie den Fall gelöst.

Dann hielt er inne. Hatten sie das wirklich?

Plötzlich kam es ihm vor, als hätten sie etwas Grundverkehrtes einfach nur richtig erklärt.

Unsicher begann er zu salzen.


Cüpper saß bis spät in die Nacht vor dem Fernseher, ohne richtig hinzugucken.

Der Gedanke an die Rose trieb ihn zum Wahnsinn. Wieder und wieder sezierte er die Szene, das Rot der Blütenblätter, schwappendes Wasser, jeden Reflex auf dem transparenten Plastik, als der Becher ins Kippen geriet, von Barnecks blitzschnelle Reaktion, das Geräusch, mit dem die provisorische Vase wieder auf die Schreibtischplatte knallte. Immer wieder fing er bei Null an. Das Schlimmste war die Gewissheit, dass es gar nicht um Symbolismen ging, sondern um etwas unglaublich Profanes. Er hatte die Wahrheit gesehen! Die Auflösung war geradezu lächerlich einfach!

Es musste etwas mit dem Herunterfallen zu tun haben. Genauer gesagt mit dessen Verhinderung. Vielleicht lag hier die Antwort. Im Verhindern des Herunterfallens.

Und wenn man die Szene nun weiterdachte?

Was wäre geschehen, wenn von Barneck nicht zugegriffen hätte? Der Becher wäre aufgeschlagen, das Wasser ausgelaufen. Auslaufende Flüssigkeit. Inka von Barneck war ausgelaufen, sie war gestürzt, als ihr der Mörder oder die Mörderin das Messer über die Kehle zog.

Überall Blut. Rot wie eine Rose…

Cüpper stand auf und schaltete den Fernseher aus. Er kam einfach nicht weiter.

Es war fast eins. Schlafen gehen, dachte er. Im gleichen Moment wusste er, dass er im Bett liegen würde, mit offenen Augen an die Decke starrend, immer wacher werdend…

Bloß nicht!

Sekunden später fiel die Wohnungstür hinter ihm zu.

# Südstadt

Ihr Bewusstsein trieb auf einer See aus Schlaf. Mit äußerster Willensanstrengung öffnete sie die Augen.

Dunkel.

Sie spürte etwas Weiches auf ihrem Gesicht, schüttelte den Kopf, versuchte es wegzuziehen. Sie konnte ihre Hände nicht bewegen.

Jemand stöhnte langanhaltend. Sie selbst.

Das Weiche verschwand. Licht drang in ihre Augen. Sie blinzelte und stöhnte noch lauter. Der weiße Haarschopf schob sich in ihr Blickfeld. Sie sah sein Lächeln.

Dann die Spritze. Voller Panik schüttelte sie den Kopf und begann zu schreien, aber es klang dumpf und monoton. Er lachte.

»Du willst mir was erzählen? Wie schade, dass ich keine Zeit habe.«

Etwas drang schmerzhaft in ihre Armbeuge ein.

»Nur eine kleine Dosis gegen schlechte Träume«, sagte er freundlich. »Übrigens, da du schon mal wach bist, ich habe dein letztes Opfer angerufen. Marion, die liebe Kleine. Morgen werde ich sie treffen. Daddy kommt! Sie vertraut mir. Schrecklich nur, dass du mir nachschleichen und das Messer auf sie schleudern wirst.«

Sie gab jeden Widerstand auf. Fühlte, wie die Betäubung zurückkam. Schloss die Augen.

»Ich werde dich jetzt alleinlassen. Muss wieder nach Marienburg, am Ende werden sie mich noch vermissen.«

Noch einmal stöhnte sie.

»Nein, du hast mir nichts mehr zu erzählen, Liebling. Du bist doch tot. Schon vergessen?«

Eine Woge griff nach ihr, spülte sie fort.

Sie ließ sich fallen und versank.

# Fünfter Tag

# Ins Licht

Cüpper streifte am Rheinufer entlang, bis der Morgen dämmerte.

Plötzlich dachte er an die Gurke.

Zwischen dem nachtgetränkten Fluss und dem Tagesanbruch manifestierten sich die absonderlichsten Gedanken, erhellt von einem Streifen Licht am Horizont.

Eine Gurke in einem Becher, fallend…

Als er endlich einsehen musste, dass seine Konzentration drastisch nachgelassen hatte, ging er zurück nach Hause und legte sich angezogen aufs Bett.

Rabenhorst. Der würde wahrscheinlich schlafen wie ein Bär.


Rabenhorst blinzelte.

Etwas hatte ihn geweckt. Versalzen, war sein erster Gedanke. Er hatte zu viel Salz genommen.

Aber Junge, so was hat man im Gefühl!

Gähnend verscheuchte er die Gedanken an Mütter und Reibekuchen und sah auf den Radiowecker. Sechs Uhr zehn.

Was war bloß los mit diesem Morgen?

Rabenhorst stand auf und ging zum Fenster. Er konnte es kaum glauben.

Ein Sonnenstrahl!

Er war von der Sonne wachgeworden. Es gab sie also doch noch.

Einen Augenblick lang schwankte er zwischen Bett und Kaffee. Dann entschied er sich für Kaffee.

Cüpper wäre stolz auf ihn gewesen.

Aber Cüpper verschlief. Es war halb acht, als er hochschreckte, ebenso zerknautscht wie seine Kleidung.

War er doch noch eingedämmert!

Dunkel entsann er sich eines Traumes. Von einem überdimensionalen Plastikbecher mit einer monströsen Pflanze darin, der sich über eine Klippe neigte und direkt auf ihn zustürzte. Er selber klein wie eine Wanze, und dann eine Hand, die heransauste und den alles beendenden Fall aufhielt.

Hand und Becher hatten über ihm geschwebt.

Dann, ganz langsam, Finger für Finger, hatte die Hand den Becher wieder losgelassen –

Cüpper rieb sich die Augen. Er hustete und ging ins Bad. Seine Finger fanden von selbst den Weg zum Rasierzeug. Mechanisch seifte er sich ein, während er sein übernächtigtes Gesicht im Spiegel betrachtete. Er griff zum Rasierer und begann, den Schaum samt Stoppeln runterzuschaben.

Und hielt inne.

Der Mann im Spiegel starrte ihn mit weit aufgerissenen Augen an. Aus einer kleinen Wunde am Kinn drang Blut und mischte sich mit dem Schaum.

Fassungslos sah er zu, wie seine Hand hochfuhr und es wegwischte. Neues Blut kam nach.

Das war es also.

So einfach. So schrecklich einfach!

Nicht die Vase. Nicht die Rose. Sondern die Art, wie…

»Ich Idiot«, flüsterte er.

Er warf den Rasierer ins Waschbecken, hastete aus dem Bad und ans Telefon.

»Rabenhorst? Schnappen Sie sich ein paar Männer, und brechen Sie Eva Feldkamps Wohnung auf! Sofort!«

Am anderen Ende der Leitung entstand Verwirrung.

»Warum? Ich denke, wir wollten sie auf dem Flughafen abfangen.«

»Ich glaube nicht, dass sie je dort ankommen wird. Wahrscheinlich ist sie schon in Köln.«

»Aber…«

»Keine Fragen. Tun Sie einfach, was ich Ihnen sage.«

Er legte auf und wählte die Nummer vom Zoo. Je früher er sie warnte, desto besser.

Es klingelte quälend lange. Dann sagte jemand müde: »Kölner Zoo.«

»Cüpper, guten Morgen. Kann ich Frau Ried sprechen?«

»Die Frau Ried? Ich weiß nit. Is wahrscheinlich draußen.«

»Dann holen Sie sie an den Apparat.«

»Dat sagen Sie so einfach.«

»Es ist dringend!«

Die Stimme klang auf einmal wacher. »Hat sie wat anjestellt?«

»Bitte!«

»Ich versuch et. Die ist heut morjen aber auch begehrt.«

»Was? Wieso?«

»Grad war schon mal einer hier. So, Durchwahl Raubtierhaus...«

»Augenblick. Sie hat Besuch?«

»Ja, is auf'm Weg. Da müssen Sie sich aber keine Jedanken drum machen. Is nur ihr Vater.«

Cüpper schnappte nach Luft. Er ließ den Hörer fallen und rannte los.

# Zoo

Marion genoss die frühen Sonnenstrahlen wie etwas lang Entbehrtes. Sie lehnte an der Brüstung des Löwengeheges und gönnte sich ein paar Minuten Ruhe. Unter ihr tanzten Myriaden winziger Lichter im Wassergraben.

Hunderte von Vögeln sangen um die Wette.

Einer der Vögel kam ihr etwas monoton vor, allzu gleichmäßig. Zu spät begriff sie, dass es das Telefon war. Der Ton drang schwach aus dem Gebäude, das die Löwen von den Tigern trennte.

Vermutlich kündigten sie Fritz an. Während sie noch überlegte, ob sie rangehen sollte, hörte das Klingeln auf.

Egal.

Sie legte den Kopf in den Nacken und schloss die Augen.

# Gegen die Zeit

Cüpper rannte wie ein Irrer.

In seiner Ausbildung hatte er zu den besten Sprintern gehört, aber das war einige Jahre her. Zwischenzeitlich hatte er zu gut gegessen und zu viel getrunken. Als er die Riehler Straße entlanglief, spürte er schmerzhafte Stiche in den Seiten. Die Zoobrücke schien Lichtjahre entfernt zu sein.

Hätte er nur den Wagen nehmen können! Aber der stand zu weit weg, weil wieder mal nichts frei gewesen war.

Verfluchtes Köln!

Keuchend erreichte er den Reichensperger Platz. Seine Schritte hämmerten im schnellen Stakkato auf den Asphalt. Er hörte Bremsen quietschen und wusste, dass es seinetwegen war.

Auch die nächste Ampel zeigte rot.

Ohne nach rechts und links zu sehen oder sein Tempo zu verlangsamen, fegte Cüpper über den Zebrastreifen.

# Zoo

Der Mörder blieb stehen, irritiert. Der Messergriff unter dem Blazer drückte gegen seine Brust und erinnerte ihn daran, dass ihm nur noch wenig Zeit blieb.

Seine Augen wanderten umher.

Rechts von ihm glotzten zwei Kasuare durch das mannshohe Gebüsch, zur Linken lag das Freigelände für die Hirsche und Okapis. Dann gabelte sich der Weg und führte an den Zebras vorbei um die Affeninsel herum, während er zur anderen Seite schmaler wurde und zwischen Bäumen verschwand.

Angestrengt versuchte er sich zu erinnern, wo es zu den Löwen ging.

Ein paar Paviane begannen zu kreischen und jagten einander den Felsen hinauf. Warum hatte er nicht nach dem Weg gefragt? Aber dann wären sie auf die Idee gekommen, ihn zu ihr zu bringen. Nichts konnte er weniger gebrauchen als Publikum. Noch nicht.

Unsicher entschied er sich für links.

Keine fünfzig Meter entfernt fiel Marion plötzlich ein, dass Fritz sie nie besucht hatte. Wahrscheinlich kannte er den Zoo nur aus frühester Kindheit, wenn überhaupt. Er war nicht der Typ, der seine Freizeit zwischen Känguruhs und Brillenpinguinen zubrachte.

Sie warf einen Blick auf die Uhr. Zehn vor acht. Zeit, die Katzen für die Fütterung reinzuholen.

Andererseits, wenn Fritz sich verlief? Viele gingen an der Affeninsel in die falsche Richtung. Konnte nicht schaden nachzusehen.

Schlendernd setzte sie sich in Bewegung.

Der Haupteingang!

Cüpper erreichte den Kölner Zoo in einem Zustand, der jede Frage nach Kondition und Leistungsgrenzen außer Diskussion rückte. Wenn er jetzt stehen blieb, würde er keinen Fuß mehr vor den anderen setzen können. Er würde einen Infarkt erleiden, seine Lungen würden platzen, seine Knochen auseinanderfallen.

Keuchend nahm er die Stufen zur offenen Tür des Verwaltungsgebäudes. Der verglaste Empfang war unbesetzt. Er schlitterte daran vorbei, in den angrenzenden Gang hinein und durch die Hintertür ins Reich der Bestien.

Etwa zur gleichen Zeit kam Gopper aus dem Urwaldhaus. Er sollte eine der Türen reparieren, Sache zweier Schrauben und eines Schraubenziehers. An die Schrauben hatte er gedacht.

»Lass dich verschrotten«, brummte er zu sich selbst und trottete den Weg zurück zum Schuppen, vorbei an den indischen Wölfen. Wenige Meter weiter zweigten links die Treppen zum Löwengelände ab. Ging man den Weg geradeaus, beschrieb er nach knapp hundert Metern eine Kurve um die Affeninsel, gabelte sich und führte entweder zurück zum Haupteingang oder wieder zu den Großkatzen.

Plötzlich glaubte er, in der Kurve eine Gestalt zu sehen. Weißhaarig, hochgewachsen.

Er blieb stehen und kniff die Augen zusammen.

Sollte Marion nicht Besuch bekommen?

»Hallo?«, rief er.

Die Gestalt war verschwunden.

Kurz vor der Affeninsel drehte Marion um und lief an den Kasuaren vorbei bis zu den Coburger Fuchsschafen. Fritz war nirgendwo zu sehen.

Sie überlegte, ob sie bis zum Haupteingang gehen sollte. Möglicherweise hatte sie ihn falsch verstanden, und er wartete dort auf sie.

Aber es war fast acht!

Sollte er es ohne sie schaffen. Zur Sicherheit passierte sie das Gehege mit den Känguruhs, eine weitere Ecke, an der man schnell die Orientierung verlor, sah sich noch einmal um und trabte zurück zu ihren Katzen.

Er war doch falsch gegangen!

Zornig stapfte der Mörder den Weg zurück, nicht wissend, dass ihn nur wenige Meter weiter Treppen ans Ziel geführt hätten. Seine Hand umklammerte das Messer unter dem Jackett. An der Affeninsel verlor er völlig die Orientierung und geriet in eine Abzweigung. Plötzlich war er bei den Pinguinen. Er hörte Stimmen, machte auf dem Absatz kehrt, dass der Kies knirschte –

– und erinnerte sich wieder.

Er hätte den schmalen Weg gehen sollen.

Schnell jetzt! Er musste es hinter sich bringen. Ihm blieb nicht mehr viel Zeit. Rasch schritt er aus.


Cüpper glaubte es nicht mehr zu schaffen. Als er zwischen dem Flamingoweiher und dem Südamerikahaus durchhetzte, war ihm, als steckten Pfeile in seinen Lenden.

»Weiter!« keuchte er. »Weiter! Los, lauf, du lahmer, fetter, alter Bulle, lauf!«

Er würgte vor Anstrengung. Weiter vorne tauchte die Gabelung auf, an der es rechts zur Affeninsel ging und links zu den Katzen. Und plötzlich sah er ihn. Er ging direkt zum Raubtierhaus. Cüpper wollte schreien, aber seiner Brust entrang sich nur ein heiseres Ächzen.

Alles in ihm presste sich zusammen.

Marion! Marion!!!


»Marion!«

Sie ließ die Tür zum Raubtiergebäude los und drehte sich um. Er kam lächelnd den Hauptweg herunter, eilig ausschreitend. Die weiße Mähne strahlte in der Sonne wie ein Heiligenschein. Typisch Manager, dachte sie. Der Flieger steht wahrscheinlich schon auf dem Rollfeld, alles wartet nur auf ihn.

»Ich dachte, du findest mich nicht mehr«, rief sie.

Seine Hand glitt unter den Blazer. Er lächelte noch breiter.

»Ich finde jeden, Marion.«

Cüpper fühlte sein Herz wie einen Presslufthammer schlagen. Er holte tief Luft und versuchte zu schreien. Seine Beine hatten sich verselbständigt, etwas steuerte sie, er wusste nicht, was. Seine Rechte glitt ins Halfter, zog den Revolver. Vor ihm tauchten die beiden Freigelände für die Großkatzen auf, vorne das der Tiger, dann die Löwen, dazwischen das niedrige, quergestreckte Haus, in dem die Fütterungen stattfanden.

Er sah Marion, wie sie sich von der Tür entfernte.

Sah den Mörder.

Fast bei ihr –

Cüpper stolperte und schlug der Länge nach hin.

Er spürte nicht, wie seine Handflächen vom rauen Asphalt aufgerissen wurden, nur dass er plötzlich wieder Luft bekam.

»Marion!«, schrie er.

Die weißhaarige Gestalt wirbelte zu ihm herum. Gleichzeitig tauchte ein alter Mann oben an der Treppe auf, die aus entgegengesetzter Richtung zu den Raubkatzen führte. Cüpper fing Marions hilflosen, verwirrten Blick auf und versuchte hochzukommen. Etwas stimmte nicht mit seinem linken Bein.

»Marion, geh weg von ihm!«

Sie sah ihn an. Verstand nicht.

»Lauf weg! Hörst du? Das ist nicht Fritz! Das ist Max! Max Hartmann!!!«

# Flucht

Hartmann erstarrte. Er ließ das Messer los und sah sich gehetzt um.

Marion wich vor ihm zurück.

Sein Verstand analysierte die Lage im Bruchteil einer Sekunde. Cüpper hatte sich aufgerappelt. An den Treppen stand der Alte. Selbst wenn Hartmann an dem alten Mann vorbeikäme, wäre er immer noch im Zoo gefangen, mit all den Wärtern und Pflegern, Cüpper auf den Fersen.

Es gab nur einen Weg. Sein Kopf ruckte zu dem Mädchen, das zwischen ihm und dem Gebäude stand.

Sie hob abwehrend die Arme.

Seine Rechte schnellte vor und packte ihr Handgelenk. Mit der Linken schlug er ihr in den Magen. Marion klappte zusammen. Er riss sie an den Haaren hoch und landete zwei harte Schläge in ihr Gesicht. Etwas brach, Blut schoss aus ihrer Nase. Sie kippte nach hinten weg und schlug mit dem Kopf auf den Asphalt.

Noch während sie fiel, hastete er auf die andere Seite der Brüstung, die den Weg vom Löwengelände trennte, und begann zu klettern.

Gopper sah schockiert, wie Marion zusammengeschlagen wurde und der Weißhaarige auf den schmalen Streifen Erdreich hoch oberhalb des Wassergrabens sprang, gleich neben das Gebäude. Dort wuchs ein Baum aus der Böschung, reckte seine Zweige über das Löwengelände und das Dach hinaus. Behände zog sich der Mann durch das Astwerk nach oben.

Gopper verstand nicht das Geringste.

Aber mit einem Mal fühlte er sich nicht mehr alt. Unbändige Wut erfasste ihn. Er ließ sein Werkzeug fallen und rannte die Treppen hinunter.

Cüpper stöhnte auf. Bohrender Schmerz jagte durch sein Knie. Er versuchte ihn zu ignorieren und kam mühsam auf die Beine. Sofort begriff er. Hartmann wollte aufs Dach. Der Mörder ergriff die Flucht.

Marion lag reglos vor dem Eingang. Er zwang sich, sie nicht anzusehen, bückte sich nach seiner Waffe, steckte sie ein und lief humpelnd zu der Brüstung. Hartmann hatte das Dach beinahe erreicht. War er einmal dort, konnte er darüberlaufen und hinter den Raubtierfreigeländen entkommen. Die Rückfront des Gebäudes grenzte an die Riehler Straße, getrennt nur durch eine Baumreihe und ein schmales Mäuerchen. Hatte er einmal die Hauptstraße erreicht, gab es kaum noch eine Chance, ihn zu erwischen. Ein Verletzter und ein alter Mann – was für eine Truppe!

Aber der alte Mann hing bereits in den Ästen.

Cüpper zögerte nicht länger. Er begann zu laufen, so gut es eben ging, und setzte über das Gitter. Es tat höllisch weh, als er aufkam, so dass er das Gleichgewicht verlor, gegen den Baum prallte und daran vorbeiglitt. Einen

Augenblick hing er hoch über dem Wassergraben, sah hinunter –

– und die beiden Löwinnen sahen zu ihm herauf. Ihre Körper waren angespannt, die Schwänze zuckten peitschenartig über den Boden. In ihren Augen lag die ganze grausame Neugier der Katzen.

Cüppers Hand krallte sich in die Rinde. Mit zusammengebissenen Zähnen begann er zu klettern. Ohne seine Verletzung wäre er längst oben gewesen. Er sah Hartmann auf das Dach springen, den Alten auf den Fersen, bekam den höhergelegenen Ast zu packen und stöhnte auf, als sein Knie gegen den Baumstamm schlug.

Nur noch ein Stück.

Die Äste schwankten bedenklich. Cüpper hörte es im Holz krachen und bersten. Die Rinde splitterte unter seinen Händen. Da war der Fuß des alten Mannes, auch er hatte es aufs Dach geschafft. Ohne nach unten zu sehen, ließ Cüpper los und packte den Dachrand. Er stemmte sich hoch, konnte darüber hinwegsehen.

Hartmann war auf das höhergelegene Dach gesprungen, der Alte richtete sich eben auf dem Vordach auf. Es waren allenfalls zwei Meter, die beide voneinander trennten. Entsetzt musste Cüpper mitansehen, wie der Mörder sich zu seinem Verfolger umdrehte und ins Jackett griff. Der alte Mann stürmte nach vorne, blind vor Wut, die mageren Finger ausgestreckt.

Es reichte nicht.

Das Messer blitzte in Hartmanns Hand auf, löste sich und traf den Alten mitten in die Brust. Der magere Körper wurde zurückgeschleudert, fiel auf die Teerpappe, zuckte und lag still.

Cüpper spürte wieder Übelkeit aufsteigen. Mit äußerster Kraftanstrengung zog er sich über den Rand des Dachs und begegnete Hartmanns Blick, voller Hass und Spott, bevor dieser sich umdrehte und über das lang gestreckte Dach nach hinten zu laufen begann.

Er hatte kein Messer mehr.

Aber Cüpper hatte eine Waffe.

Er schaffte es aufs Hauptdach und streckte die Hand mit dem Revolver aus, Ellbogen durchgedrückt.

»Stehen bleiben, Max! Ich schieße!«

Hartmann stoppte. Er hatte beinahe die Hälfte der Distanz zurückgelegt, die ihn noch vom Absprung trennte. Langsam drehte er sich zu Cüpper um.

»Herkommen!«

»Warum kommen Sie nicht zu mir?« Hartmann fletschte die Zähne. Unmöglich, dachte Cüpper. Er kann nicht so dumm sein, sich der Waffe zu widersetzen.

Schnell schaute er hinter sich. Falls er gehofft hatte, dass weiteres Personal durch den Tumult angelockt worden war, hatte er sich getäuscht. Der Zoo war hoffnungslos unterbesetzt. Dann fiel ihm ein, dass bisher fast alles geräuschlos vonstatten gegangen war.

»Herkommen«, wiederholte er und trat ein Stück zur Seite, um Hartmann an sich vorbeizulassen. »Hände über den Kopf! Los jetzt!«

Hartmann folgte der Aufforderung mit nervenaufreibender Langsamkeit. Dann kam er näher.

Zu nahe.

»Stopp! Da stehen bleiben.«

»Sie sagten, ich solle herkommen. Haben Sie nicht…«

»Halten Sie die Schnauze, Hartmann. Bis hierhin und nicht weiter. Gehen Sie an dem Oberlicht vorbei aufs Vordach.«

»Ich hab Sie schön zum Narren gehalten, was?«

»Maul halten!«

»Was wollen Sie tun? Mich erschießen, bloß wegen ein bisschen Konversation?« Hartmann lachte, aber er hielt Distanz und ging zurück in Richtung Vordach. Jetzt war er auf gleicher Höhe mit Cüpper. Seine Augen blitzten –

Und Cüpper verlor den Halt. Sein verletztes Bein knickte ein. Er sah, wie Hartmann sich duckte und zum Sprung ansetzte, zog die Waffe hoch.

Zu spät.

Der Körper des anderen rammte ihn, er wurde zu Boden gerissen, der Revolver flog im hohen Bogen davon und schlitterte über die Kante des Hauptdachs. Cüpper versuchte sich abzustützen, um wieder auf die Beine zu kommen, aber da war nichts, kein Dach, überhaupt nichts. Seine Hände tasteten ins Leere.

Im nächsten Augenblick prallten Hartmanns Knie auf seine Brust.

Er strampelte mit den Beinen und holte keuchend aus. Sein Arm wurde im Schlag abgefangen, umklammert von Hartmanns linker Hand – so wie der Doppelgänger auch den Becher mit der Rose aufgefangen hatte, mit der Linken, und Cüpper hatte es gesehen, ohne es zu kapieren.

Der Linkshänder!

In einer merkwürdigen Anwandlung von Distanziertheit fragte er sich, wie Hartmann das alles geschafft hatte. Den Mord an von Barneck, ihn wie sich selbst aussehen zu lassen, dann den Anruf, als er längst schon wieder in der Villa war.

Erneut versuchte er, sich loszumachen. Zwecklos. Hartmann verfügte über unglaubliche Kräfte.

Warum schlug der Mörder nicht einfach zu?

Dann begriff er.

Eisiger Schrecken durchfuhr ihn.

Hartmann schob ihn über den Rand des Dachs, Stück für Stück. Nicht mehr lange, und er würde hinunterstürzen.

Zu den Löwen!

Gopper hustete. Etwas Warmes lief aus seinem Mund, tropfte am Kinn herunter.

Wo war er?

Er versuchte sich aufzurichten und sank mit einem Röcheln zurück.

Wie in Zeitlupe führte er die Hände an die Brust. Etwas ragte daraus hervor. Er griff in den klebrigen Stoff seines Hemdes, drehte sich herum und konnte die Kante des höhergelegenen Dachs sehen.

Vor ihm lag ein Revolver.

Wieder musste Gopper husten, schwer und krampfhaft. Vor seinen Augen ergoss sich ein Schwall schwarzen Blutes auf den Teer. Er sah weg und gewahrte jenseits der

Dachkante den Oberkörper eines Mannes, gebeugt, die Hände vorgestreckt, das Gesicht eine triumphierende Grimasse.

Der Mann, der Marion niedergeschlagen ...

Das Messer gezogen ...

Ihn getroffen hatte.

Er würde sterben!

Goppers Finger schoben sich spinnengleich über die Teerpappe, tasteten sich zu der Waffe. Er bekam ihren kalten Griff zu fassen, merkte, wie das Ding ihm Kraft gab. Früher hatte er geschossen, im Krieg.

Alles verschwamm vor seinen Augen.

Er biss die Zähne aufeinander und richtete sich ein weiteres Stück auf. Der Revolver ruhte schwer in seiner Hand, die Mündung tanzte von rechts nach links. Jetzt sah er, was der Weißhaarige tat. Er hockte auf einem Körper, drückte ihn über den Rand des Dachs –

Gopper schoss.

Der Rückstoß schleuderte ihn wieder zu Boden. Im letzten bewussten Moment seines Lebens durchglühte ihn die Gewissheit, dass er getroffen, ganz bestimmt getroffen hatte!

Hartmanns Griff lockerte sich. Cüpper sah den erstaunten Ausdruck in seinen Augen. Auf dem linken Oberarm seines Gegners breitete sich ein roter Fleck aus.

Jemand hatte geschossen.

Hartmanns Blick schweifte ab, eine Sekunde zu lang.

Es reichte, um sich loszumachen. Mit aller verbliebenen Kraft landete Cüpper einen Schwinger gegen Hartmanns Kopf und rollte unter dem plötzlich nachlassenden Gewicht zur Seite. Aus den Augenwinkeln sah er Hartmanns Körper über die Kante des Dachs kippen und nach unten verschwinden, während er selber sich um hundertachtzig Grad drehte, so dass plötzlich seine Beine über dem Abgrund hingen. In Panik streckte er die Hände aus, um Halt zu finden, krallte sich in die Teerpappe.

Und wurde in die Tiefe gerissen.

Seine Finger schrammten über das Dach, die Fingernägel splitterten. Hartmann hatte es irgendwie geschafft, sich an seinen Beinen festzukrallen. Er spürte einen fürchterlichen Ruck, dann ging auch er über die Kante.

Verzweifelt klammerte er sich daran fest, ein letzter Halt.

Und rutschte ab.

Langsam, Millimeter für Millimeter.

– nur noch die Fingerspitzen – Hartmann, wie er versuchte, sich an ihm hochzuhangeln – grausamer Schmerz im Bein –

Alles drehte sich.

Dann raste der Erdboden auf sie zu.

# Südstadt

Rabenhorst gab das Zeichen.

Einer der Polizisten warf sich gegen die Tür, zwei-, dreimal. Krachend flog sie auf. Zwei Männer sprangen mit gezogenen Waffen hinein und suchten die Wohnung ab.

»Scheint alles sauber zu sein!«

»Okay«, sagte Rabenhorst. »Schauen wir mal.«

Er fragte sich, welcher Teufel Cüpper geritten haben mochte, ihm diesen Befehl zu geben. Nichts in der Wohnung deutete darauf hin, dass Eva Feldkamp vorzeitig zurückgekehrt war.

Aber Cüpper tat selten etwas ohne Grund. Rabenhorst ging an die Fensterfront und sah hinaus. Zu hoch für ihn. Er war nicht schwindelfrei. Schnell drehte er sich um und schaute im Bad nach.

Leer.

Einer seiner Leute hatte unterdessen die Türen der Schlafzimmerschrankwand aufgerissen und teilte Blusen und Röcke. Er machte Anstalten, den Schrank wieder zu schließen, da glaubte Rabenhorst, eine Bewegung wahrgenommen zu haben. Schnell trat er hinzu.

»Warten Sie!«

Der Boden des Schranks war mit einer großen, wollenen Decke ausgelegt. Rabenhorst ging in die Hocke und zog sie weg. Darunter kam Eva Feldkamps Gesicht zum Vorschein.

»Schnell! Holen Sie sie raus!«

Vorsichtig zogen sie die Frau aus dem Schrank und legten sie auf das Bett. Sie war gefesselt, auf ihrem Mund klebte ein Pflaster. So wie man sie verpackt hatte, hätte sie sich nie aus eigener Kraft befreien, nicht einmal aus dem Schrank kriechen können.

Ihre Augenlider flatterten. Sie stöhnte leise.

»Holen Sie Wasser«, befahl Rabenhorst. Schnell löste er die Fesseln und entfernte den Klebestreifen.

»Frau Feldkamp! Können Sie mich verstehen?«

»Die ist auf'm Trip«, sagte einer der Polizisten. »Völlig high.«

Rabenhorst besann sich einen Augenblick. Dann holte er aus und gab ihr rechts und links ein paar schallende Ohrfeigen.

»Frau Feldkamp!«

Sie öffnete die Augen.

# Mordshunger

Wasser schlug über Cüpper zusammen. Er schnappte nach Luft, bekam faulige Flüssigkeit in die Lungen und glaubte, ersticken zu müssen. Keuchend und spuckend tauchte er auf.

Sie waren haarscharf an der Uferkante vorbeigefallen und in den Graben gestürzt.

Links sah er Hartmann, der mit langsamen, unbeholfenen Bewegungen von ihm weg- und auf die steile Betonwand zustrebte. Mindestens drei Meter ragte sie über ihnen empor.

Unmöglich, da raufzukommen.

Aber Hartmann schien nichts Derartiges vorzuhaben. Er schwamm weiter den Graben entlang.

Er will ans andere Ende, schoss es Cüpper durch den Kopf. Da, wo das Gitter an den Wassergraben schließt, das den Lebensraum der Löwen begrenzt.

Er will über den Zaun!

Dann hörte er das Knurren.

Eine der Löwinnen kam in langen Sätzen auf ihn zu und stoppte Zentimeter vor der Kante. Der riesige Schädel schoss nach vorne. Sie öffnete das Maul und ließ ein ohrenbetäubendes Brüllen hören, so dass Cüpper deutlich die langen Reißzähne sehen konnte.

Ohnmächtiges Grauen erfasste ihn. Wieder bekam er

Wasser zu schlucken. Er warf sich auf den Rücken und trieb, mit den Armen rudernd, ein Stück nach hinten.

Die Löwin starrte ihn an. Sie schien zu überlegen, ob die Beute wert sei, sich ins Wasser zu begeben. Offenbar war sie irritiert. Zornig wanderte sie am Ufer entlang und zog knurrend die Lefzen hoch. Cüpper roch ihre schwere Ausdünstung, den scharfen, tranigen Geruch des Fleischfressers.

Hastig paddelte er ein weiteres Stück von ihr fort.

Sie brüllte frustriert und sprang auf den großen, flachen Felsen, der über die teichartige Einbuchtung des Wassergrabens hinausragte. Ihre Pranke teilte die Luft, griff nach ihm, verfehlte seinen Kopf um Haaresbreite, schlug erneut zu, spritzte Wasser auf.

Cüpper ließ sich unter die Oberfläche sinken. Seine Füße trafen auf Grund. Er stieß sich ab und tauchte wieder auf, nun in sicherem Abstand zu der Katze.

Sie fauchte ihn an.

Schnell drehte er sich in Bauchlage und kraulte den Graben entlang dorthin, wo er Hartmann das letzte Mal gesehen hatte. Das kalte Wasser brachte seine Lebensgeister zurück, verstärkte allerdings den Schmerz in seinem Bein. So ging es nicht. Cüpper drehte sich wieder auf den Rücken, auch weil er Angst hatte, die Katze aus den Augen zu verlieren.

Oh nein, dachte er.

Inzwischen waren es zwei. Und sie taten alles andere, als ihn aus den Augen zu lassen. Wie eine Patrouille trotteten sie am Ufer neben ihm her, verfolgten aufmerksam jede seiner Bewegungen. Cüpper sah die Muskeln unter dem sandfarbenen Fell spielen, eine Choreographie der Kraft. Beide Mäuler standen weit offen. Speichel rann in dicken Fäden heraus.

Die absonderlichsten Gedanken gingen ihm durch den Kopf. Wie sein Vater ihn an den Käfig gehalten hatte, das Erstaunen, wie unglaublich groß diese Tiere waren, wenn man sie von nahem betrachtete. Und nun die Erkenntnis, dass sie sogar noch größer waren als in seiner Erinnerung. Schlagartig wurde ihm bewusst, dass er mitten in einer modernen Großstadt in die Wildnis geraten war, wo er keinen anderen Wert darstellte als Futter und seine Überlebenschancen gleich null waren.

Wieder befiel ihn Panik. Wo blieb das verdammte Zoopersonal?

Und wo war Hartmann?

Er machte ein paar rasche Züge und trieb um die letzte Biegung des Grabens. Hartmann war nirgendwo zu sehen.

Dann rammte ihn etwas von unten. Er wurde gepackt, ein Stück aus dem Wasser gehoben und war den Löwen plötzlich gefährlich nahe. Für den Bruchteil einer Sekunde sah er das Gesicht seines Gegners, von Hass verzerrt oder auch von Schmerz, dann fuhr ihm eine Faust mitten ins Gesicht und warf ihn nach hinten. Ohrenbetäubendes Gebrüll erscholl direkt über ihm, ein roter Rachen schob sich in sein Blickfeld, und er spürte etwas Schweres, Scharfkralliges auf seine Schulter niedersausen. Er wurde unter Wasser gedrückt, kam frei, schoss hoch und schlug heftig mit den Armen. Ein gewaltiger, funkelnder Schwall traf die Katze ins Gesicht.

»Hau ab!«, schrie Cüpper mit überschlagender Stimme. »Los, du Mistvieh! Kusch!«

Sie erschrak und sprang knurrend zurück, während Cüpper zusah, dass er Distanz gewann. Zu spät registrierte er, dass er wieder zum Gebäude zurückschwamm. Weiter hinten schaute Hartmanns Kopf aus dem Wasser, fast schon hatte er das Ende des Grabens erreicht, während die Löwinnen ihre ganze Aufmerksamkeit Cüpper widmeten.

Cüpper, das Ablenkungsmanöver. Selbst in einer solchen Situation, obendrein verletzt, erwies sich Hartmann als Taktiker.

Und dann, wie in einem Alptraum, tauchte die erste Katze eine Pfote ins Wasser.


Marion stöhnte auf. Sie fühlte sich, als hätte man ihr eine Eisenstange zwischen die Augen gedroschen. Taumelnd kam sie zum Stehen und versuchte sich zu erinnern, was geschehen war. In ihrem Schädel wurde pausenlos auf einen Gong geschlagen.

Wo war Cüpper?

Ihre Hand fuhr hoch zum Nasenrücken. Höllischer Schmerz durchzuckte sie und trieb ihr das Wasser in die Augen.

Zugleich kam die Erinnerung.

Der Weißhaarige hatte sie niedergeschlagen. Der Mann, der wie Fritz ausgesehen hatte.

Max Hartmann.

Sie drehte sich, taumelte. Niemand ringsum. Ihr Blick wanderte zu dem Gebäude und weiter hoch zum Dach. Über die Kante hing ein Arm, leblos, die Finger dunkel von etwas, das vielleicht Blut war.

Im selben Augenblick hörte sie die Geräusche. Sie kamen von jenseits der Umzäunung, hinter der es steil zum Löwengelände abfiel. Brüllen und Fauchen und noch etwas anderes –

Marion stolperte an die Brüstung und sah hinaus auf das Gelände. Ihre Augen weiteten sich vor Entsetzen. Sie presste den Handrücken gegen die Zähne.

Dann rannte sie los, um Hilfe zu holen.


Cüpper war beinahe besinnungslos vor Angst. Mit fahrigen Bewegungen brachte er sich in die Waagerechte und versuchte wegzukommen. Hinter sich hörte er ein schweres Klatschen, als die Löwin ihm nachsprang. Die zweite Katze brüllte am Ufer, traute sich aber offenbar nicht ins Wasser oder wollte der anderen die Beute nicht streitig machen.

Cüpper schwamm um sein Leben.

Katzen können nicht schwimmen, wimmerte etwas in ihm, Katzen können nicht schwimmen.

Sie konnten!

Das Platschen näherte sich. Er hörte Knurren, Gurgeln, spürte eine Berührung am Fuß, Krallen, die tief in seine Wade fuhren –

Ergeben wartete er auf das Ende.

Es blieb aus.

Warum greift sie nicht an, dachte Cüpper, sie hatte mich doch schon.

Dann sah er, was los war. Am Ende des Grabens war Hartmann an Land gesprungen und rannte aus Leibeskräften auf den Zaun zu.

Die Löwin am Ufer stieß ein wütendes Brüllen aus. Zugleich sah Cüpper die zweite Katze tropfnass ans Ufer springen und die Verfolgung aufnehmen. Der mächtige Körper schnellte zwischen den Büschen hinweg über den toten Baumstamm, umgeben von einer Aura glitzernder Wasserpartikel.

Aber Hartmann war so gut wie in Sicherheit. Er hatte den Fuß auf den unteren Draht des Gitters gesetzt, zog sich nach oben –

Mein Gott, dachte Cüpper, er kann es schaffen!

– und wurde langsamer.

Die Verletzung! Hartmann konnte seinen Arm nicht gebrauchen.

Im nächsten Moment prallte die Löwin gegen ihn. Hartmann wurde an das Gitter gedrückt und rückwärts heruntergerissen. Er schrie sie an, und die Löwin wich ein Stück zurück. Hartmann taumelte in die Hocke, immer noch schreiend, und wurde von der zweiten Löwin zu Boden geschleudert. Wieder gelang es ihm, auf die Beine zu kommen. Seine Hände griffen in den Zaun. Dann waren beide über ihm. Cüpper sah wirbelnde Körper und Gliedmaßen, aufspritzenden Sand, begleitet von einer Collage aus Brüllen, Knurren und Schreien.

Er drehte sich weg. Das Schreien endete abrupt.

»Hierhin!«, hörte er jemanden rufen. Zuerst wusste er nicht, aus welcher Richtung es kam. Dann sah er, dass ein Mann, vermutlich ein Pfleger, eine der Käfigtüren im Gebäude geöffnet hatte und zu ihm herüberwinkte. Oben am Geländer hörte er Stimmen, Geräusche, als würde mit einem Schalldämpfer geschossen.

»Warten Sie, noch nicht«, rief der Mann im Käfig, »bleiben Sie im Wasser, schwimmen Sie zum Haus.«

Cüpper zitterte so stark, dass er glaubte, keinen Meter mehr vorwärtszukommen. Er ließ sich tiefer ins Wasser sinken.

»Wir haben die Löwinnen!«, hörte er eine der Stimmen von oben.

Wieder dieses Geräusch.

»Den Löwen auch!«

Den Löwen? Er hatte keinen Löwen gesehen. Schwach dämmerte ihm eine Schulweisheit, wonach der König der Tiere eher faul war und das Jagen den Weibchen überließ. Aber das spielte keine Rolle mehr. Nichts spielte irgendeine Rolle, außer hier herauszukommen. Die Hoffnung auf Rettung mobilisierte seine letzten Reserven. Er schwamm zur Hauswand und zog sich ans Ufer.

Bis zum Käfig waren es nur wenige Schritte.

Verdammt! Sein Bein.

Mühsam humpelte er auf den Käfig zu.

»Um Gottes willen! Ins Wasser, wieder ins Wasser!«

Wo kam das her? Cüpper drehte sich, sah hinaus aufs Gelände –

– und dem Löwen direkt in die Augen.

Das Raubtier lief geschmeidig auf ihn zu. Im Näherkommen schienen seine Dimensionen ins Unendliche zu wachsen.

Alles in ihm erkaltete. Er stolperte und stürzte.

Der Löwe sprang.

Sechs Zentner Tod rasten durch die Luft auf ihn zu, eine schrecklich schöne, Vernichtung bringende Skulptur aus Muskeln und Sehnen. Spektakulärer konnte man eigentlich nicht sterben. Kein Grund zur Klage.

Aber er wollte nicht!

Mit einem Aufschrei rollte er zur Seite und schlug die Arme vors Gesicht. Der Körper des Löwen krachte zu Boden, halb auf und halb neben ihn. Die Welt bebte. Cüpper hörte ein paar Rippen brechen und fragte sich neugierig, ob es seine waren.

Dann fragte er sich gar nichts mehr.


Irgendwann tauchte er aus dem Dunkel noch einmal auf und sah Marions Kopf über sich gebeugt. Sie lachte und weinte zugleich. Um ihn herum sprachen Leute, wurden Anweisungen geschrien, harschten Schritte durch den Sand.

»Hallo, Löwenherz«, sagte Marion.

Er schluckte und versuchte, die Augen offenzuhalten. Gott, was für ein schöner Anblick. Seine Katze!

Katzen können nicht schwimmen, wollte er sagen, aber es wurde nur ein undeutliches Gebrabbel daraus.

Dann schlief er wieder ein, weitgehend zufrieden.

# Nachschlag

Sie brachten Cüpper in die Uniklinik und behielten ihn zu seinem völligen Unverständnis da: wo doch nur das Knie gesplittert und drei Rippen gebrochen waren! Er gab zu bedenken, so was sei kein Grund, einen gesunden Mann ins Bett zu stecken. Sie sagten, er sei nicht gesund. Er protestierte. Das ging hin und her. Drei Tage nörgelte er am Essen rum, ärgerte die Krankenschwestern und benahm sich in jeder Beziehung unmöglich, aber es half alles nichts.

Rabenhorst leitete unterdessen die Vernehmung Eva Feldkamps und versorgte Cüpper mit Neuigkeiten.

Alles war Hartmanns Idee gewesen.

Wenn man ihn und von Barneck schon nicht auseinanderhalten konnte, warum sollte er ihn überhaupt doubeln und nicht gleich von Barneck *werden*? Ihn eliminieren und an seine Stelle treten, was ihn in den Besitz eines enormen Vermögens bringen würde!

Schon in Mailand hatte er mit dem Gedanken gespielt. Aber er wusste zu wenig über Fritz von Barneck, um ihn überzeugend verkörpern zu können. Er musste ihn studieren, seine Vergangenheit, seine Eigenarten, musste seine Erinnerungen übernehmen. Das erforderte Zeit. Hinzu kam, dass die Täuschung nur erfolgreich sein konnte, wenn er im Stande war, von Barnecks Geschäfte weiterzuführen. Max entschied sich also für die Strategie der Spinne: Warten.

Inka von Barneck, keinem Abenteuer abgeneigt, ging ihm als Erste ins Netz. Durch sie gelangte er in den Besitz wertvoller Informationen und Interna. In Mailand entspann sich eine heftige Affäre – bald schon wusste er, dass alles ihr gehörte und Fritz keinen roten Heller besaß. Hartmann disponierte um. Ein toter Fritz allein war wertlos. Auch sie würde dran glauben müssen.

Dann verliebte sich Eva in ihn, von Barnecks engste Vertraute und heimlicher Schwarm. Hartmann, dem jede Gelegenheit recht war, sein Wissen über von Barneck zu vertiefen, wickelte sie um den Finger, alles hübsch im Verborgenen. Fritz wusste weder von Max und Eva noch von Max und Inka, Inka wusste nichts von Max und Eva und Eva nichts von Max und Inka. Nur Max, der Allwissende, saß in seinem Netz, zog die Fäden, wartete – und begriff mit einem Mal, dass Eva ihn als einziger Mensch von Fritz unterscheiden konnte.

Er beschloss, sie einzuweihen. Versprach ihr, sie zu heiraten, sobald seine Verwandlung in Fritz vollzogen sei, und dass sie selber mit den Morden nichts zu tun haben würde. Sie sollte ihn lediglich decken. Eva war ihm hoffnungslos verfallen. Am Ende trieb er es so weit, ihr von Inka zu erzählen, einem, wie er sagte, notwendigen Übel auf dem Weg zum Ziel. Auch das schluckte sie, bereit, für ihn zu lügen und einen Doppelmord in Kauf zu nehmen. Dass sie selbst auf seiner Liste stand, kam ihr zu keiner Zeit in den Sinn.

Inka, süchtig nach Sex und Koks, hatte mittlerweile einem Dealer aus der Drogenmafia den Kopf verdreht. Er besorgte ihr den Stoff, sie vergalt es ihm mit vollem Körpereinsatz. Hartmann, der heimlich Fotos geschossen hatte, um Inka notfalls unter Schweigedruck zu setzen, kam eine glänzende Idee. Was, wenn der Typ in Köln auftauchen würde? Eva konnte ihn spielen! Max brauchte nur dafür zu sorgen, dass man die Fotos in seiner Wohnung fand und Rückschlüsse zog. Eine falsche Fährte, an der die Polizei zu knabbern hätte wie die Maus am Parmesan!

Er brach mit Inka. Sie tobte, drohte, ihn auffliegen zu lassen. Max hielt ihr die Fotos unter die Nase. Der Gedanke ans Gefängnis kühlte Inka merklich ab, und sie schlossen Frieden. Unterdessen hielt Eva Fritz von Barneck auf Distanz, ohne allerdings die Tür ganz zuzuschlagen. Es war wichtig, dass er seine Hoffnungen auf sie nicht begrub.

Man zog nach Köln.

Mit der Zeit betrachtete von Barneck ihn als Freund und Vertrauten. Fortan gab es keine gefährlichen Aufträge mehr, sondern sie agierten nach Art des doppelten Lottchens. Hartmann führte ein angenehmes Dasein, nur unwesentlich getrübt durch die Notwendigkeit, Brille und die Kontaktlinsen zu tragen, mit denen er seine Kurzsichtigkeit vortäuschte. Aber auch das gehörte zum Plan. So pendelte sich das Leben ein, und er war weit davon entfernt, irgendetwas zu überstürzen.

Max war eine sehr geduldige Spinne. Und Eva eine sehr verliebte Frau.

Zwei Jahre vergingen.

Dann gab von Barneck seine Party.

Hartmann hielt die Zeit für gekommen und bat Inka um ein Treffen. Ließ durchblicken, sie zurückzuwollen, kroch zu Kreuze. Damit traf er ihren einzigen Schwachpunkt – Eitelkeit. Er schlug den Abend des Empfangs vor. Sie willigte ein, sagte ihm, er solle nach 22.00 Uhr in den Bazaar kommen.

Tagsüber arbeiteten sie in der Villa, Eva, Fritz und er. Um 17.00 Uhr verabschiedete sich Eva mit der Begründung, privaten Belangen nachgehen zu müssen, fuhr nach Hause und maskierte sich als Italiener, wie Hartmann es ihr gezeigt hatte. Sie fuhr zum Bazaar, wo sie um 18.30 Uhr eintraf. Ihre Aufgabe war es, aufzufallen. Um nicht wie eine Frau zu klingen, senkte sie ihre Stimme zu einem heiseren Flüstern. Es funktionierte. Überzeugt, ihr Bestes getan zu haben, kehrte sie wenig später nach Hause zurück, nicht ahnend, dass ihr Astrid Hasling über den Weg gelaufen war.

Hartmann verließ die Villa rund zwei Stunden nach ihr, um 19.00 Uhr, fuhr nach Hause und wartete.

Unterdessen trafen in Marienburg die Gäste ein, im Bazaar hingegen Ulrich Stoerer. Inka schleppte ihn zum Essen, belustigte sich an seiner Angst vor einer möglichen Entdeckung, ließ sich eine Stunde lang von ihm verwöhnen und warf ihn raus, bevor Max kam.

Der erschien um 22.30 Uhr, ein Besuch, den Inka keine zehn Sekunden überlebte. Hartmann legte das Messer neben sie, ein weiteres Verwirrmanöver, und ließ die

Wohnungstüre offen, damit Inka bald gefunden würde. Das wurde sie dann auch, allerdings von der unglücklichen Astrid Hasling, die sich damit selbst in Mordverdacht brachte. Besser hätte es für Hartmann gar nicht laufen können. Im Übrigen war weder ihm noch Fritz von Barneck etwas nachzuweisen, ganz wie er es geplant hatte.

Der zweite Mord geriet zum Kabinettstück. Hartmanns größte Angst war, jemand könne Zweifel an der Identität des Opfers hegen. Also ging er in die Offensive. Es sollte so scheinen, als sei nicht er, sondern von Barneck erstochen worden, mit dem Knalleffekt, dass unter der Maske Hartmann zum Vorschein käme. Niemand würde je vermuten, von Barneck sei als Hartmann hergerichtet und dann wieder als von Barneck verkleidet worden – eine zu absurde Gedankenkette!

Während der Jahre in Köln hatte von Barneck die Hoffnung auf Eva nie ganz aufgegeben. Jetzt, nur kurz nach Inkas Tod, signalisierte sie Bereitschaft. Nicht in der Villa allerdings! Man dürfe sie nicht zusammen sehen, am Ende glaube die Polizei noch an Zusammenhänge zwischen ihnen und dem Mord. Am besten also, sich bei ihr zu treffen, um acht zum Essen. Sie bedrängte ihn, ohne Chauffeur zu kommen, selbst zu fahren, bloß keine Zeugen! Noch besser, in der Villa zu hinterlassen, er führe in die Philharmonie. Von Barneck hielt das alles für maßlos übertrieben, aber er wollte Eva. Also spielte er mit.

Und bestellte ein Taxi.

Um 20.10 Uhr traf er bei Eva ein. Sie maß der Verspätung keinerlei Bedeutung bei, begrüßte ihn stürmisch, wollte wissen, ob er dem Personal den philharmonischen Bären aufgebunden habe. Er bejahte. Beiläufig fragte sie ihn, wo sein Wagen stünde. Von Barneck sagte, er hätte ein Taxi genommen. Dass es erst um zehn vor acht gekommen war, vergaß er zu erwähnen.

Minuten später lag von Barneck in tiefer Ohnmacht. Sie hatte ihm Taipoxin in den Wein getan, eine Betäubungsdroge, gewonnen aus dem Gift der Cobra und im Blut schon nach wenigen Stunden nicht mehr nachzuweisen.

Sein Schicksal war damit besiegelt.


Zuvor war Hartmann als von Barneck in die Philharmonie gefahren, wo er lautstark auf sich aufmerksam machte. Gleich nach Konzertbeginn verwandelte er sich auf der Toilette in einen schlurfenden Niemand im Trenchcoat, der die Philharmonie um 20.10 Uhr verließ, ohne jemandem weiter aufzufallen. Draußen stand ein Lieferwagen bereit, den Eva angemietet hatte. Um 20.25 Uhr traf er in der Karl-Korn-Straße ein, parkte den Transporter in der Tiefgarage unter dem Haus und fuhr mit dem Fahrstuhl in den fünften Stock. Eva öffnete ihm. Das Erste, was sie ihm erzählte, war die Sache mit dem Taxi.

Das bereitete ihm Kopfzerbrechen. Es gab nun einen Zeugen, der wusste, wo von Barneck tatsächlich hingefahren war. Andererseits, was sollte die Polizei schon von dem Fahrer wollen? Fritz war in der Philharmonie gesehen worden. Das reichte. Ändern ließ sich ohnehin nichts mehr.

Sie banden von Barneck auf einen Stuhl, schnitten und

färbten seine Haare, bis er aussah wie Hartmann, setzten ihm Kontaktlinsen ein, ritzten die Haut am Oberarm mit winzigen Schnitten und ließen Tinte hineinfließen. Die provisorische Tätowierung würde jede Leichenwäsche überstehen. Um 21.00 Uhr war aus Fritz von Barneck Max Hartmann und per Perücke wieder Fritz von Barneck geworden. Mit vereinten Kräften fassten sie ihn unter die Arme, bugsierten ihn in den Aufzug und brachten ihn in die Tiefgarage, wo sie ihn im Transporter verstauten. Von Barneck war gefesselt, für den Fall, dass die Betäubung vorzeitig nachließ. Eva kehrte zurück in ihre Wohnung, während Max zum Grüngürtel fuhr, auf dem Kiesweg parkte, von Barneck mit einem Stich ins Herz tötete und schnell die Fesseln löste, damit keine Druckstellen entstünden. Es war 21.30 Uhr. Um das Maß der Verwirrung vollzumachen, schleifte er ihn ein Stück ins Grüne und bahrte ihn samt Waffe auf.

Zurückgekehrt parkte er den Transporter in der Karl-Korn-Straße, verwandelte sich bei Eva in Fritz von Barneck und gab ihr die Schlüssel, damit sie den Wagen an einem der folgenden Tage zurückbringen konnte. Daraufhin stieg er in ein Taxi und ließ sich zur Villa fahren, wo er um 22.15 Uhr eintraf, um den vorläufig letzten Teil seines Plans in die Tat umzusetzen. Bei sich versteckt trug er ein Mobiltelefon und einen DAT-Recorder mit einem besprochenen Band. Er bat sich aus, für den Rest des Abends nicht gestört zu werden, und verschwand im Arbeitszimmer. Das Telefon stellte er auf die Halle um. Nur dringende Anrufe sollten weitergeleitet werden.

Aber schon fünf Minuten später wählte er über das Mobiltelefon die Nummer der Villa. Der Anruf ging in der Halle ein, Schmitz hob ab, Hartmann meldete sich als Hartmann und verlangte nach von Barneck. Natürlich stellte man ihn durch.

Der Apparat auf seinem Schreibtisch klingelte. Er legte das Mobiltelefon neben den DAT-Recorder in eine Schublade, hob ab und nahm das »Gespräch« an, nachdem Schmitz in der Halle aufgelegt hatte.

Kurze Zeit später rief er nach einem Cognac. Schmitz fand ihn telefonierend vor, etwas von Mailand und seltsamen Verabredungen erwähnend. Ganz offenbar sprach er mit Max. Er wartete, bis der Butler wieder unten war, wählte die Nummer der Halle und erklärte Schmitz, Hartmann habe ihm etwas mitzuteilen. Dann legte er auf und startete den DAT-Recorder.

Das Funktelefon empfing Hartmanns Stimme aus dem Recorder und schickte sie in die Halle: eilig gesprochene Anweisungen, nach einem dubiosen schwarzen Buch zu suchen, danke, tschüss und klick. Natürlich war auch dieses Buch nichts anderes als eine falsche Fährte, eine Kollektion unsinniger Zahlenreihen, hinter einem Schrank in seiner Wohnung versteckt, so dass man es bei einer Durchsuchung leicht finden konnte. Während Schmitz noch ergeben zuhörte und oben das Band lief, verließ Max das Arbeitszimmer und kam herunter in die Halle. So konnte Schmitz später beschwören, mit Hartmann telefoniert zu haben, während er von Barneck ins Kaminzimmer gehen sah. Das Alibi war perfekt. Von Barneck konnte unmöglich Hartmanns Mörder sein. Und der tote Hartmann, den man fand, beim allerbesten Willen nicht von Barneck!

Eva krönte das Werk mit ihrer Nummer auf der Baustelle, spektakulär und tränenreich. Hartmann spielte den erschütterten Freund und zu Tode gekränkten Liebenden. Er war hochzufrieden.

Dann ging alles schief.

Während Max und Eva in Frankfurt einen Termin von Barnecks wahrnahmen, wurde die Fahrt zur Philharmonie als Finte aufgedeckt. Am folgenden Tag stand Rabenhorst am Flugplatz. Max schaffte es mit knapper Not, sich aus der Affäre zu reden, da kam der nächste Schlag, und er musste Evas Enttarnung mitanhören. Hastig sagte er Cüpper, sie werde erst am folgenden Tag eintreffen, was ihm Zeit zum Überlegen gab. Tatsächlich kam sie schon eine Maschine nach ihm. Er rief sie an und instruierte sie, sich ruhig zu verhalten, niemandem zu öffnen außer ihm und nicht ans Telefon zu gehen. Etwas sei schiefgelaufen. Er versicherte ihr, dass er sie liebe und dass alles gut werden würde.

Und beschloss, sie umgehend zu beseitigen.

Dann wurde Inkas Testament verlesen, und Max stürzte vom Gipfel des Triumphs in tiefe Verzweiflung. Alles war umsonst gewesen! Nun auch noch Marion umzubringen hätte den Bogen überspannt.

Es sei denn …

»Es sei denn, Eva wäre die Mörderin«, sagte Cüpper und stopfte sich ein riesiges Stück Sauerbraten in den Mund.

»Ja«, nickte Rabenhorst. »Und doch hat's nicht geklappt.«

»Der Himmel sei gepriesen!«

»Fürwahr.«

Zum x-ten Male klapperten sie die Geschichte rauf und runter. Einfach, weil sie stolz waren. Nicht mal Dezernatsleiter Klausen hatte je einen so komplizierten Fall gelöst.

Sie saßen in Rabenhorsts Küche und verdrückten Unmengen von Rindfleisch. In schöner Regelmäßigkeit kullerten Klöße auf Cüppers Teller. Er aß, bis sein Magen gegen die Rippen drückten, was höllisch weh tat. Immer noch war er bandagiert und laut Meinung seiner Ärzte krankenhauspflichtig. Cüpper sah das anders. Auf seinem Gehgips prangte die Zeichnung eines Löwen in einem Herz, und über mangelnde Betreuung konnte er sich wirklich nicht beklagen.

Er dachte an seine Katze und war glücklich.

»Rabenhorst! Ich muss mich ganz einfach bei Ihnen entschuldigen.«

»Nicht doch.«

»Ich bestehe darauf. Widersprechen Sie keinem Mann, der einen ausgewachsenen Löwen besiegt hat.«

»Indem der Löwe auf ihn draufgefallen ist.«

»Immerhin kampfunfähig!«

»Ja, weil endlich die Betäubung wirkte.«

Cüpper grinste und wischte sich den Mund.

»Wenn Sie so weitermachen, ziehe ich die Entschuldigung zurück.«

»Oh«, erschrak Rabenhorst. »Schon gut. Wofür wollen Sie sich denn entschuldigen?«

»Dass ich Sie so maßlos unterschätzt habe«, sagte Cüpper voller Demut. »Als Koch, meine ich. Ich dachte wirklich, Ihnen brennt der Kaffee in der Kanne an. Tja!« Er spreizte ergeben die Hände. »Schwer vertan.«

»Ach was«, lächelte Rabenhorst bescheiden.

»Ich bitte Sie! Das war nicht einfach nur ein guter Sauerbraten, sondern der beste, den ich je gegessen habe. Besser, als ich selber einen machen könnte. Und, Rabenhorst«, er beugte sich vor, so weit ihm die Bandagen das gestatteten, »ich rede keinen Scheiß! Das war wirklich ausgezeichnet!«

»Was meinen Sie, wie ich geübt habe!«, trompetete Rabenhorst.

»Offensichtlich.« Cüpper lächelte. »Verraten Sie mir das Rezept?«

»Das Rezept? Mal sehen.«

»Ach, du liebe Güte! Er kokettiert.«

»Kann ich mir im Augenblick leisten. Kaffee?«

»Gerne.«

Rabenhorst erhob sich, da schellte es an der Tür. Er sah Cüpper an. Cüpper sah Rabenhorst an. Es schellte wieder.

»Wer kann das sein?«

Cüpper zuckte die Achseln. »Weiß nicht. Ist Ihre Wohnung. Warum sehen Sie nicht nach?«

Rabenhorst zögerte, ging in die Diele und öffnete.

Sofort stürmte eine dicke Frau mittleren Alters herein und schaute sich eilig um. »Hab ich eben doch tatsächlich meine Handtasche liegenlassen, also, man wird alt.« Ihre Apfelbäckchen glänzten freundlich. »Ich komm nach Hause, will den Schlüssel aus der Tasche ziehen, ist die Tasche weg. Ich denk, wo hast du die denn bloß gelassen, kann doch nicht so einfach weg sein!«

Rabenhorst tänzelte leichenblass um sie herum.

»Mama, ich…«

Sie erspähte Cüpper und kam wie eine liebenswürdige Kanonenkugel auf ihn zugeschossen. »War lecker? Lassen Sie sich bloß nicht stören, bin schon wieder weg. Der Rolfi hat sich ja so gefreut, dass Sie zum Essen kommen! Wenn er halt nur kochen könnte. Aber für solche Fälle hat er ja seine Mutter. Stimmt's, Kind?«

»Mama, ich…«

Plötzlich hielt sie erschrocken die Hand vor den Mund, warf einen nach Entschuldigung heischenden Blick in die Runde und kicherte verlegen.

»Hach, hab ich was verraten? Schon gut, ich habe nichts gesagt. Ich habe nichts gesagt! Ach, da ist ja meine Tasche!«

»Mama, ich…«

Sie zog das gesuchte Objekt neben der Spüle hervor und wackelte nach draußen. Von hinten glich sie einem Pinguin im fünften Gang.

»Bin ja schon weg! Hab nichts gesagt. Tschüss, Rolfi!«

»Mama, ich…«, versuchte es Rabenhorst ein letztes

Mal, aber die Tür war bereits hinter ihr ins Schloss gefallen.

Cüpper sah ihm lange in die Augen.

»Ah…«, argumentierte Rabenhorst.

»Genau«, sagte Cüpper.

# Die Rezepte

## Amuse-Geule

Seit Cüpper laut eigenem Bekunden nur noch Katzenfutter kocht, hat er sich etwas rar gemacht. Bauen Sie also nicht darauf, dass er Sie zum Sauerbraten einlädt. Rabenhorst zum Beispiel ist weiterhin gezwungen, selbst zu kochen, beziehungsweise, es zu lernen. Er schnurrt nämlich nicht beim Essen.

Nicht ein einziges Rezept hat Cüpper rausgerückt, trotz mehrfachen Insistierens. Es reiche ja wohl, den Fall von Barneck literarisch aufarbeiten zu dürfen, im Übrigen habe er Wichtigeres zu tun, als Rezepte niederzuschreiben. Ich weiß schon, was er damit meint. Zoobesuche! Sei ihm gegönnt. Aber damit hat Cüpper eindeutig gegen eine Abmachung verstoßen, die wir beide vor Erscheinen dieses Buches getroffen hatten: Ich bringe seine Geschichte, und er verrät seine alten Rezepte.

Hat er nicht. Auch gut. Dafür habe ich was Besseres. Was viel Besseres sogar: Cüppers Freunde.

Denn, wie Sie schon vermutet haben, ermittelt unser Kommissar bevorzugt dort, wo gut gekocht wird. Als er mir seine Geschichte erzählte, sind wir ständig irgendwo essen gegangen. Immer war es köstlich, immer wurde es spät, und immer erwiesen sich Kölns Köche und Gastronomen als Cüppers engste Freunde. Um es auf den Punkt zu bringen – ein geschmackvollerer Freundeskreis als der des Kommissars ist mir bislang nicht aufgetischt worden.

Etliche Abendessen haben wir gemeinsam zelebriert, Cüpper und ich. Wir hielten Einzug in Kölner Kneipen, genossen mediterranes Flair und französische Noblesse. Zwischen Kölsch vom Fass und edlen Bränden, Sauerbraten und Tarte Tatin vertieften wir uns in die Obsessionen Max Hartmanns und Inka von Barnecks, bis mir vor lauter Genuss der Kopf schwirrte und ich gar nicht mehr wusste, ob dieser Cüpper überhaupt existierte oder nicht vielmehr samt seiner verrückten Story meiner Phantasie entsprungen war.

Wie auch immer – es ist mir gelungen! Ich meine nicht den vorliegenden Roman. Sondern, jedem der Gastronomen ein Rezept zu entlocken. Aus Freundschaft zum Kommissar. Was schlussendlich beweist, dass Cüpper existiert. Und Sie befähigt, die von Cüpper oft zitierte Renaissance der Kölner Küche nachzuvollziehen.

# Das Fachwerkhaus

Burggraben 37
51429 Bergisch Gladbach
02204 – 54911

Ruhetag: Mo und Di

Urgemütlich, mit viel altem Gebälk und romantisch ein-
gewachsener Terrasse für schöne Tage. Nie war Boden-
ständigkeit raffinierter. Küchenchef Toni Richartzhagen
wurde Koch des Jahres 2005, Rita Richartzhagen verrät
mit Charme, was nicht auf der Karte steht.


## Jakobsmuscheln mit decke Bunne (Dicke Bohnen)
▶ für 4 Personen

*12 Jakobsmuscheln*
*3 kg decke Bunne*
*1 Bund Bohnenkraut*
*100 g geräucherter magerer Speck*
*1 kleine Zwiebel*
*0,1 l Sahne*
*0,2 l ungesalzene Fleischbrühe*
*2 festkochende Kartoffeln*
*1 Karotte*

*1 Stängel Staudensellerie*
*1 Stück Sellerieknolle*
*etwas Butterschmalz zum Braten*
*20 g Butter für die Sauce*

**Zubereitung:**
Jakobsmuscheln putzen. Dicke Bohnen aus der Schote auslösen, in Salzwasser 3 Minuten kochen und in Eiswasser abkühlen. Die Bohnen aus der Schale lösen. Im Butterschmalz die gehackte Zwiebel und 80 g Speck andünsten und die Bohnenschalen dazugeben. Nach 2 Minuten die Brühe angießen und 5 Minuten köcheln. Unterdessen das Bohnenkraut fein hacken.

Bohnenbrühe abseihen und mit einem Esslöffel Bohnenkraut und der Sahne auf 0,1 l einkochen. Je einen Esslöffel Kartoffel-, Speck-, Karotten-, Staudensellerie- und Sellerieknollenwürfel hellbraun anrösten, einen halben Löffel Bohnenkraut unterrühren und auf Küchenkrepp warm stellen. Bohnenkerne in der Hälfte der Soße erwärmen.

Jakobsmuscheln in einer beschichteten Pfanne mit etwas Butter von jeder Seite 2 Minuten braten. Bohnen in der Tellermitte anrichten, je 3 Jakobsmuscheln daraufsetzen und das geröstete Gemüse darüber verteilen. Die andere Hälfte der Sauce mit einem Butterflöckchen aufmixen und um die Muscheln gießen.

# Ezio

Mittelstr. 19
50672 Köln
0221 – 2806777

Ruhetag: So

Kölns kleinster Italiener liegt mitten im schicken Einkaufsviertel. Leckere Vorspeisen und Salate, Cappuccino, Prosecco und Süßigkeiten rund um die Uhr, bis die Boutiquen schließen. Das Spezialrezept für seine Salatsauce hat Ezio Dutto bis heute niemandem verraten.

## Gebeizter Lachs
▶ für 10 Personen

*1 Seite roher Wildlachs*
*65 g grobes Meersalz*
*30 g Zucker*
*1 Bund Dill*
*1 kl. Bund Thymian*
*1 EL Koriandersaat*
*1 TL Senfkörner*
*10 Wacholderbeeren*
*½ Zitrone*

**Zubereitung:**

Lachs auf der Fleischseite mit Zucker und Meersalz einreiben, 24 Stunden im Kühlschrank marinieren lassen,
dann Zucker und Salz mit der Schnittfläche der halben Zitrone abreiben.

Dill fein hacken, Thymian zupfen. Lachs mit Kräutern,
Koriandersaat, Wacholderbeeren und Senfkörnern einreiben und weitere 24 Stunden marinieren lassen.

In Scheiben schneiden, ruhig auch etwas dicker. Dazu
passen kleine Reibekuchen und Crème fraîche.

# Capricorn i Aries

Alteburger Str. 34
Restaurant
50678 Köln
02 21 – 32 31 82

Ruhetag: Mo und Di

Mit eben mal vier Tischen das wohl kleinste Feinschmeckerrestaurant der Welt, in dem Küchenchef Klaus Jaquemod umso Größeres leistet. Das Design – ganz in weiß, Rosenblätter im Entrée – erfreut den Schöngeist, das Lächeln von Inhaberin Judith Werner wärmt an kalten Tagen.

## Steinbutt mit Pfifferlingen und Spargel
▶ für 2 Personen

*300 g Steinbuttfilet*
*500 g Fischgräten*
*4 dicke Stangen weißer Spargel*
*4 dicke Stangen grüner Spargel*
*100 g Pfifferlinge*
*1 dicke Zwiebel*
*etwas Zucker*

*etwas Butter*
*Pfeffer und Salz*

## Zubereitung:

Fischgräten mit der klein geschnittenen Zwiebel und 500 ml Wasser aufkochen, 20 Minuten kochen und dann ziehen lassen. Nach 2 Stunden Sud durch ein feines Sieb passieren.

Den Spargel schälen, die Spitzen des Spargels dabei ca. 10 cm lang schräg abschneiden. Restliche Stangen in 1 cm große Würfel schneiden. Die Pfifferlinge putzen, mit den Spargelwürfeln in etwas Butter leicht golden anrösten und mit Salz, Pfeffer und etwas Zucker würzen. Die weißen Spargelspitzen im Fischfond aufkochen und ca. 10 Minuten ziehen lassen, den grünen Spargel nur einmal kräftig aufkochen, aus dem Fond nehmen und warm stellen.

Den Fond auf ca. 1 Kaffeetasse reduzieren. Den Steinbutt pfeffern und salzen und im heißen (nicht kochenden!) Fond kurz gar ziehen lassen. Die Pfifferlinge und Spargelwürfel auf einem Teller anrichten, den Steinbutt darüberlegen, währenddessen den Fond einmal aufkochen und mit einigen Stückchen kalter Butter binden, bis eine sämige Sauce entsteht. Mit Salz und Pfeffer würzen, Sauce um den Spargel und den Steinbutt gießen, mit den vorbereiteten Spargelspitzen servieren.

# Capricorn i Aries

Alteburger Str. 31
Brasserie
50678 Köln
0221 – 3975710

Ruhetag: So

Der charmante Ableger des benachbarten Sterne-Restaurants besinnt sich auf die Grundtugenden französischer Bistroküche. Unprätentiös, ehrlich und schmackhaft. In Korbsesseln und auberginefarbenen Sofas vergisst man beim Marc de Champagne die Zeit.

## Rotbarben auf geschmolzenen Tomaten mit Kräuterkartoffeln und Pistou
▶ für 4 Personen

*8 Rotbarbenfilets à 80 g*
*20 La-Ratte-Kartoffeln*
*16 vollreife Tomaten, geviertelt und entkernt*
*2 EL Rosmarin, fein gehackt*
*2 EL Thymian, fein gehackt*
*2 EL Basilikum, fein geschnitten*
*Olivenöl, Salz, Pfeffer, Zucker, Butter*

*1 Bund Basilikum*
*100 ml Olivenöl*
*50 g Pinienkerne*

## Zubereitung:

Backofen auf 180 °C vorheizen.

Die Kartoffeln halbieren, mit Rosmarin und Thymian, Salz und Pfeffer würzen und mit 8 EL Olivenöl in einer ofenfesten Form ca. 25 Minuten. im Ofen garen. In der Zwischenzeit die Tomatenkerne mit etwas Salz, Pfeffer und Zucker würzen, grob pürieren und durch ein feines Sieb passieren (ca. 5 Minuten ablaufen lassen).

Danach die Tomatenfilets in 4 EL Olivenöl und einem Stich Butter langsam schmelzen, mit Salz, Pfeffer und Zucker würzen. Zum Schluss den passierten Tomatensaft und das geschnittene Basilikum unterschwenken und warm stellen.

Den Bund Basilikum, 100 ml Olivenöl und Pinienkerne in den Mixer geben und fein mixen, mit Salz und Pfeffer abschmecken. Die Rotbarbenfilets trockentupfen und auf der Hautseite in einer heißen Pfanne in Olivenöl ca. 1,5 Minuten braten. Währenddessen die Tomaten in der Tellermitte anrichten und mit den Kartoffeln umlegen.

Die Rotbarbenfilets wenden, kurz ziehen lassen, auf den Tomaten anrichten und mit dem Pistou garnieren.

# Marios Trattoria

Lütticher Str. 12
50674 Köln
0221 – 525453

Ruhetag: So

Die verschwiegene Trattoria der Brüder Mario und Nicola Salvatore gilt vielen als italienisches Highlight Kölns. Im Sommer sitzt man unter Bäumen und genießt die besten Pasta nördlich der Alpen. Der Fisch scheint geradewegs aus dem Mittelmeer auf den Teller gesprungen zu sein.

## Marios Milchziege
▶ für 2 Personen

*Keule von der Milchziege, 800–1000 g mit Knochen*
*2 Kartoffeln*
*je 1 Bund Rosmarin, Thymian und glatte Petersilie*
*5–6 Knoblauchzehen, grob gehackt*
*200 ml Weißwein*
*Salz, Pfeffer aus der Mühle*

**Zubereitung:**

Ziegenkeule dünn mit Olivenöl bepinseln. Pfeffern und salzen, mit den Kräutern (ganze Zweige, nicht gezupft) und dem Knoblauch einreiben. Fest in Frischhaltefolie wickeln und gut 2 Stunden im Kühlschrank marinieren. Währenddessen die Kartoffeln schälen und vierteln.

Backofen auf 180 °C vorheizen.

Kräuterzweige und Knoblauch entfernen. Keule im Bräter von allen Seiten scharf anbraten. Kartoffelviertel, Kräuter und Knoblauch um das Fleisch verteilen, 75 Minuten im Ofen garen. Dabei gelegentlich mit Weißwein ablöschen.

Keule in Scheiben schneiden, mit dem Bratensud übergießen, Kräuter und Kartoffeln mit auf den Teller geben.

# La Société

Kyffhäuserstr. 53
50674 Köln
0221 – 232464

Kein Ruhetag

Auf der Kyffhäuser Straße kann man Drogen kaufen, unvermittelt in Prügeleien geraten... oder superb essen im La Société, einer intimen Oase des Savoir-vivre. Patron Stefan Helfrich führt souverän durchs Weinwunderland, und die Amuses-Geules von Küchenchef Mario Kotaska sind wirklich originell.

## Gebackene Garnelenbällchen im Kichererbsenteig auf Tandoori-Joghurt
▶ für 10 Personen

Für die Garnelenbällchen:
*500 g Garnelen ohne Schale, entdarmt*
*200 g Zanderfilet ohne Haut und Gräten*
*300 g Sahne*
*Salz, Pfeffer, Knoblauch*
*geröstete gemahlene Koriandersamen*

Für den Kichererbsenteig:
*250 g Kichererbsenmehl*
*etwas Wasser*
*60 g Eiklar*
*50 g rote und gelbe Paprika, geschält und feinst gewürfelt*
*10 g Korianderblatt, feinst geschnitten*
*Salz, Pfeffer, geröstete gemahlene Koriandersamen*

Für den Tandoori-Joghurt:
*700 g türkischen oder griechischen Joghurt, 10% Fett*
*Tandoori Masala*
*Salz, wenig Zucker, Pfeffer*
*Spritzer Zitronensaft*
*Knoblauch*

## Zubereitung:

Garnelen, Zander, Sahne und Gewürze im Cutter zu einer groben Farce verarbeiten; ca. 40 g schwere Bällchen abdrehen und kühlen.

Kichererbsenmehl, Wasser, Paprika, Korianderblatt und -samen, Pfeffer und Salz zu einem geschmeidigen Ausbackteig vermengen. Der Teig soll von der Konsistenz einem zähen Tempurateig gleichen.

Joghurt mit Tandoori Masala, Knoblauch, Zitronensaft, Pfeffer, Salz und Zucker glattrühren.

Je nach Bedarf die gekühlten Bällchen durch den Teig ziehen und in heißem Fett goldgelb backen. Die Bällchen auf einem Klacks Tandoori-Joghurt anrichten und mit einem Korianderblatt garnieren.

# Fonda

Ubierring 35
50678 Köln
0221 – 326133

Kein Ruhetag

Eleganter Tapas-Spanier im Szeneviertel Südstadt. Die Lage erinnert an die schönsten Ecken des Montmartre, der Service unter Leitung von Patron Thomas Wippenbekk verdient Extrapunkte für Freundlichkeit. Sonntags köstliche kleine Pfannkuchen für späte Frühstücker.

## Ente mit Pfirsichen aus dem Ofen und Polenta
▶ für 4 Personen

*1 Ente, ca. 2–2,5 kg*
*8 Pfirsiche*
*½ l Weißwein*
*2 EL Zucker*
*100 ml Olivenöl*
*1 Scheibe geröstetes Weißbrot*
*Meersalz, Pfeffer aus der Mühle*
*6 Nelken*
*4 Zimtstangen*

500 ml Kalbsbrühe
3 Schalotten
1 Knoblauchzehe
3 Eigelbe
280 g Maisgrieß

**Zubereitung:**
Backofen auf 200 °C vorheizen.

Die Ente mit Meersalz und Pfeffer würzen und in einem großen Bräter mit Olivenöl anbraten. In der Zwischenzeit die Pfirsiche schälen und in einem anderen Topf mit Zucker, Zimtstangen, Nelken und Butter kurz anschwitzen. Das Ganze mit Weißwein ablöschen. 10 Minuten knapp unter dem Siedepunkt pochieren, die Pfirsiche herausnehmen und den entstandenen Sud zur Ente geben.

Den Bräter mit der Ente mit einem Deckel abdecken und in den Ofen stellen. Während der nächsten 30 Minuten Garzeit immer wieder mit dem Sud übergießen. Dann die Ente wenden, die Pfirsiche hinzufügen und weitere 30 Minuten garen lassen. Kurz vor Ende der Garzeit den Deckel abnehmen und die Ente erneut wenden. Die Schalotten und die Knoblauchzehe in kleine Würfel schneiden und in wenig Olivenöl glasig anbraten. Das Ganze mit Kalbsfond ablöschen und abschmecken.

Wenn der Fond kocht, den Maisgrieß hinzufügen und dabei ständig auf dem Boden des Topfes rühren, da die Polenta sonst anbrennt. Sobald sich die Masse vom Topfboden löst, die drei Eigelbe unterrühren und auf ein flaches Blech streichen, das mit Backpapier ausgelegt ist.

Die Ente mit den Pfirsichen aus dem Bräter nehmen und ebenso wie die Polenta bei niedriger Hitze im Ofen warm halten. Das geröstete Weißbrot mit etwas Sud im Mörser zermahlen, in den restlichen Sud geben und verrühren. Die Ente mit den Pfirsichen auf einer Platte anrichten und mit ein wenig Sud übergießen. Den restlichen Sud in einer Sauciere reichen. Die Polenta in ca. 5 cm große Rauten oder Vierecke schneiden und auf einem vorgewärmten Teller servieren.

# Vintage

Pfeilstr. 31–35
50672 Köln
0221 – 920710

Ruhetag: So

Weinhandlung oder Restaurant? Für Claudia und Michael Stern keine Frage, sie haben beides perfekt kombiniert. Zwischen Hunderten von Flaschen wird gelungene Crossover-Küche serviert. Nicht nur von den Roten und Weißen versteht man hier eine Menge. Fragen Sie mal nach Schokolade...

## Toskanischer Lammeintopf
▶ für 6 Personen

*1 kg Lammfleisch, in Würfel geschnitten*
*½ l trockener Rotwein*
*2 Zwiebeln in groben Würfeln*
*40 cl Olivenöl*
*2 Zweige Rosmarin*
*2 Zweige Thymian*
*3 EL Tomatenmark*
*1 EL Senf*

*Salz, Pfeffermühle*
*Saft von 2 Limonen*
*200 g Kartoffeln, gewürfelt (ca. 1,5 cm Kantenlänge)*
*200 g Karotten, gewürfelt (ca. 1,5 cm Kantenlänge)*
*100 g Zuckermöhren, gewürfelt (ca. 1,5 cm Kantenlänge)*

Für die Einlage:
150 g knackig gegarte grüne Bohnen, halbiert
50 g Flagolets (grüne französiche Bohnenkerne)

**Zubereitung:**
Flagolets eine Nacht vorher in kaltem Wasser einweichen.

Fleisch in Würfel schneiden. Öl in einem Bräter erhitzen. Fleisch von allen Seiten scharf anbraten. Tomatenmark in den Bräter geben und kurz mitbraten. Zwiebeln zugeben und einige Minuten rösten. Leicht salzen, pfeffern und mit Rotwein ablöschen, einige Minuten später mit ca. 1 l Wasser auffüllen.

Bohnenkerne zugeben. Schmoren lassen und nach ca. einer halben Stunde das Gemüse und die Kräuter zugeben. Kräuter vor dem Servieren herausnehmen, Sauce evtl. mit etwas Mondamin abbinden. Nochmals mit Salz, Pfeffer, Limonensaft abschmecken.

Grüne Bohnen als Einlage hineingeben.

# Wackes

Benesisstr. 59
50672 Köln
0221 – 2573456

Kein Ruhetag

Im Herzen der Kölner Innenstadt gelegener Elsässer mit viel authentischem Flair. Küchenchef Georg Bollmer macht Flammkuchen, wie sie sein sollten, Patron Romain Wack liest Wünsche von den Augen ab. Auf vier Etagen ist es durchweg rappelvoll, gekocht wird vollmundig bis Mitternacht.

## Elsässischer Flammkuchen
▶ für 4 Personen

Für den Teig:
*300 g Mehl*
*20 g Hefe*
*125 ml lauwarmes Wasser*
*1 Prise Salz*

Für den Belag:
*400 g Sauerrahm*
*Salz, Pfeffer und Muskat*

*Sowie entweder*
*2 große Zwiebeln, fein gewürfelt*
*60 g Räucherspeck, fein gewürfelt*

*oder*
*100 g Sauerkraut, grob gehackt*
*Schmale Streifen von 1 Strauchtomate*
*60 bis 80 g geräucherte Entenbrust in dünnen Scheiben*
*80 g geriebener Emmentaler*

## Zubereitung:

Backofen auf 200 °C vorheizen. Mehl, Hefe, Wasser und Salz zu einem glatten Teig vermengen und ca. 1,5 Stunden abgedeckt ruhen lassen. Den Teig sehr dünn ausrollen und auf ein gefettetes Backblech legen. Sauerrahm, Pfeffer, Salz und Muskat verrühren, den Teig mit der Mischung bestreichen. Wahlweise Speck-Zwiebel-Mischung oder Sauerkraut-Tomate-Entenbrust-Emmentaler-Mischung darauf verteilen. 6–8 Minuten im Ofen goldbraun backen.

# Gut Lärchenhof

Hahnenstraße
50259 Pulheim-Stommeln
02238 – 923100

Kein Ruhetag

Gastro-Legende Peter Hesseler und Küchenchef Bernd Stollenwerck haben eines der bemerkenswertesten Restaurants geschaffen, das je einem Golfclub die Schau gestohlen hat. Erstklassige Weinempfehlungen vom Patron, Adäquates auf dem Teller. Auch für Nichtgolfer eine Pilgerreise wert.

**Hummer und Königsberger Klopse in Tomaten-Kapernnage**
▶ für 4 Personen:

*2 Hummer à 500 g*

Für die Königsberger Klopse:
*100 g Kalbfleisch*
*20 g grüner Speck*
*25 g Schalotten, fein gehackt*
*1 Scheibe Toastbrot ohne Rinde (eingeweicht)*

2 Sardellenfilets, fein gehackt
1 EL Kapern, fein gehackt
1 Ei
Salz, Pfeffer

Für die Tomaten-Kapernnage:
200 ml Fischfond
100 ml klarer Tomatenfond
3 EL Kapernsaft
Tomaten-Concassé von 2 Tomaten
2 EL Kapern, fein gehackt
2 EL glatte Petersilie, fein gehackt

**Zubereitung:**
Kalbfleisch und Speck vom Metzger durch den Wolf drehen lassen oder selber machen, falls Wolf vorhanden. Mit allen Klopse-Zutaten zu einem Teig vermengen. Etwas durchziehen lassen.

Fischfond und Tomatenfond auf ein Drittel reduzieren, Kapernsaft dazugeben. Tomaten-Concassé, gehackte Kapern und Petersilie als Einlage mit hineingeben. Den Fond zum Schluss mit einem Stück Butter und Olivenöl aufmontieren.

Klopse in siedendes Wasser geben, bis sie oben treiben (ca. 5 Minuten).

Hummer 3 Minuten in Gemüsefond mit Essig abkochen.

Zur Garnitur empfehlen sich Streifen von Sellerie, Lauch und Karotten, in Schalottenbutter angeschwitzt.

# Le Moissonnier

Krefelder Str. 25
50670 Köln
0221 – 729479

Ruhetag: So und Mo

Ein Jugendstiljuwel, so authentisch französisch, dass man nach Verlassen des Restaurants kaum glauben mag, in Köln zu sein. Vincent Moissonnier und Küchenchef Eric Menchon könnten den Begriff Kreativität erfunden haben. Legendäre Weinkarte, und jeden Wein gibt's offen.

## Seeteufel mit Oliven-Rotwein-Sauce
▶ für 4 Personen:

*4 Seeteufeltournedos mit Mittelgräte, ca. 3–4 cm dick, Salz, Pfeffer, etwas Olivenöl*

Für die Sauce:
*12 Perlzwiebeln*
*1 Prise Salz*
*10 g Zucker*
*10 g Butter*
*15 g Räucherspeck*

50 g *Champignons*
16 *grüne Oliven, ganz, entkernt*
¾ *l kräftiger, säurebetonter Rotwein*
¼ *l Kalbsfond*

Für die Persillade:
20 g *Paniermehl*
1 *Knoblauchzehe*
½ *Bund krause Petersilie*
1 EL *Olivenöl*

## Vorbereitung:

Für die Persillade Knoblauch und Petersilie hacken, mit Paniermehl und Olivenöl mischen, zur Seite stellen.

Für die Sauce in einem großen Topf den Rotwein einkochen, bis er fast komplett reduziert ist. Kalbsfond dazu geben und 5 Minuten kochen lassen. Zwischendurch die Perlzwiebeln schälen und in einem kleinen Topf (ganz knapp mit Wasser bedeckt), Salz, Zucker und Butter langsam köcheln lassen, bis die Zwiebeln karamellisieren. Die Pilze in dünne Scheiben schneiden, in etwas Olivenöl anbraten. Den Räucherspeck würfeln und kurz in Wasser kochen (er soll weiß aussehen). Pilze, Zwiebeln und Speck zur Rotweinsauce geben und zusammen 5 Minuten kochen lassen.

## Zubereitung:

Die Seeteufeltournedos salzen, pfeffern und in etwas Olivenöl bei starker Hitze anbraten, bis sie leicht braun werden. Den Fisch mit der Persillade bestreuen und im vorgeheizten Backofen bei 220 °C 8–10 Minuten garen, bis die Persillade leicht braun ist. Die Oliven-Rotwein-Sauce kurz erwärmen, auf vorgewärmte Teller geben, den Fisch in die Mitte legen.

Die Moissonniers servieren dazu Ratatouille und aromatisierte Kartoffeln (sprich Pellkartoffeln, zusammen mit 1 Lorbeerblatt, etwas Thymian und Knoblauch gekocht).

# Päffgen

Friesenstr. 64
50670 Köln
0221 – 135461

Kein Ruhetag

Das urigste Kölner Brauhaus, das beste Kölsch, eine Riesenspeisekarte für nahezu jeden Appetit, ruppig herzliche Köbese, Klassenlosigkeit im besten Sinne und die Antwort aller Antworten auf den Versuch, Cola oder Wasser zu bestellen: »Willste dich vergiften?«

## Rheinischer Sauerbraten
▶ für 4 Personen

*1 kg Rinderbraten aus dem Bug (oder Schulter,*
*ein bisschen durchwachsen)*
*½ l Wasser*
*¼ l Rotwein*
*2 dicke Zwiebeln*
*1 Mohrrübe*
*1 Stück Sellerie*
*1 Lorbeerblatt*
*2 Wacholderbeeren*

2 Pimentkörner

5 schwarze Pfefferkörner

1 Gewürznelke

100 g fetter Speck, gewürfelt

1 Bund Suppengrün

400 ml Fleischbrühe

4 Kräuterprinten (in der Weihnachtszeit bevorraten!)

1 Scheibe Schwarzbrot

1 Handvoll Rosinen

200 ml Sahne

20 g Mehl

evtl. etwas Rübenkraut

Pfeffer, Salz, Zucker

**Zubereitung:**

Rotwein mit Wasser, der klein geschnittenen Mohrrübe und dem gewürfelten Sellerie, 1 grob gehackten Zwiebel, Lorbeerblatt, Nelke, Pimentkörnern, Pfefferkörnern, Wacholderbeeren und einer Prise Salz aufkochen, 15 Minuten köcheln lassen, dann abkühlen lassen. Das Fleisch so hineinlegen, dass es vollständig von der Flüssigkeit bedeckt ist, und 2–3 Tage ziehen lassen, dabei mehrmals wenden.

Speck im Bräter auslassen. Fleisch trockentupfen, pfeffern und salzen und von allen Seiten sehr scharf im Speckfett anbraten. Die zweite, grob gewürfelte Zwiebel und das gewürfelte Suppengrün etwa 15 Minuten mit anrösten. Gemüse entfernen. Bratensatz mit ¼ l der durchgesiebten Marinade ablöschen, die Fleischbrühe angießen,

Rosinen zugeben. Fleisch zugedeckt bei kleiner Hitze 90 Minuten schmoren lassen. Zwischendurch einige Male wenden. Fleisch herausnehmen, warm stellen. Sahne mit Mehl verkneten, zur Sauce geben, außerdem die zerbröckelten Printen einstreuen. 5 Minuten kochen, Sauce mit dem Pürierstab durchmixen, eventuell noch etwas einkochen lassen. Mit Pfeffer, Salz und Zucker würzen, mit Rübenkraut abschmecken.

Fleisch aufschneiden, Sauce hinzugießen.

Dazu passen Kartoffelklöße.

# Amabile

Görresstr. 2
50674 Köln
02 21 – 21 91 01

Ruhetag: Mo

Liebenswürdiges Wohlfühlrestaurant in ruhiger Lage, mit viel Engagement und persönlicher Note geführt. Michael Greifs Küche lotet gekonnt das mediterrane Spektrum aus und ist einfallsreich, ohne sich in Experimente zu versteigen. Im Sommer lockt die Terrasse.

## Ganzer Loup de mer in Zitronengras-Soja-Marinade
▶ für 4 Personen

*4 geschuppte und ausgenommene Loup de mer*
*(Wolfsbarsch), ca. 350 g*
*1 kleine Knolle Ingwer, geriebenen*
*8 EL Sojasauce*
*1 TL Zucker*
*1 Knoblauchzehe, gehackt*
*0,1 l Sesamöl*
*2 Zitronengrasstangen*
*1 Bund Koriander*

*2 Limetten*
*0,2 l Olivenöl*
*Pfeffer, Salz*

**Zubereitung:**
Backofen auf 180 °C vorheizen.

Für die Marinade Sojasauce mit Zucker, geriebenem Ingwer und Knoblauch verrühren. Das Sesamöl und Olivenöl einrühren. Das fein geschnittene Zitronengras, geschnittene Koriandergrün und die Filets der Limetten unterheben.

Die ganzen Fische mit Zitronensaft, Salz und Pfeffer würzen. In einer Pfanne Olivenöl erwärmen, die Fische in Mehl wenden und von beiden Seiten anbraten, danach ca. 10 Minuten im Ofen fertiggaren. Aus dem Ofen nehmen, etwas Marinade über die Fische verteilen und auf Tellern anrichten. Als Beilage passen gekochte Kartoffelperlen.

## Apropos Cöln
## Restaurant Hornsleth

Mittelstr. 12
50672 Köln
0221 – 272519–20

Ruhetag: So

Wem Köln zu kölsch wird, der findet im *Apropos Cöln – The Concept Store* ein Stück New York. Das edel gestylte Konsumparadies umfasst Fashion, Accessoires, Beauty und das exzellente Restaurant Hornsleth mit Bildern des Künstlers Kristian von Hornsleth. Das Auge genießt mit.

**Glasierte Hähnchenbrustwürfel mit Erdbeer-Avocado-Salat**
▶ für 2 Personen

*250 g Hähnchenbrustfilet*
*250 g Erdbeeren*
*1 Avocado*
*½ Eisbergsalat*
*2 Zweige Thymian*
*2 EL Mayonnaise*
*2 EL Joghurt*

1 EL Fenchelsamen
2 EL Sojasauce
1 Chilischote, fein gehackt
1 EL Olivenöl
1 EL Butter
Salz und Pfeffer

## Zubereitung:

Erdbeeren waschen, Stielansätze entfernen und Früchte würfeln. Avocado schälen, halbieren, den Stein entfernen und das Fruchtfleisch in Spalten schneiden. Eisbergsalat putzen, waschen und trockenschleudern. Danach in mundgerechte Stücke schneiden. Thymian zupfen und fein hacken. Alle Zutaten mit Mayonnaise und Joghurt mischen und mit Salz und Pfeffer abschmecken.

Hähnchenbrustfilet in 2 cm große Würfel schneiden, mit Salz, Pfeffer und Fenchelsamen würzen. Öl und Butter in einer beschichteten Pfanne erhitzen, Hähnchenwürfel 3–4 Minuten braten, dabei das Fleisch ab und zu wenden. Mit Sojasauce ablöschen. Pfanne vom Herd nehmen und die Chilischote beigeben.

Den Salat mit den glasierten Hähnchenbruststückchen anrichten.

# Danksagung

Theo Pagel, Kurator Raubtiere im Kölner Zoo, machte es möglich, dass ich etlichen Zentnern Löwe und Tiger näher sein konnte als allgemein üblich. Heinz Nolden, Pfleger besagter Katzen, fütterte mich mit wertvollen Informationen und seine Schützlinge währenddessen mit eindrucksvollen Mengen Hackfleisch. Dr. Thomas Lagodka, Petrus‌krankenhaus Bonn, gab mir Einblick in die Wirkung von Taipoxin – ich komme also nicht umhin, ihn der Mittäterschaft zu bezichtigen. In aller Unschuld hingegen unterstützte mich Vilde Eide als medizinische Beraterin. Peter Eischeid von der Kölner Polizei bewahrte mich davor, Wachtmeister mit Hauptwachtmeister zu verwechseln und ähnlich sträfliche Fehler zu begehen. Für Cüppers leibliches Wohl sorgten die phantastischen Kölner Köche, denen es sich maßgeblich verdankt, dass Cüppers Löwenmut nicht für die Katz war. Vor allem aber einem Menschen möchte ich danken, dem ich dieses Buch von ganzem Herzen widme: Liz Abulasky, meiner Liz, für Deine vielen wertvollen Anregungen, Dein unermüdliches Organisieren, Lektorieren und Redigieren, fürs Zuhören, fürs Mutmachen, für Dein Lachen, für all Deine Liebe, für die letzten Jahre, die mein Leben um so vieles reicher gemacht haben, und schon mal im Voraus für alles, was noch kommt.

# FRANK SCHÄTZING

»Virtuos gemeuchelt, sprachlich wendig, mit viel
Gespür für historisches
Flair, Spannung und Witz.«
*Kölnische Rundschau*

45531

# EDGAR NOSKE

Schloss Burg, im Jahr 1225: Das Leben des siebzehnjährigen
Martin nimmt eine unerwartete Wendung, als er vom armen
Müllerssohn zum Knappen des Grafen Engelbert, des
Erzbischofs von Köln, avanciert. Vor Martin tut sich eine neue
Welt auf. Doch das Leben am Hof ist keineswegs nur ange-
nehm, denn Graf Engelbert hat unzählige Feinde, die ihm seine
Macht neiden. Schließlich kommt Martin einer Verschwörung
auf die Spur, bei der es um nichts Geringeres als die Ermordung
Engelberts geht ...

45631

**GOLDMANN**